ZO DIEP ALS HET G

DAVID WILTSE

ZO DIEP ALS HET GRAF

UITGEVERIJ AREOPAGUS

Oorspronkelijke titel
Into the fire
Uitgave
G.P. Putnam's Sons, New York

Vertaling
M.J.C. van Blijswijk
Omslagontwerp
Jan de Boer
Omslagfoto
Wim van de Hulst

Voor D.G. Selbst,
wiens moed en talent ons blijven inspireren.

1

Nadat ze Harold Kershaw in brand had gestoken, leek het Aural verstandig de stad te verlaten. Een demonstratie van onafhankelijkheid kon je maar het beste overleven. Harold was een wraakzuchtig man wanneer hij iets te regelen had, om niet te zeggen heel link als hij daarvoor in de stemming was. Aural besloot om 'm uit Asheville te smeren nu de score nog een-nul in haar voordeel was.

Ze nam de bus naar Richmond, betaalde de prijs voor de hele rit – ze was zo verstandig geweest Harolds portefeuille in haar zak te legen voor ze hem in het vuur had gegooid – maar stapte in Statesville uit en liftte verder naar Elkin. In Elkin nam ze de bus naar Galax, Virginia. Harold zou haar zeker achternakomen. Aural was bang dat Harold haar te pakken kreeg, maar ze dacht niet dat hij veel kans had haar daadwerkelijk te vinden omdat spoorzoeken niet zijn sterkste kant was. Ten eerste zou Harold aan vreemden om inlichtingen moeten vragen. Zij had ervaren dat hij niet zoveel praatte en het ook niet zo goed kon. Zeker niet tegen haar. Waar hij goed in was, was grommen en het met zijn tanden openen van bierflesjes – de komst van schroefdoppen had niet geholpen om hem van die hebbelijkheid af te helpen – en als hij er zin in had, op glas kauwen. Hij was ook goed in piswedstrijden, dat zei hij tenminste. Aural had maar een paar van die wedstrijden mee hoeven maken en had verdere uitnodigingen om te kijken afgeslagen. Het was net zo'n soort tijdverdrijf als golf, dacht ze: leuk voor de deelnemers misschien, maar helemaal niet interessant voor de toeschouwers. Maar Harold was zo trots op zijn piseigenschappen, dat hij zelfs kans zag om ze zònder het excuus van een wedstrijd te demonstreren. Zijn favoriete demonstratie was om in de achterbak van zijn pick-up te staan als die door een dorp in de buurt scheurde, zoals Swannanoa, en dan te pissen over de hele lengte van de hoofdstraat. Aural mocht die stunts meer dan de wedstrijden – dan kon zij tenminste rijden. Eén of twee keer – tegen het einde van haar relatie met Harold – had ze geprobeerd hem uit de bak van de truck te wippen, maar hij kon verrassend goed zijn evenwicht bewaren voor een man die dronken genoeg was om de hele weg door de stad te pissen. Ze was er alleen een keertje in geslaagd dat hij zichzelf nat piste, wat hem er echter niet van afhield. De ene keer werd hij er kwaad om, de andere keer lachte hij erom.

Na de nacht doorgebracht te hebben in Galax, begon Aural een uitgebreide conversatie met de moteleigenaar. Ze wist dat die zich dat zou herinneren omdat het met zo'n aardig jong ding was. Bovendien had Aural de voorzorg genomen haar blouse maar half dicht te knopen, zodat ze er zeker van was dat ze de aandacht van de man zou trekken. Ze liet vallen dat ze op weg was naar Kentucky, waar ze familie had. Ze had dat nog niet gezegd of ze nam de eerste de beste lift die ze kon krijgen naar West Virginia, waar ze geen levende ziel kende.

Dat wiste genoeg sporen uit om Harold af te schudden. Iemand die wist wat hij deed, kon haar waarschijnlijk wel vinden, maar Harold niet en hij was te stom om te bedenken dat hij een detective kon inhuren. Hij ging zeker niet naar de politie. Ze wist dat hem in brand steken in bepaalde kringen waarschijnlijk tegen de wet was, maar voor Harold zou het meer een teken van ontrouw zijn. Een zaak die hem persoonlijk aanging. De keren dat hij met de wet te maken had gehad, stond hij altijd aan de verkeerde kant, en hij zou zich er dan ook nu niet toe wenden voor hulp.

Het was geen probleem om een lift te krijgen, niet voor een vrouw die eruitzag als Aural. Op haar achtentwintigste zag ze er eerder uit als achttien. Ze had een gezicht dat eeuwige onschuld uitstraalde, met een soort maagdelijke gloed die haar ervaring verborg, die overigens, vond ze, tamelijk zwaar begon te wegen. Haar lichaam bezat echter een soort soepele lenigheid die mannen aansprak als een misthoorn in het donker. Zoals ze langs de weg stond, met een hand op haar in spijkerstof gestoken heup, haar andere hand elegant opgestoken in de houding van een model, leek haar hele figuur te zeggen: 'Vooruit, probeer me.' Pas als de auto's en pick-ups stopten en de chauffeurs haar gezicht, dat er zo puur uitzag als van een meisje in haar witte communiejurk, beter konden zien, begon de verwarring. Aural speelde zolang de rit duurde op die verwarring in.

Ze was niet bijster bezorgd over de zogenaamde gevaren van het liften. Ze was een expert in het manipuleren van mannen, vooral van mannen van het liederlijke soort – en dat waren naar haar ervaring de meeste – en als ze ze niet onder controle kon houden met haar gevatheid, was er altijd nog het nuttige mes dat met een reep klitteband in de bovenkant van haar laars vastzat. Het mes was haar idee, zoiets als een fundamenteel recht van een lange opeenvolging McKessons, die nooit zonder een wapen hadden rondgelopen. Aural had vanaf haar tiende jaar een mes bij zich gehad. Het klitteband was een verfijning die ze had overgenomen van Jarrell Robeaux, een Cajun uit Louisiana met buitensporige neigingen, waarmee ze een paar maanden in Biloxi had doorgebracht. Dat was het enige van waarde dat ze aan hem overgehouden had, als je het kleine litteken achter haar rechteroor niet meetelde, dat hij haar met zijn metalen Stanley Powerlock meetlint had toegebracht.

Op Route 52 in Welch, West Virginia, kreeg Aural een lift van een dikke man die niets zei, maar de hele rit met een oog naar haar keek alsof hij net iets op de TV had gezien over de gevaren van het oppikken van liftsters. Aural had snel in de gaten dat hij niet paranoïde was maar eenvoudig lonkte, en toen ze dat wist, ontspande ze zich. Ze voelde zich best op haar gemak als er naar haar gelonkt werd – er werd al jaren door de beste mannen naar haar gelonkt – en maakte gebruik van de stilte om haar laatste avontuur te overdenken.

Het waren de laarzen van Harold die een eind aan hun relatie hadden gemaakt, mijmerde ze. Puur uit gewoonte slingerde hij ze naar haar, bijna zonder erbij na te denken, zoals hij voor een hond een stok zou pakken om te apporteren, en die alsmaar bleef weggooien. De onverschilligheid waarmee hij dat deed zat Aural dwars. Ze zat er niet echt mee als haar vriend zo nu en dan iets naar haar toe smeet – ze had nooit een vriend gehad die dat niet deed – maar ze vond dat zo'n worp ten minste uit woede moest voortkomen. Woede kon ze begrijpen, ze had zelf ook de gekste dingen naar Harold gesmeten, en niet altijd uit zelfverdediging. Ze herinnerde zich een keer dat ze een pan soep naar hem gesmeten had. Die zat toen niet helemaal vol hete soep, maar was ook niet echt leeg. Harold had niets bijzonders gedaan om dat te verdienen, voor zover Aural zich kon herinneren. Ze had gewoon naar hem gekeken zoals hij daar aan de keukentafel zat, met een wazig gezicht van een kater, zijn beginnend buikje uitpuilend boven zijn riem, met zijn haar alle kanten op alsof hij voor een ventilator had gezeten toen hij haarversteviger in zijn haar smeerde. Hij peurde met zijn vinger in zijn kiezen en maakte geluiden alsof hij ging overgeven. Hij was ongewassen, vuil, zag er in het algemeen goor uit en het drong diep tot Aural door dat haar standaard tot een onaanvaardbaar niveau was gezakt. Bovendien was het zo heet als de hel en zo vochtig dat het leek of ze onder water zaten. Ze moesten soep eten omdat dat alles was wat ze in huis hadden en zo had Aural de soep met pan en al door de lucht laten vliegen in de hoop dat het misschien zou leiden tot verbetering van Harold.

Het was dus niet zozeer het feit dat hij zijn laarzen zo vaak naar haar toeslingerde alswel dat hij ze tenslotte naar haar hoofd gooide. Haar gezicht was haar fortuin, had haar moeder haar altijd gezegd en Aural geloofde dat, hoewel ze er nog nooit een stuiver van had gezien. Liever dan dat haar fortuin door Dan Perkins schoenmaat vierenveertig werd beschadigd, had Aural besloten tot brandstichting en vertrek.

Harold was de zesde man waarmee ze in de laatste acht jaar had samengewoond. De een was nog erger dan de ander, voor zover ze wist. Wat haar in de war bracht, was het feit dat geen van hen haar had gedwongen met hen om te gaan. Aural had wat mannen betreft altijd keus genoeg gehad. Ze had die ruwe klanten en botteriken zelf uitgekozen. Dat maakte dat ze zich afvroeg of ze het misschien leuk vond dat ze om de oren werd geslagen, dat er tegen haar gevloekt werd en dat ze grof behandeld werd. Niet dat ze gewoonlijk niet lik op stuk gaf. Aural zou zichzelf nooit als misbruikt beschouwen. Ze was op elk moment vrij om te gaan en uiteindelijk deed ze dat ook altijd. Ze was ook in staat zichzelf te verdedigen. Het was meer een kwestie van slapen met de zwijnen, zoals haar vader gezegd zou hebben. Hij had altijd een citaat klaar bij dat soort dingen, maar hij had dan ook een citaat voor elk teleurstellend gedrag van Aural. De meeste kon ze zich niet meer herinneren. Zou het kunnen zijn, vroeg ze zich af toen ze het plaatsje Bald Nob binnenreden en de dikke man aanstalten maakte tenslotte toch in beweging te komen, zou het kunnen zijn dat ze echt viel op mannen die gemeen en dom waren, en absoluut niet goed voor haar? Nou, dat zou een droevige zaak zijn.

Toen de dikke man zijn hand naar haar dij uitstak, greep ze die en boog zijn vingers achterover tot hij het uitschreeuwde. Hij slaagde er met zijn goede hand in naar de kant van de weg te zwenken en minderde net zoveel snelheid dat Aural uit het voertuig kon springen. Ze bleef achter op de stoffige weg diep in Bald Nob en keek achterom naar een tent die ze, toen de dikke man even te ver ging, net waren gepasseerd. Het leek Aural een goede plek voor een domineesdochter om op een zomerse dag te vertoeven.

2

Behendig als een bok, soepel als een jonge wolf, klom de jongen met de zorgeloosheid van de jeugd snel tegen de rotswand op. Zijn lichaam was niet veel groter dan de rol touw die aan zijn uitrusting zat. Hij dacht nooit aan gevaar, had geen angst om te vallen, had voor zichzelf in feite slechts een vage notie van het begrip sterfelijkheid. Boven stond John Becker, met zijn handen om het slappe touw, goed verankerd en met zijn been schrap gezet om de schok van een val op te kunnen vangen, en keek naar het klimmen van de jonge Jack met een gemengd gevoel van afgunst en bezorgdheid. Een goede klimmer had geen angst – of dacht er tenminste nooit aan als angst – maar hij had altijd een gezond ontzag voor de gevaren van elke klim. Met zijn tien jaar was Jack eenvoudig nog te jong om het risico te zien dat vastzat aan de altijd aanwezige, onbreekbare wet van de zwaartekracht.

Jack bereikte de richel waar Becker stond. Hij sprong er als het ware op, stralend dat hij het gehaald had. Becker dacht aan zijn eigen moeizame ademhaling toen hij zich tegen die grote hoogte omhooggehesen had. Jack zag er fitter uit dan toen hij onder aan de rots stond. Galileï had het fout, dacht Becker. De zwaartekracht trekt aan de een harder dan aan de ander.

'Goed zo,' zei Becker.

Jack glimlachte breed. 'Het was makkelijk.'

'Uh-huh.'

Jack draaide zich om en keek naar beneden. Becker kon zich nog net inhouden om hem bij zijn riem te grijpen. 'Het was niet zo hoog.'

'Ja, nou, we werken ons geleidelijk op tot de Mount Everest. Maar pas op zijn vroegst volgende week.'

De jongen wuifde naar zijn moeder, die beneden stond en angstig omhoogkeek.

'Jouw beurt,' zei Becker, terwijl hij met het touw wiebelde.

Jack liet de lijn neer zoals hij had geleerd, zette zich schrap en riep: 'Vast!' Becker glimlachte om de ernst in zijn houding.

'Jezus, dat hoop ik,' sputterde zijn moeder in zichzelf. Ze keek omhoog maar kon zijn gezicht over de rand heen niet langer zien.

'Ik ga klimmen!' riep ze en zette de eerste stap op de rots. Ze kon voelen dat het touw zachtjes werd aangetrokken. Het gaf haar vrijheid van beweging terwijl het toch ook een gevoel van veiligheid gaf.

Achter Jacks rug nam Becker zijn eigen verankerde plaats in, klaar om onmiddellijk te hulp te schieten als de jongen het niet zou redden.

Karen klom langzaam maar gestaag, alsof het een ambacht was. Ze was pas kort onder begeleiding van Becker met klimmen begonnen en hoewel ze sterk was en haar reflex zo snel als van ieder andere getrainde FBI-agent, had haar geest er moeite mee zich aan het geheimzinnige genoegen van het omarmen van steen over te geven.

Als je ervoor gekozen had om je leven door te brengen in een hoofdzakelijk mannelijke gemeenschap, was het probleem, dacht ze, dat je moest bewijzen dat je het kon. En weer bewijzen en nog eens en nog eens. De test hield nooit op. Als adjunct-directeur Kidnapping had ze het hoogste bereikt wat een vrouw ooit bereikt had en nog op vrij jonge leeftijd ook. Maar toch was er het voortdurende gezeur steeds opnieuw te moeten bewijzen dat ze het verdiende die positie te hebben en dat ze, als dat nodig was, net zo macho kon zijn als ieder van hen. En op een of andere manier scheen dat altijd nodig te zijn. Niet dat Becker aan haar twijfelde, dat wist ze wel. Hij wilde haar niet omvormen tot een man met zachte lichaamsdelen. Hij hield van de vrouwelijkheid van haar geest en was erdoor geboeid, net zoals hij geboeid leek te zijn door zoveel dingen die van nature niet de zijne waren. Van alle mannen die ze kende was Becker de enige waarvan ze zeker wist dat hij haar accepteerde zoals ze was... Maar toch was ze nu hier, met haar neus tegen de rots gedrukt en bezig dat beetje nagels te scheuren dat ze nog had kunnen laten groeien, alleen omdat de vorige vrouw van Becker een bergbeklimster was en zich voor haar man en haar zoon uitsloofde. Waarom, vroeg ze zich af, en niet voor de eerste keer. Waarom kregen zij nooit eens de neiging om voor háár voor Kerstmis een trui te breien om indruk op háár te maken?

De klimtocht van Karen naar de rand was iets minder indrukwekkend dan die van Jack. Ze hees zichzelf net hoog genoeg op om te gaan zitten en leunde achterover met haar voeten in de ruimte bengelend.

'Goed gedaan,' zei Becker.

'Tamelijk goed,' zei Jack. Ze hoorde een tikje neerbuigendheid in zijn stem, maar ze was er niet zeker van of de rest van zijn gedachte was: *voor een vrouw*, of: *voor mijn moeder*. Op zijn tiende was haar zoon al een overtuigde seksist, ofschoon Becker haar verzekerd had dat hij daar bovenuit zou groeien.

'De volgende vakantie gaan we ergens naar toe waar ik een rok kan dragen,' zei ze. Becker zat naast haar en wreef zijn dij tegen de hare.

'Beloofd,' zei hij. 'Is dat oké, Jack?'

Toen hij niets zei, keken beide ouders hem aan. De jongen staarde omhoog. Zijn houding drukte plotseling ongerustheid uit.

'Wat is dat?' vroeg hij, wijzend.

'Dat heet een Kamin,' zei Becker. 'Daar heb ik je over verteld.'

'Je zei niet dat ze zó smal waren,' zei Jack.

De Kamin was een verticale scheur in de rots, een nauwe spleet van ongeveer een meter breed, die zich naar boven uitstrekte alsof reusachtige handen de rots van elkaar hadden gescheurd. De techniek om er in te klimmen was dat de klimmer zijn lichaam gebruikte als een wig, met zijn benen tegen de ene kant van de Kamin en met zijn rug tegen de andere kant, en dan langzaam opschoof alsof zijn schouders en zijn billen zijn handen waren. Net als zoveel klimtechnieken, vereist dit een zeker zelfvertrouwen, gepaard aan een onverschrokken vastberadenheid.

Becker had dit berggebied uitgekozen omdat het, hoewel moeilijk, niet gevaarlijk was en er in een beperkt gebied een grote variatie in technieken toepasbaar was.

'Moeten we daar in?' vroeg Jack zenuwachtig.

Becker bestudeerde de jongen zorgvuldig. 'Niet als je niet wilt,' begon hij.

'Ik vind dat je het moet doen, Jack,' onderbrak Karen hem.

'Het is niet erg om bang voor iets te zijn,' zei Becker tot Karen.

'Ik weet dat dat níet erg is,' zei Karen geërgerd. Ze werd weer geconfronteerd met de keuze tussen het willen beschermen van haar kind en de vrees dat ze hem te kort zou doen door hem te isoleren van alle risico's en kansen die jongens tot mannen maken. Ze vroeg zich af of alleenstaande moeders de meest macho zonen kregen uit angst zwakkelingen te kweken. 'Maar ik denk dat hij het moet doen. Daarom zijn we hier.'

'Ik denk dat hij dat zelf moet beslissen,' zei Becker geduldig. Karen keek even nijdig.

'Ik denk dat hij het moet doen,' zei ze.

Jack keek de twee volwassenen een voor een aan.

'Kan ik niet gewoon langs die weg recht omhoog?' vroeg Jack, wijzend naar een route die langs de Kamin liep.

'Natuurlijk,' zei Becker.

'Maar dan zul je nooit leren hoe je dàt moet doen.' Karen wees naar de scheur in de bergwand. 'Je zult het toch eens moeten leren.'

'Waarom?'

'Omdat het leven zo in elkaar zit, Jack,' zei ze. 'Het gaat je nooit gemakkelijk af.'

'We zijn allemaal ergens bang voor,' zei Becker zacht. 'Daar is niets mis mee.'

'Jij bent nergens bang voor,' zei Jack.

'Natuurlijk wel. Ik ben voor een hoop dingen bang,' zei Becker.

'Waarvoor dan?'

'Nu ben ik het meest bang voor het klimmen in die Kamin,' zei Becker.

'Uh-huh.'

'Geloof me, Jack. Het zweet breekt me uit op het moment dat ik erin ga.'

'Waarom wil je het dan doen?'

Becker haalde zijn schouders op. 'Weet je wat "onverschrokkenheid" betekent, Jack?'

'Nee.'

'Dat betekent dat ik meer bang ben om bang te zijn voor iets, dan dat ik er bang voor ben.' grinnikte Becker. 'Laat ik het nog eens proberen. Ik bedoel, ik doe de dingen waar ik bang voor ben. Ik wil niet dat de angst wint.'

'Ben je echt bang om in die Kamin te gaan?'

'Eerlijk waar. Ik ben zelfs bang om eraan te denken.'

'Ik niet,' zei Jack. Hij stond op en begon naar de Kamin te lopen.

'Aardige psychologie,' zei Karen terwijl ze opstond.

'Dat was geen psychologie,' zei Becker. 'Dat was de waarheid. Ik ben verdomd bang.'

Karen keek hem aandachtig aan. Zijn gezicht was asgrauw en het zweet stond op zijn voorhoofd. Karen wilde iets zeggen, maar Becker stond snel op en begon Jack achterna te lopen, naar de Kamin toe.

3

Lichten uit in het cellenblok was zoiets als het ondergaan van de zon in de jungle, tijd voor de roofdieren om te voorschijn te komen en voor de prooien zich te verbergen. Maar de jagers waren niet zoals in de jungle onopvallend en in stilte bezig. Binnen de betonnen muren van de Springville-gevangenis waren het de roofdieren die het meeste kabaal maakten. En er was voor niemand een plek om zich te verbergen.

Drie cellen verderop maakte een groentje kennis met de geneugten van het gevangenisleven. Zijn geschreeuw wond de andere bewoners op. Vanuit de hele lengte van het blok klonken aanmoedigingskreten van de collega-roofdieren die de aanvaller aanvuurden. Sommigen die altijd slachtoffer waren schreeuwden ook, enthousiast als ze waren dat nu eens iemand anders vernederd werd. En natuurlijk waren er ook een paar van die slachtoffers van hun rol gaan houden, sommigen bewonderden hun kwelgeesten zelfs. Hun reactie was sympathiek te kirren of verleidelijk naar hun celgenoten te lonken. Niet dat er veel verleiding nodig was. De bevolking van de gevangenis is voornamelijk jong en de meeste gevangenen hebben voor hun eigen bestwil, of die van de gemeenschap, sowieso al te veel testosteron. Seks doordrenkte de gevangenis als de oververhitte vochtigheid van de zomer, kleefde aan de huid, bezwangerde de lucht.

'Daar moet je maar aan wennen, lieverd,' zei een vermoeide stem en gaf daarmee het enige advies dat bij de situatie paste. Als een boef eenmaal was ingewijd, was er geen weg terug meer, geen omkering van de rollen meer mogelijk. Hij zou de rest van zijn gevangenistijd blijven wat hij was geworden.

Cooper lag op zijn brits en luisterde naar het tumult. Een trage grimas kwam op zijn lippen.

'Hoor je dat, vriend?'

De vormeloze hoop op de brits boven hem verroerde zich niet.

'Ik praat tegen je,' zei Cooper. Hij schopte omhoog en beukte met zijn voet tegen de onderkant van de bovenste brits.

'Wat?'

'Doe maar niet of je me niet hoort,' zei Cooper. 'Je hoort me wel.'

'Wat is er?'

Coopers grijns werd breder. Hij mocht het wel als zijn vriendje probeerde hem in de luren te leggen, omdat er hier in zijn cel niemand was die Cooper te slim af kon zijn. In de wereld telde intelligentie. Iedere waardeloze klerk die goed genoeg kon aftrekken om terug te geven van een briefje van tien, intimideerde Cooper. Ze konden zich onbeschoft tegen hem gedragen en toch in leven blijven omdat het er te veel waren om dood te maken. Iedereen leek de onbeholpen en stuntelige kronkelingen van zijn geest op te merken en rond hem heen te dansen als hyena's om een vastgebonden leeuw. Zij waren met velen en hij was maar alleen. Hij kon er niets tegen doen dat ze hem bedrogen en koeioneerden en bespotten. De wereld behoorde aan de handigen. Maar hier in deze cel, behoorde de wereld aan de sterkste. Coopers macht berustte niet op scherpzinnigheid of op sluwheid maar op pure kracht.

'Wat is er?' zei Cooper aanstellerig, de veroordeelde boven hem spottend naäpend. 'Wat is er?'

'Eerlijk,' zei Swann. 'Ik weet niet wat je bedoelt.'

'"Eerlijk".'

Cooper wachtte tot Swann zou antwoorden, toen schopte hij nog eens tegen de brits.

'Nu,' zei hij.

Swann boog zijn hoofd over de rand van de brits. Hij had de uitdrukking op zijn gezicht die Cooper graag zag. De sussende blik van iemand die probeert zijn angst te verbergen bij het kalmeren van een dreigende hond.

'Ik voel me niet erg lekker,' zei Swann.

'Gezeik,' zei Cooper minachtend. 'Ik wil het nu.'

'Nee, eerlijk, Cooper. Ik denk dat ik een infectie heb. Ik zou je in gevaar kunnen brengen. Dat zou ik niet willen.'

Cooper lachte. Hij herkende de toon, zelfs al begreep hij niet alles. Het was dezelfde onzin die ze in de wereld ook altijd tegen hem probeerden. Ze sloegen hem met hun woorden om de oren en verdraaiden de dingen zodat hij niet wist wat hij ervan moest denken.

Daar hoefde hij hier geen rekening mee te houden.

'Tijd voor je avonddingen,' zei Cooper.

'Je weet dat ik...'

'Dat weet ik.'

'Alles wil doen wat je wilt. Normaal dan. Maar vanavond...'

Cooper greep de kleinere man bij zijn oor en trok eraan tot hij jankend van de pijn van zijn brits afkwam.

'De oude Coop gaat rijden,' riep een medegevangene in de buurt die het gekreun van Swann hoorde.

'Coop gaat rijden,' riep Cooper opgewekt terug, blij erkend te worden. Hij was een gerespecteerd man in het blok. Men praatte met hem, sprak zijn naam vol bewondering uit. Als hij al niet de sterkste van het blok was, dan was hij het toch bijna.

Drie cellen verderop kwam de inwijding van het groentje tot een hoogtepunt met de triomfantelijke schreeuw van zijn kwelgeest. Door het fluitconcert van de anderen die zich ermee bemoeiden heen kon je het groentje horen huilen. Als hij niet vlug ophield, zou het roofdier hem slaan tot hij niet meer kon. Cooper haatte huilers, vooral huilende vrouwen en iedereen die hem daaraan herinnerde.

Zijn vriendje huilde niet. Zijn vriendje hield van hem. Niet alleen omdat Cooper hem beschermde tegen de andere gevangenen die hem zouden willen misbruiken. Hij hield van hem omdat hij van hem hield, omdat Cooper iemand was waar je van kon houden, omdat hij een goed mens was en een fokhengst en een aardige kerel. Tenminste voor zover je onder die omstandigheden van een aardige kerel kon spreken. Aardig zijn was geen hoog gewaardeerde eigenschap in de jungle.

Cooper kneep zijn vingers om Swanns keel en voelde de spierbundels die het hoofd van de kleine man op zijn lichaam vasthielden. Het zou heel gemakkelijk zijn om het eraf te trekken. Eén goede ruk maar, dacht Cooper. Hij was er sterk genoeg voor, hij kon het eraf trekken alsof hij een touwtje stuktrok. Cooper vroeg zich af of Swann dan zou rondspartelen als een kip of gewoon zo maar dood zou gaan, in elkaar zou zakken als een geslachte os. Cooper had gezien hoe vee in het slachthuis stierf. Ze vielen alsof er een gat onder hen openging, ze kwamen zonder een zenuwtrek aan hun eind. Hij had nooit gezien dat een menselijk wezen zo snel doodging. Er was altijd wat omhaal, meestal ook lawaai. Maar hij had ook nog nooit iemand zien doodgaan wiens hoofd er afgetrokken was. Hij verstevigde de greep om Swanns nek tot zijn vriendje begon te sputteren.

Cooper voelde dat hij opgewonden raakte.

'Je houdt toch van me?' vroeg hij met een schorre stem en zo zacht dat niemand anders het horen kon.

'Ik hou van je,' zei Swann.

Cooper stootte harder, begon zijn beheersing te verliezen.

'Ik hou ook van jou,' zei Cooper, waarbij ieder woord door zijn heftige ademhaling werd verwrongen, en op dat moment meende hij het echt. Hij wilde zijn vriend in zijn armen drukken, hoewel zijn houding dat niet toeliet. Hij wilde door een ander omarmd worden, wilde tegen zijn eigen huid de warmte voelen van een ander lichaam, van een lichaam waar hij van hield.

Cooper bereikte zijn hoogtepunt met de orgastische schreeuw van een kat en verkondigde daarmee zijn heerschappij. Zo had hij dat in de gevangenis geleerd. Hij liet zijn luisteraars zijn triomf horen. Hartstocht in stilte was voor de prooi, niet voor het roofdier.

Na de laatste siddering zakte hij over Swanns rug in elkaar en toen kreeg hij, zoals altijd, bijna onmiddellijk een gevoel van schuld. Hij stootte zijn vriendje van zich af en drukte hem met zijn voet tegen de muur.

Zijn vriendje stootte zijn hoofd en kreunde.

'Hou je kop,' zei Cooper.

'Dat doet zeer.'

'Je hebt geluk dat ik je niet afmaak,' zei Cooper. 'Als ik niet met je zou moeten leven, zou ik je afmaken.'

Swann hield zijn mond, een gedaante in het donker tegen de muur gedrukt. Cooper wilde hem weer schoppen. Zoals een in elkaar gedoken hond, dacht hij. Die vroeg erom geschopt te worden.

'Dat weet je toch, hè?' vroeg Cooper.

'Dat weet ik.'

'Als ik niet met jou zou moeten leven, zou ik waarschijnlijk zo je hoofd eraf trekken. Je weet dat ik dat kan.'

'Dat weet ik.'

'Ik heb al eens een flikker doodgemaakt.'

'Ik ben geen flikker, Coop.'

'Dat is maar goed ook.'

'Ik doe het omdat ik om je geef.'

'Verdomd als ik een cel zou moeten delen met een flikker. Als ik er ooit achter kom dat jij er een bent dan maak ik je in ieder geval af. Ik geef er niet om als ik hier nooit meer uitkom. Ik maak je af, net zoals ik met die andere gedaan heb.'

Er viel een stilte en een ogenblik dacht Cooper dat het een slechte nacht zou worden. Zijn vriend zou humeurig zijn en moeilijk doen, misschien was hij wel echt ziek, misschien had Cooper hem toch verwond. Hij was altijd zo'n kleine zeikerd als hij zich misbruikt voelde, en hoewel Cooper hem kon dwingen om mee te doen, deed hij dat niet met dezelfde zelfgenoegzame overgave. Wie weet wat er omging in zijn hoofd als hij daar in de schaduw gehurkt zat? Neukende kleine kantoorklerk, dacht Cooper, een klein snotneusje achter het kasregister. Cooper had bij tientallen van hen zijn .38 in het gezicht gehouden en hun zelfvoldaanheid binnen een seconde in angst zien veranderen. Hij had de kleur uit hun gezicht zien verdwijnen alsof het pistool een sifon was en Coop een vampier. Kleine zeikneuker, vieze kleine zeikneuker, die zich snotterend in het donker verborg.

Toen verbrak Swann de stilte.

'Hoe heb je hem afgemaakt?'

Cooper ontspande zich. De klank van zijn stem was precies goed, zijn vriendje was in de juiste stemming. Hij zou de vragen stellen en Cooper kon de dingen zeggen die hij graag zei. Dat was het deel van de avond dat hem het best beviel, het deel na de seks, wanneer hij over zichzelf praatte en over de dingen die hij had gedaan en die hij nog ging doen. Cooper had veel details vergeten, maar zijn vriendje had alles onthouden. Hij leidde Cooper wanneer hem dingen ontglipt waren. Cooper voelde zich nooit stom als hij zijn verhalen aan Swann vertelde.

'Ik schopte hem dood,' zei Cooper.

'Waarom?'

'Dat zei ik toch, hij was een flikker.'

'Wanneer deed je dat, Coop?'

''s Nachts. Hij kwam naar de auto en vroeg of hij iets voor me kon doen en ik zei: Ja, flikker, je kunt iets voor me doen. Je kunt opsodemieteren.'

'Ik bedoel, hoe lang geleden deed je dat?'

'Waarom zei je dat niet?'

'Ik was niet duidelijk genoeg, sorry... Was het kort voordat je in de gevangenis kwam, of langer geleden, of...?'

'Het was... eh...'

'Was het vijf jaar geleden, toen je in Nashville was?'

'Ja, toen.'

'Wist de politie dat?'

'Ik weet het niet. Ik heb het ze niet verteld. Ik denk van niet, wat denk jij?'

'Was dat vóór je die meisjes doodmaakte of daarna?'

'Ervoor.'

'Hoe ging het met die meisjes?'

'Dat vind je wel leuk, hè?' zei Cooper.

'Ik vind leuk wat jij leuk vindt, Coop. Jouw favorieten zijn mijn favorieten.'

'Zij zijn allemaal mijn favorieten. Ik zou ze niet doodgemaakt hebben als ik dat niet leuk vond, is het wel?'

'Wil je me liever over een ander vertellen? Wil je over de Mexicaan praten?'

'Welke Mexicaan? Ik heb meer dan één Mexicaan gedaan. Ik deed er een heleboel. Ik haat Mexicanen.'

'Die van toen je sinaasappels plukte?'

'Ik heb een heleboel Mexicanen gedaan,' herhaalde Cooper vaag, proberend het zich te herinneren.

'Je zei dat hij je op je gezicht sloeg vanwege zijn vrouw.'

'Oh, ja.' Cooper wachtte tot hij zich meer herinnerde. Er waren er zoveel geweest. Hoe kon men nou verwachten dat hij al de details onthield? Daar was dat vriendje goed voor. Cooper vertelde hem over hen als hij het zich herinnerde en Swann moest onthouden wat hij had gezegd.

'Ze kwam op je af... Ze stak haar kont in je gezicht toen ze op de ladder stond.'

Cooper grinnikte. 'Ik herinner het me weer. Ze wiebelde met haar kont voor mijn gezicht alsof het kriebelde.'

'En ze wilde dat jij krabbelde.'

'Ze wilde met me neuken, dat is wat ze wilde.'

'Dat is wat ik bedoelde. Deed je dat, Coop?'

'Deed ik wat?'

'Neukte je haar?'

'Wat denk je?'

'Liet je haar schreeuwen?'

'Ik laat ze altijd schreeuwen.'

'Is dat het beste gedeelte?'

'Wat?'

'Ze te laten schreeuwen? Is dat wat je het liefste doet?'

'Ik vind het leuk om hun gezichten te zien als ik mijn pistool in hun mond stop.'

'Dat doe je toch niet bij de vrouwen?'

'Ik had het ook niet over vrouwen.'

'Goed.'

'Blijf bij het onderwerp,' zei Cooper. 'We hadden het over de Mexicaan.'

'Sorry, ik raak soms in de war,' zei het vriendje.

Cooper glimlachte in het donker. Die zeikneukers van kantoorklerken waren alleen slim waar ze slim in waren. Ze waren niet slim waarin Cooper slim was. Ze wisten geen donder van de dingen die Cooper wist.

'Er is een hoop over hen te onthouden,' zei Cooper grootmoedig. 'Soms raak ik zelf de draad kwijt.'

'Het zijn er een afschuwelijke hoop. Je moet er meer gedaan hebben dan iemand anders in dit blok.'

'Ik heb er meer gedaan dan iedere andere gevangene in deze hele verdomde gevangenis, vergeet dat niet. Ik heb er waarschijnlijk meer gedaan dan ooit iemand anders. Wat is het record?'

'Dat weet ik niet, Coop. Zeventien, achttien?'

'Goh – dat is niks. Is dat alles? Ik moet er wel dertig gedaan hebben. Misschien nog wel meer.'

'Weet de politie dat?'

'Wie geeft daar nu om?'

'Zij zijn degenen die tellen. Zij houden de stand bij.'

'Doen ze dat?'

'Zij houden als het ware de stand bij. Als zij het niet weten, dan telt het niet.'

'Gelul. Als ik ze gedaan heb, zijn ze dood.'

'Bij wijze van spreken.'

'Gelul.'
'Je hebt gelijk, Coop.'
'Ik probeer je te vertellen over de Mexicaan.'
'Dat wil ik horen.'
'Hou er dan mee op me in de war te brengen met al die andere onzin.'
'Sorry.'
'Ik kan je hoofd eraf trekken als ik dat wil, dat weet je.'
'Ik weet dat je dat kan... Heb je bij de Mexicaan zijn hoofd eraf getrokken?'
Cooper grinnikte. 'Nee... ik heb hem uitgehold. Hij kwam met zijn mes op me af. Je weet dat alle Mexicanen messen hebben. Ze lijken er verdomme mee geboren. Ik stak mijn pistool in zijn gezicht en nam hem het mes af en toen heb ik hem uitgehold met zijn eigen mes. Je kon hem in het Mexicaans horen murmelen.'
'In het Spaans.'
'Wat?'
'Wat deed je met zijn lichaam?'
'Ik verborg het in een duiker.'
'Denk je dat de politie hem ooit gevonden heeft?'
'Dat weet ik niet, zeikerdje. Zoekt de politie gewoonlijk in duikers?'
'Zoveel weet ik niet over de politie, Coop.'
'Je zit hier toch ook? Ik neem aan dat de politie jou zeker kent, jij kleine idioot.'
'Dat is wat anders. Ik maakte een fout. Ik heb niemand doodgemaakt.'
'Je probeerde het toch, is het niet? Je kon het alleen niet klaarspelen.'
'Ik probeerde het niet. Ik verdedigde mezelf alleen. Zij viel mij aan. Ik verdedigde me alleen maar.'
'Een aanslag met een dodelijk wapen, toch? De rechter dacht niet dat je jezelf "verdedigde". Hij dacht dat je probeerde je hospita te doden met een hakmes.'
'Zij viel mij aan. Die vrouw was gestoord.'
Cooper draaide zijn rug naar de ander toe. Hij begreep niet wat 'gestoord' betekende en was het zat om over iemand anders te praten dan over zichzelf.
'Als je zo onschuldig bent, dan denk ik dat ze je moeten laten gaan,' zei Cooper en probeerde te bedenken hoe hij de conversatie weer op zichzelf kon richten.
'Ik weet dat iedereen zegt dat hij onschuldig is, Coop, maar ik ben het ècht.'
'Je kon het alleen niet voor elkaar krijgen. Als je dat wijf had doodgemaakt op de manier die je had moeten doen, was je mis-

schien nu niet hier, heb je daar weleens aan gedacht? Maak ze dood en wie gaat dat aangeven? Wie getuigt er als ze dood zijn? Je had er gewoon de moed niet voor. En niet iedereen zegt dat hij onschuldig is. Ik ben niet onschuldig. Ik ben alleen niet gepakt voor wat ik heb gedaan. Ze weten nog niet de helft van wat ik gedaan heb, dat weet niemand, zelfs jij niet. Maar ik zeg het ze niet, laat ze er zelf maar achterkomen.'

'Bij jou zullen ze er nooit achter komen, Coop. Jij bent er veel te goed in. Jij moet wel over het hele land lijken verborgen hebben.'

'Uh-huh.'

'Je stopte de Mexicaan in een duiker...'

'Ja.'

'En welke nog meer?'

'Wat, welke nog meer?'

'Welke andere lijken heb je verborgen?'

Cooper probeerde na te denken. Hij wist het antwoord, maar kon er nu alleen niet opkomen. Dat was nu precies hoe zijn geest werkte. Hij kwam er uiteindelijk wel op, maar soms niet zo vlug als anderen dachten dat het zou moeten. Nou, ze kunnen de pot op.

'Meisjes,' zei hij triomfantelijk. 'Ik verborg meisjes voor ze.'

'Waren dat degenen die je dood hebt gebrand?'

'Nee, verdomme. Ik verbrandde ze levend,' zei Cooper lachend.

'Was dat in Pennsylvania?'

'Jaah... Nee. Niet in Pennsylvania. Kun je nou niks onthouden, jij klein mietje? Het was in West Virginia.'

'Ik ben geen mietje,' zei Swann.

Cooper besteedde er geen aandacht aan. Deze ene keer sprongen de feiten helder voor zijn geest. Sommige herinneringen waren verward, andere helder en sommige zo vaag dat hij niet wist of hij ze gedroomd of beleefd had. Maar deze keer sprongen de beelden hem helder voor de geest.

'Ik stopte ze in een oude kolenmijn in West Virginia,' zei hij trots. 'Net buiten een stadje dat Hendricks heet.'

'Waarom een kolenmijn?'

'Ik had een plek nodig – hoe zeg je dat – een plek alleen.'

'Afgezonderd.'

'Precies.'

'Waarom had je zo'n afgezonderde plaats nodig? Dat deed je anders toch nooit?'

'Omdat ze een hoop lawaai zouden maken.'

'Waarom heb je ze geen prop in de mond gestopt?'

Cooper grinnikte in het donker. Deze keer wist hij alle antwoorden.

'Omdat ik ze wilde horen.'

'Hoe kwam je erbij om er twee tegelijk te doen, Coop?'

'Zei ik dat? Zei ik twee tegelijk?'

'Ik dacht alleen...'

'Je moet niet denken, dan kun je je pijn doen,' zei Cooper. Verdomme, hij wist zoveel meer over deze dingen dan een of andere verdomde kantoorklerk. Het was een wonder dat iemand die zo stom was nog mocht blijven leven. 'Ik deed ze zes maanden na elkaar. Ik had het ook goed voorbereid. Ik had genoeg voedsel en hasj verzameld om het een week uit te houden. En een paar sloffen sigaretten. En een lantaarn. En een paar kaarsen. Het is donker in een mijn, weet je, je hebt wat licht nodig.'

'Je deed er een week over om ze dood te maken?' Swann was ontzet.

'Wat is daar mis mee?'

Swann zweeg.

'Is er iets mis met een week?'

'Nee,' zei Swann zacht. 'Ik had er geen aanmerkingen op.'

'Ik kan je hoofd eraf trekken als ik wil.'

'Ik had geen kritiek.'

'Dat is je geraden. Vraag me wat anders.'

'Waar vond je ze?'

'Wie?'

'De meisjes die je meenam naar de verlaten mijn.'

'Het was een kolenmijn.'

'Niemand gebruikte hem meer, toch?'

'Natuurlijk niet. Dat zei ik toch? Het was een oude mijn.'

'Waar vond je de meisjes die je daar naartoe meegenomen hebt?'

Cooper schaterde. Dit was het beste gedeelte. Hij hield van dit gedeelte vanwege Swanns reactie. Iedere keer weer.

'Ik pikte ze op bij de kerk.'

Hij kon zijn vriendje naar adem horen snakken. Iedere keer weer. Hij had nog nooit zo'n religieus ei gezien. Cooper wist wat er nu ging komen. Hij hoorde dat Swann uit zijn zittende houding omhoogkwam en op zijn knieën ging zitten.

'Zullen we nu bidden?' Swann vroeg het, hoewel het geen echte vraag was. Cooper wist dat Swann nu zou gaan bidden, wat Cooper ook zou zeggen of doen, al zou hij met zijn kop tegen de muur bonken.

'Natuurlijk. Bidden,' zei Cooper. Hij kwam van zijn brits overeind en knielde naast Swann met zijn gezicht naar het kruisbeeld dat in het donker nauwelijks zichtbaar was. Cooper zag er geen kwaad in om zo nu en dan die kleine man ter wille te zijn. Het maakte dat hij zijn rol beter speelde als hij wist dat hij op het eind zijn beloning kreeg. En bovendien dacht Cooper dat bidden geen kwaad kon, vooral daar het grotendeels hem betrof.

'Goede God, lieve Jezus, Engel van Barmhartigheid,' dreunde

Swann op, 'zie neer op onze geliefde broeder Cooper en breng de geest van verlossing in zijn ziel. Doorboor zijn verharde gemoed met uw liefde, lieve Jezus, en laat hem de vreugde kennen om van zijn medebroeder te houden...'

Swann ging enthousiast verder en Coopers aandacht dwaalde snel af. Cooper had het meegemaakt dat zijn kleine vriendje dat eens uren had volgehouden. Er was dus voor hem geen enkele noodzaak te proberen er steeds bij te blijven. Hij besteedde weinig aandacht aan de woorden van de bidder, ze brachten hem toch vaak in de war, maar hij hield van het ritme, de monotone manier waarop de zinnen werden onderbroken door 'lieve Jezus' en 'lieve Heer', alsof Swann zijn liefje aanriep in de cel ernaast en er zeker van wilde zijn dat hij gehoord werd. De eigenlijke boodschap was toch niet belangrijk. Het was de bezorgdheid die Swann voor zijn celgenoot toonde, die Cooper trof. Het vriendje gaf om hem, hij hield echt van hem. Ergens in het midden van al dat gebabbel tot God kwam hij op het onderwerp dat Cooper snel vrijgelaten zou worden en dan alle hulp die de lieve God kon missen bij zijn terugkeer in de wereld nodig zou hebben. Hij zou de lieve Jezus vragen de oude Coop bij de hand te nemen en hem uit de moeilijkheden te houden. Cooper hield van dat beeld en in zijn gedachten leek de lieve Jezus heel veel op Swann zelf, maar met een onverzorgde baard. Swann droeg zijn messiashaar al op schouderlengte en sommige nachten wilde Cooper het elastiekje dat het in een staart bij elkaar hield losmaken en er met zijn hand doorheen woelen. Er was een zekere troost in de gedachte van Swann die op Christus leek, klein en zwak, maar slim in een heleboel dingen die waarde hadden in de wereld, wandelend langs een lange, smerige straat met Cooper aan zijn hand. En, om eerlijk te zijn, Cooper had wel wat troost nodig. Het vooruitzicht op de vrijheid na vijf jaar opsluiting deed hem beven. Niet dat hij die angst ooit aan Swann of aan iemand anders zou toegeven. Als zij ook maar het minste teken van angst of zelfs van onzekerheid zouden merken, zouden ze dat als zwakte zien en allemaal over hem heen lopen. Ze zouden naar het kleinste openingetje loeren dat ze maar konden vinden en eraan trekken totdat ze hem helemaal opengescheurd hadden en zich met zijn ingewanden konden voeden. Maar de angst was er wel, hoe goed hij die ook verborg. In werkelijkheid had Cooper het nooit erg goed gedaan in de wereld. Die bracht hem in de war met zijn ingewikkelde regels en steeds toenemende eisen. Zelfs zijn pleziertjes moesten beperkt blijven, anders kreeg hij de politie achter zich aan. In de gevangenis waren de regels duidelijk en snel aangeleerd en als je sterk genoeg was en ook gewelddadig genoeg, kon je je eigen regels maken. En hier was tenminste iemand die van hem hield en om zijn welzijn gaf.

Cooper legde zijn arm om Swanns schouders en voelde de knobbelige beenderen door zijn gevlekte huid heen. In het volle licht waren Swanns torso en benen overdekt met sproeten. Om een of andere reden was alleen zijn gezicht zonder vlekken. Cooper had geleerd van hem te houden. Zijn vriendje leunde met zijn hoofd tegen de borst van de grote man en ging verder met bidden.

'Lieve Jezus,' smeekte Swann, 'breng Uw goddelijke liefde in het hart van Darnell Cooper zoals hij liefde heeft gebracht in mijn hart. Laat het licht van Uw grote goedheid op hem schijnen. Verlos hem van de hel. Zorg dat hij niet meer ronddoolt in het dal van de schaduw, lieve Heer, maar hef hem op tot de bergtop van Uw licht!'

'Amen,' zei Cooper iets te vroeg.

'En, lieve Jezus, reinig zijn geest van de gedachten die hem kwellen. Heer, neem van hem weg de schunnige fantasieën die in zijn ziel rondspoken. Laat zijn ogen omhoogkijken, zodat ze voor altijd mogen dwalen over Uw zoete goedheid en niet meer kijken in de afgrond van het kwaad.'

Swann huiverde en Cooper wist niet of hij het koud had of dat hij bang was. Zelf werd hij weer opgewonden. Als het vriendje klaar was met bidden was hij gewoonlijk erg ontvankelijk. Soms bedacht hij nieuwe manieren om het te doen. Zijn vriendje had een grote verbeeldingskracht.

4

Karen had de envelop voor hem op de keukentafel gelegd en Becker liet hem daar liggen tussen de verkreukelde servetten en de gemorste kruimels van Jacks cornflakes ontbijt. Ondertussen deed hij de afwas en ruimde de keuken op. Hij veegde de tafel af met de vaatdoek, maar veegde om de brief heen, alsof hij bang was zijn handen er aan vuil te maken. Het opruimen van de keuken was een karweitje dat Becker uit zichzelf op zich had genomen. Karen had er nooit over gesproken, hij had het nooit zelf aangeboden. De eerste paar dagen die hij in haar huis had doorgebracht, had zij Jack naar school gebracht en was daarna naar haar werk gegaan, terwijl hij nog aan tafel de krant zat te lezen. 'Laat maar liggen,' had ze gezegd, doelend op de troep op tafel toen ze naar hem toeboog om hem een kus te geven. 'Ik doe het wel als ik thuis kom.' Becker had het niet laten liggen en het duurde niet lang of ze hield ermee op bij hem aan te dringen. Hetzelfde gebeurde toen hij geleidelijk de plichten van kok op zich nam. De eerste paar keer had hij gekookt omdat het oneerlijk leek dat zij, zodra ze thuiskwam, direct aan het eten moest beginnen. De volgende paar keer kookte hij omdat hij de ingevroren gerechten en de pannekoekbrouwsels die Karen in elkaar flanste, niet lekker vond. Daarna kookte hij omdat hij gemerkt had dat hij het leuk vond, en omdat niemand tegen hem gezegd had dat hij het moest. Nu, nadat ze een jaar samenwoonden, dacht Karen er zo nu en dan aan om hem te bedanken, wat Becker een onverwachte meevaller vond. Jack dacht er nooit aan zijn dankbaarheid te tonen zonder dat hij daartoe aangespoord werd, maar Jack was nog maar tien en nam aan dat hij er recht op had om verzorgd te worden.

Toen de borden afgespoeld waren en in de vaatwasser gezet, het aanrecht en de tafel opgeruimd en schoongemaakt, moest Becker weer naar de brief kijken. Hij was in machineschrift geadresseerd aan: 'Agent John Becker' per adres: 'FBI, Washington, D.C.' Het was een witte envelop, gewoon postpapier en net zo onopvallend als het machineschrift. Met een zucht pakte Becker de envelop bij de randen. Van wie hij ook kwam, Becker wilde niets van hem weten. FBI-agenten kregen geen vriendelijke brieven geadresseerd aan het hoofdkwartier. Ze kregen woedende brieven, ze kregen smeekbrieven, ze kregen dreigbrieven van advocaten die met een proces dreigden, ze kregen paranoïde brieven van idioten die zich zorgen maakten over UFO's. En voor Becker waren er ook brieven van psychopaten.

Verschillende van de seriemoordenaars die Becker opgespoord en gegrepen had, probeerden met hem in contact te blijven, alsof hun relatie niet had opgehouden met hun opsluiting. Ze schreven hem alsof ze hem kenden, alsof ze iets gemeen hadden, een of ander diep zieleroersel, dat Becker in staat had gesteld hen te vinden, waardoor ze gepakt konden worden door iemand van hun eigen soort. Voor deze briefschrijvers was de verwrongen vergroeiing van hun geest, die hen maakte tot wat ze waren, een bron van verrukking. Ze hielden van hun waanzin, beten er zich opgewekt in vast en beschermden die fanatiek. Hij kon in iedere regel die ze schreven de gekooide maar onveranderde vreugde voelen, als het gegiechel van een gestoorde. Zij kreunden naar hem vanuit hun gevangeniscel en vanuit hun geestesgesteldheid als wolven die huilden om een opgesloten soortgenoot. Het begrijpen van hun zwakzinnigheid was voor Becker een ziekte waarvoor hij bij het Bureau ontslag had genomen in een vergeefse poging die uit te bannen. Als hij, evenmin als zij, niet in staat was zijn geest om te vormen, dan kon hij tenminste zijn onvolmaaktheden uit de weg gaan. Hij was als iemand met een allergie die met medicijnen niet onder controle kon worden gehouden. Niet in staat om op een bepaalde plaats clean te leven, was Becker ergens anders naar toe gegaan, uit de FBI, weg van de antigenen die hem teisterden.

Maar de gekken lieten hem niet los, ze riepen om hem, zongen hun sirenenzang van verbondenheid door middel van de post. En het Bureau trad, als een plichtsgetrouwe burger, op als bemiddelaar en putte hem uit met die krankzinnige berichten.

Hij schoof een schilmesje onder de flap en opende de envelop, draaide hem om, nog steeds aarzelend om er mee in contact te komen, en schudde de inhoud eruit. De kop van *The New York Times* viel op tafel. Met een schaar was aan de ene kant het motto van de krant: 'Al het nieuws dat waard is gedrukt te worden,' weggeknipt en aan de andere kant de informatie over het weer. Alleen de naam van de krant stond er nog en de datum direct daaronder. De krant was twee jaar oud.

Becker draaide het papier om. Daar stond in grote letters de naam CARTIER, een gedeelte van een advertentie die was afgeknipt, een gedeelte van het gezicht van een vrouwelijk model uit een andere advertentie, en het woord 'Nieuws'. De tweede helft van 'Nieuwssamenvatting' was ook weggeknipt. Becker pakte het papier bij een punt beet en hield het tegen het licht, half verwachtend dat hij een 'onzichtbare' boodschap zou zien, erop gekrabbeld met de urine van een of andere krankzinnige.

Wat hij zag waren kleine lichtpuntjes door het papier heen, zorgvuldig met een speld door de letters van de krantekop heen geprikt. Boven de kop stond nog een serie puntjes. Aan de achterkant van het papier vielen de gaatjes door de krantekop in de lege ruimte van de illustraties van de advertenties.

Iemand die een spelletje speelt, dacht hij. Iemand wil dat ik meedoe, zodat hij mij kan aftrekken terwijl hij zichzelf bevredigt.

Maar ondanks zijn ergernis rommelde Becker in de extra slaapkamer, die ze de familiekamer noemden, tot hij een oud scrabblespel vond. Voor iedere letter met een gaatje zocht hij een vierkantje met dezelfde letter uit het scrabblespel en legde die op tafel. De o en de w hadden ieder twee gaatjes zodat hij van ieder een extra letter toevoegde aan zijn stapeltje. In de volgorde van de krantekop gelegd vormden ze de letters 'hNwwooki'. Als hij de hoofdletter N voorop zette en die liet volgen door een klinker, kwam Becker tot: 'Now i howk'. Daar kwam niet direct iets meer begrijpelijks uit. Hij gooide dus de steentjes door elkaar en probeerde het nog eens. Bij de eerste willekeurige worp vormden de letters het woord: 'wowikhNo'.

Met groeiende ergernis schudde hij de letters opnieuw door elkaar, toen nog eens en nog eens, en probeerde zinnige woorden te vinden. Na tien minuten proberen hield zijn hand boven de stenen plotseling stil. Zijn boodschap lag voor hem op tafel.

'i kNow who.' 'Ik weet wie.'

'Dus jij weet wie,' zei Becker hardop. Zijn stem klonk vreemd in het lege huis. 'Wie wat? Of wie kan het wat schelen?'

Het kostte wat meer tijd de puntjes boven de kop te ontcijferen. Ze waren netjes, uiterst nauwkeurig geplaatst, alsof ze met een passer waren afgepast. Met een centimeter stelde Becker vast dat ze precies drie millimeter van elkaar stonden. Soms stonden er twee puntjes boven elkaar en soms stond er een alleen. De puntjes die boven elkaar stonden, stonden ook precies drie millimeter van elkaar. Zij waren echter niet systematisch in lijn met de letters van de kop daaronder. De puntjes bevatten een eigen boodschap:

.   . .
. . . . .

Op het eerste gezicht leek het Becker een gebroken doosvlieger, en toen een ouderwetse sleutel. Hij speelde even met dat idee, voordat hij vond dat het toch niet veel op een sleutel leek. Hij liet de stenen met hun boodschap op tafel liggen en begon in de keuken heen en weer te lopen, zich afvragend waarom hij zich eigenlijk zoveel moeite gaf. Wie hem die boodschap ook had toegezonden, was slim genoeg, of kende Becker goed genoeg om er een puzzel van te maken. Hij kent mijn zwakke punten, dacht Becker. Of tenminste een daarvan. Als het een rechttoe-rechtaanboodschap was geweest, zou Becker die weleens uit zijn handen hebben kunnen laten vallen en met de rommel van die morgen hebben kunnen weggooien. Nu, dacht hij, ben ik bezig met wat die rukker bezighoudt.

Vol afkeer van zijn briefschrijver en van zichzelf dat hij dat gezichtsloze monster ter wille was, strekte Becker zijn hand uit om het stuk krant met zijn cryptische gaatjes te verfrommelen. Toen stopte hij, plotseling tegengehouden door de datum op de krant. Er was niets bijzonders aan de datum op zich. Het liet geen bel rinkelen. Becker kon zich niets bijzonders op die datum herinneren. Maar het feit op zich was vreemd. De man had al het andere van de krant dat er niet toe deed weggeknipt. Waarom had hij de datum laten staan? Het voor de hand liggende antwoord was dat de datum er wel toe deed.

'Ik weet wie' betekende dat hij iets wist over iemand die op die datum iets had gedaan. En waarom in die krant? *The New York Times* was een grote krant. Moest Becker daarin de 'wie' vinden? De puntjes moesten een paginanummer zijn. Tenslotte wilde de briefschrijver dat Becker die code brak. Hij probeerde iets te zeggen en hij wilde worden gehoord, zelfs als zijn toehoorder er eerst een beetje werk voor moest doen. Hij vertrouwt erop dat ik die moeite zal doen, redeneerde Becker. Hij vertrouwt er dus ook op dat ik die code kan breken. Zo geheimzinnig kan het niet zijn. De doorboorde letters zagen er tenslotte niet al te zeer als een code uit, net genoeg om een oppervlakkige inspectie te omzeilen. Wat de schrijver ook probeerde te verbergen, hij had niet geprobeerd het dusdanig te doen dat iemand met een gemiddelde intelligentie er niet achter kon komen, dacht Becker. De code was bedoeld als een puzzel, niet als een mysterie, en puzzels kunnen bij definitie worden opgelost.

Becker wandelde de tweeëneenhalve kilometer naar de bibliotheek, een wandelingetje dat hij dikwijls deed om zijn gedachten op te frissen. Hij had de krantekop weer in de envelop gedaan en droeg hem in zijn zak. Het voelde aan alsof hij iets smerigs en onfatsoenlijks droeg. Lopend langs de met bomen omzoomde, schone trottoirs van Clamden, Connecticut, voelde Becker zich een vieze oude man in het bezit van pornografie en even weinig op zijn plaats in dit groene stukje voorstad dan een potloodventer in zijn regenjas.

Ga hier niet mee door, hield hij zichzelf voor. Wat het ook is, het is niet goed voor je, hoe weinig je er ook bij betrokken raakt. Alcoholisten proeven geen wijn alleen om de herkomst van de druiven te bepalen. Dat hele verband met je verleden is een moeras. Steek er aan de oppervlakte een teen in om het te proberen en je zakt er weer in, helemaal tot aan je nek.

Becker trok de envelop uit zijn zak en liet hem op de grond vallen. Toen keerde hij zich abrupt om en wandelde snel terug naar huis, alsof iemand hem achterna zat. Hij had pas een paar honderd meter afgelegd toen het tot hem doordrong dat hij zijn hand langs zijn broekspijp veegde als om iets wat aan zijn vingers kleefde af te vegen, zoiets als het slijmerige spoor van een tuinslak.

Thuis veegde Becker met zijn gebogen hand en onderarm de scrabblestenen in de doos en zette het spel weer in de familiekamer. Hij ruimde de keuken nog een keer op, pakte zijn versleten exemplaar van Het Chinese kookboek van Craig Claiborne en Virginia Lee en bladerde er door op zoek naar een recept voor het avondeten. Hij voelde zich clean, hij voelde zich deugdzaam, als een vroegere verslaafde die een shot had laten passeren. Hij was getest en sterk bevonden.

Tien minuten later vond Becker de envelop waar hij hem had laten vallen. Hij pakte hem op en vervolgde zijn weg naar de bibliotheek. Daar vond hij een beknopte handleiding voor computers en friste zijn geheugen van het binaire stelsel op.

Tellen op basis van twee in plaats van de gewoonte in de beschaafde wereld op basis van tien, was eenvoudig genoeg als je de methode eenmaal doorhad. Becker herinnerde het zich uit de jaren dat hij zich met computers had beziggehouden, maar het leek hem verstandig zijn berekeningen aan de hand van het boek te controleren.

Aangenomen dat de twee puntjes die boven elkaar stonden een 1 betekenden en de puntjes die alleen stonden een nul, was het nummer in het binaire stelsel:

10011

In het decimale systeem betekenden de enen en de nullen het getal negentien.

De bibliothecaresse aan de informatiebalie, die blijkens het koperen plaatje voor haar June Atchinson heette, liet Becker zien hoe het microficheapparaat werkte en waar hij de filmdossiers van de archiefexemplaren van de *The New York Times* kon vinden.

Ze kende Becker – de meeste mensen in Clamden kenden hem of hadden van hem gehoord – maar er waren er maar een paar die in staat waren onderscheid te maken tussen de man die zij zagen en de man waar zij over hadden gehoord. Voor June leek hij een aardige, altijd beleefde, frequente bezoeker van de bibliotheek, maar als ze naar hem keek, was het haar onmogelijk de verhalen die ze had gehoord uit haar gedachten te zetten. De FBI-agent met te veel doden op zijn conto – als conto het juiste woord was. Een man wiens talenten te veel leken op de voorkeuren van degenen waar hij op jaagde. Het waren allemaal geruchten natuurlijk, maar dat bepaalde des te sterker het beeld dat men van hem had. June vond het niet goed van haarzelf geloof te hechten aan die geruchten – ze dacht graag van haarzelf dat ze daarboven stond – maar de verhalen waren te hardnekkig om ze te negeren. Hij was een goed uitziende man, met een mannelijk en krachtig voorkomen, ondanks zijn middelbare leeftijd, maar er was niets aan hem dat deed denken aan een verborgen en roofzuchtige bloeddorst.

Ze keek met openlijke nieuwsgierigheid naar hem terwijl hij met het microficheapparaat werkte. Becker was er zich van bewust dat ze op hem lette, zoals hij zich gewoonlijk van het meeste wat hem betrof bewust was. Die gewoonte van waakzaamheid had hem nooit verlaten. De FBI had hem een redelijke vorm van achterdocht geleerd en Becker had dat verfijnd met een aandacht voor nuance, die hem buitengewoon effectief had gemaakt. Hij was zich ook bewust van zijn reputatie en was blij dat men het echte verhaal niet kende. De waarheid was erger dan de geruchten en die kende alleen zijn therapeut, en dan nog maar ten dele. Zelfs Becker kende de hele waarheid over zichzelf niet, hoewel hij eraan werkte met een ijver die alleen mogelijk was door zijn hoge psychische pijngrens.

Hij vond de *Times* die overeenkwam met de datum op de kop en draaide aan de knop van het apparaat. Hij zag een onduidelijke rits dagelijkse gebeurtenissen voorbijflitsen totdat hij bij pagina 19 kwam.

Er waren verhalen over de appelindustrie en de zelfmoorddokter, maar het onderwerp dat Becker zocht, viel hem op vanuit een klein kader in de linkerbenedenhoek, een wegwerpverhaal, verspreid door het persbureau en geliefd bij redacteuren omdat het precies de goede omvang had om kleine gaatjes in de pagina-opmaak mee te vullen. De kop luidde: ‘Lijk gevonden in een kolenmijn’.

De kop was Hendricks, West Virginia en het verhaal, geschreven in een bondig journalistiek proza, de ontdekking van het lijk van een twintigjarige vrouw in een zijgang van een verlaten mijn. De vrouw was aan de hand van haar gebit geïdentificeerd als een meisje uit de streek, dat al bijna drie jaar eerder als vermist was opgegeven. Er werden geen bijzonderheden gegeven over de doodsoorzaak en Becker kon zich voorstellen dat er na drie jaar in een mijngang weinig zacht weefsel meer over zou zijn om een autopsie uit te voeren. Het verhaal ging verder met het vermoeden dat er van misdaad sprake was – hoewel er geen reden werd gegeven waarop die conclusie gebaseerd was – en dat er een nader onderzoek in de mijn ondernomen zou worden.

Becker hief zijn hoofd op van het zwart-wit van de microfilm en sperde zijn ogen wijder open alsof hij probeerde uit zijn slaap wakker te worden. Hij wist niet hoe lang hij naar het kranteartikel had zitten staren, maar zijn geest was door het apparaat heengesprongen naar de duisternis van de mijn in West Virginia, waar het lichaam van een meisje op de uitgehakte en uitgegraven rotsbodem lag. Hij zag haar niet zoals ze gevonden moest zijn, een hoopje beenderen in halfvergane kledingstukken, maar zoals ze doodgegaan moest zijn, een levend iemand, angstig, in paniek, met veel pijn. In zijn verbeelding was ze net gedood en Becker was daar naast haar, voelde de laatste warmte van haar lichaam, haar laatste adem die nog boven haar hing, nog goed waarneembaar in de kille omgevingslucht van de mijn. Het geluid van haar laatste schreeuw stierf weg in de uitgestrekte ruimte van haar graf, en daar bovenuit kon Becker een ander angstaanjagend geluid horen. Het was de ademhaling van haar moordenaar, snel, opgewonden, orgastisch. Becker kon de man achter hem voelen, zoals hij over Beckers schouder naar het meisje keek en zoals hij de dood proefde, dicht naar haar toe buigend, zo dicht als Becker zelf. Becker was zich bewust van de wellustige grijns van de man, zijn tintelende ogen, zijn opengesperde neusvleugels, in een poging de laatste adem van het meisje op te snuiven. Zonder zich om te draaien om te kijken wist Becker dat het licht in de ogen van de moordenaar al verbleekte, het gevoel dat tot een climax had geleid uit zijn binnenste wegtrok. Wat hij met haar gedaan had, hoe lang het ook geduurd had, hoeveel moeite het hem ook had gekost, het was het waard geweest. De moordenaar had wat hij wilde en Becker kon voelen hoe de laatste trillende zuchten van voldoening de lucht rond hen beiden in beroering bracht. Het tevreden gebrom van een monster.

Becker keerde met een huivering naar de werkelijkheid terug en zag de bibliothecaresse snel haar ogen neerslaan op haar eigen balie. De kleuren van de dag kwamen weer bij hem terug, de ontspannen rust van de bibliotheek verving de dodelijke stilte van de mijn, de vochtige kou van de ondergrondse ruimte maakte plaats voor de weldadige warmte van het gebouw. Hij was weer tussen de levenden, zat tussen de gewone dingen, omgeven door de comfortabele alledaagsheid. Er waren geen monsters in de bibliotheek. Behalve hijzelf.

De bibliothecaresse keek hem vragend aan, stond toen op en liep naar hem toe. Het drong tot Becker door dat hij botweg in haar richting had zitten staren.

'Is alles in orde?' vroeg ze.

Becker keek haar een ogenblik vragend aan voor hij begreep dat ze doelde op zijn gebruik van de microfilmviewer.

'Oh, ja, prima.'

'Het is wel een oud systeem,' zei ze. 'Maar het werkt nog steeds.'

'Is het algemeen gebruikelijk?' vroeg Becker. 'Ik bedoel *The New York Times* te archiveren. Doen de meeste bibliotheken dat?'

'Ik weet niet of de meeste het doen,' zei June. 'Zeker een heleboel. Het is tenslotte de krant voor documentatie in de streek. Wij gaan maar twintig jaar terug, maar ik ben er zeker van dat verschillende grotere bibliotheken veel verder teruggaan. Zoekt u een bepaald jaar?'

'Ik vroeg me net af waar ik een exemplaar van de *Times* van twee jaar oud kon vinden, de echte krant.'

'We bewaren ze, de kranten dan, totdat ze de laatste microfilm toezenden. Dat is ten minste achttien maanden. Ik denk dat het in sommige bibliotheken twee jaar kan zijn als zij niet al te vlug zijn met het weggooien van de oude exemplaren. Ruimte is hier een probleem. Het is hier te klein totdat onze nieuwe uitbreiding gebouwd is.'

'Sommige bibliotheken kunnen ze dus hebben?'

'Oh, hier of daar zullen er zeker zijn die ze hebben. Of natuurlijk bewaren mensen ze ook, personen, bedoel ik. Op vlieringen en in garages. Ik weet niet waarom.'

'Sentimentele waarde?' vroeg Becker ironisch.

'Dat veronderstel ik. Of neurose. Er lopen een afschuwelijke hoop idioten rond.'

'Ja,' zei Becker. 'Dat weet ik.'

'Oh, doet u geen moeite,' zei ze toen Becker de film uit het apparaat begon te halen. 'Daar zorg ik wel voor.'

Toen hij veilig de deur uit was, ging June voor het microfilmapparaat zitten en las de pagina waardoor Becker zo bleek werd en had zitten staren of hij een verschijning zag. Toen ze van de overkant naar hem had gekeken, was hij een ogenblik zo inert geweest, zo buitengewoon geabsorbeerd, dat ze zich afvroeg of er iets met hem gebeurd was. Toen hij eindelijk tot zichzelf kwam had ze de vluchtige indruk van een man die naar adem snakkend boven water kwam.

Ze had geen moeite het verhaal te vinden, Becker had het zo scherp in beeld gebracht dat het bijna het hele scherm vulde. Het riep bij haar niets op. Gewoon weer een afschuwelijk verhaal in een wereld die vol was met rotzooi. En West Virginia leek zo ver weg van de voorstedelijke gerieflijkheid van Fairfield County, Connecticut. Ze vroeg zich af wat het met Becker te maken kon hebben. Volgens wat ze had gehoord, was hij met pensioen.

Het gaat mij helemaal niet aan, zei Becker woedend tot zichzelf. Ik wilde het niet, ik vroeg er niet om. Ik ben er niet meer verantwoordelijk voor dan de vrouw die de telefoon opneemt en een hijger in haar oor hoort sissen. Ik ben het slachtoffer, dacht hij. Ik ben bevuild door deze schunnigheid die mij met de post is toegestuurd. En die door het Bureau is doorgestuurd. Ze willen natuurlijk mijn privacy niet beschermen. Wat ze willen, is mij erbij betrekken. Ze willen niets liever dan dat ik door een willekeurige krankzinnige opgestookt wordt en weer kom werken om een zaak op te lossen, die weer leidt tot een andere zaak, en nog een, en nog een, totdat ik weer in hun klauwen terug zou zijn, met hun strop om mijn nek. Hun gespecialiseerde fret, die in ieder gemeen stinkend hol, dat ze in een land waar moordzuchtige gekken als paddestoelen uit de grond rijzen konden vinden, naar beneden gestuurd kon worden.

Naar de duivel ermee, zei Becker, naar de duivel met het Bureau, naar de duivel met de briefschrijver. Hij stopte alles terug in de manilla envelop en slingerde het op een stapel oude belastingaangiftebiljetten, die Karen in de kast van de familiekamer bewaarde. Uit het oog, uit het hart, hield hij zichzelf voor. En hij wist dat het niet waar was.

5

Toen het apostolische koor van de Heilige Geest zich 's avonds opzweepte tot hun opwindende, nadrukkelijke vroomheid, gluurde de eerwaarde Tommy R. Walker door het gordijn om naar zijn gemeente te kijken en te zien hoe goed zij reageerde op het apostolisch enthousiasme. Tot zijn ontzetting bleek het de gebruikelijke verzameling nietsnutten, zanikers en ontevredenen te zijn, die kwamen om getuige te zijn van een paar wonderen en niet om door een gemengde groep – in zwart en kastanjebruin geklede, te dikke mannen en vrouwen, die hun longen uit hun keel zongen – vermaakt te worden. Dàt soort dingen konden ze wel in een gewone kerk meemaken. Waar zij vanavond voor gekomen waren, was iets buiten de gewone alledaagse preken en geestelijke vertroosting om. Zij waren gekomen om de wonderen van de Heer te zien, zoals ze persoonlijk, en met dat speciale vertoon, dat het handelsmerk van de goede eerwaarde zelf was, vertoond werden. Zij wilden genezing, zij wilden handoplegging. Zij verwachtten verdomd goed mee te maken dat de lammen weer konden lopen en de blinden weer konden zien, om niet te spreken van het reinigen van de zielen, het kalmeren van verwarde geesten en het onverwacht laten verdwijnen van tumoren en verlammingen. Zij waren juist op deze avond naar Bald Nob gekomen in afwachting van zo ongeveer ieder wonder of bewijs van het bestaan van de Heilige Geest, dat men te voorschijn kon toveren van een meewerkend goddelijk wezen, behalve dan het vinden van een vaste baan voor iedereen.

Dat alles zou de eerwaarde Tommy hun natuurlijk presenteren, omdat hij daar goed in was. Toch zou het zijn verrichtingen geen kwaad doen als ze van te voren hun handen op elkaar kregen en een beetje enthousiast raakten, in plaats van daar maar te zitten staren naar de apostolische zangers alsof dat muzikale geschreeuw niets meer was dan een collectieve reactie op het zien van een muis. Ze verwachtten dat de eerwaarde Tommy al het werk deed. Zoals gewoonlijk.

Toen Tommy hen in het algemeen als het gewone stelletje dorpelingen, boeren en bekrompen duitendieven getaxeerd had, richtte hij zijn aandacht op de leden van zijn gemeente afzonderlijk en zocht de ziekelijken en de sufferds uit die hij die avond zou genezen. Vooraan, waar Rae haar had neergezet in een van de drie rolstoelen van Tommy – hij had er meer nodig, maar ze waren verbazend kostbaar – zat een vrouw met een slechte schouder, die hij uit haar rolstoel zou laten opstaan en weer zou laten lopen. Naast haar zat een oudere man met een draagbare zuurstoffles en slangetjes in zijn neus, die eruitzag of hij de rolstoel echt nodig had. Tommy rekende erop dat de man lang genoeg zonder zuurstof kon om de slangetjes weg te nemen en de Heer een paar ogenblikken te prijzen. Dat kon bijna altijd, behalve als ze in het ziekenhuis in een zuurstoftent lagen. Maar ja, de eerwaarde Tommy R. Walker genas niet in ziekenhuizen.

Waar Tommy vooral naar keek waren de leden van zijn gehoor die hij niet kon genezen, dat wil zeggen, waarin hij niet een betrouwbare openbaring van de Heilige Geest kon laten zien. Rae had op een gemeen uitziende boer gewezen met een vurige uitslag op zijn gezicht en onder zijn overhemd. Hij was het soort man dat zich aan de eerwaarde Tommy zou vastklampen, die sterk genoeg was om niet afgescheept te worden door Tommy's gepatenteerde kopstoot, dreigend genoeg om bewijs te vragen van zijn genezing, en luidruchtig genoeg om te protesteren als de uitslag niet verdween. En zo'n aandoening was zo verdomd zichtbaar dat er geen mogelijkheid was verdwijning voor te wenden. Tommy had tenminste nog geen manier gevonden om de indruk te wekken dat het weg was. De boer zou tot achter in de tent helder kersenrood blijven stralen, tenzij Rae de schakelaar omdraaide en alle lampen uitdeed. Het was om te beginnen eenvoudiger de man te ontwijken. Laat hem maar meedoen in de algemene healing, als Tommy langsging en hen tegen het voorhoofd stootte om satan uit te drijven met de snelheid en de onpersoonlijkheid van sportlieden die elkaar highfives geven als ze een spel gewonnen hebben.

Het apostolische koor had zijn laatste noten uitgekreund en oogstte een weinig enthousiast applaus. De diaken/dirigent boog zoals gewoonlijk veel te vaak, zodat hij, nadat de menigte weer stil geworden was, in valse bescheidenheid nog enkele seconden zijn hoofd op en neer hobbelde. Rae kwam op het podium en begon haar warming-up. Ze hemelde de deugden van Jezus en de eerwaarde Tommy R. Walker in min of meer gelijke mate op. Rae deed haar uiterste best om het volk van tevoren een beetje op te kloppen. Het probleem was dat Rae wel verdomd goed haar best deed, maar niet verdomd goed was. Ze was geen goede spreker in het openbaar, dat was een feit. De eerwaarde Tommy wilde daar niet onchristelijk over doen, maar Rae had niet meer charisma dan een dood schaap. Ze was goed in het opvangen van de toehoorders als ze binnenkwamen. Haar eenvoudige manieren van het platteland stelde hen op hun gemak, en haar natuurlijk en sympathiek reageren maakte dat ze als in een vriend vertrouwen in haar stelden. Maar een vriend was niet wat je op het podium wilde hebben. Wat je op het podium wilde, was iemand die zijn toehoorders in kon pakken en kon zorgen dat ze het nog leuk vonden ook, en zoiets was niet iets wat de mensen accepteerden van een vrouw die hen gewoon herinnerde aan hun eenvoudige neef die zo goed kon luisteren. Rae was een harde werkster, oprecht, trouw als een hond, maar niet veel slimmer en als gevolg daarvan in verschillende dingen niet te veeleisend. Niet helemaal los daarvan begonnen haar borsten onsmakelijk af te zakken. Dat was een tekortkoming die op het podium gemakkelijk genoeg gecorrigeerd kon worden omdat ze daar het voordeel had van lingerie, maar niet in het bed van de eerwaarde Tommy, waar hij zijn vrouw graag naakt, zwetend, luidruchtig en jong zag. Rae was ook nooit erg luidruchtig, als het daarom ging.

Toen Rae bij het gedeelte kwam over Jezus en de opwekking van Lazarus uit de dood, en daarbij suggereerde – hoewel ze het nooit rechtstreeks claimde – dat de eerwaarde Walker ook bijna zoiets kon doen, slipte een laatkomer aan de achterkant de tent binnen. Ze droeg een verschoten spijkerbroek en een werkmansoverhemd en had een gezicht waarvan Tommy dacht dat het op een engel leek. Of, als er zulke wezens als engelen bestonden, dacht Tommy dat die er zo uit hoorden te zien. Zo moesten ze er tenminste uitzien als ze mannelijke zieltjes wilden winnen.

Hij zou haar graag wat langer bestudeerd hebben, maar Rae was aan het eind van haar inleiding gekomen en ging op haar tenen staan, de enige manier die ze wist om groot enthousiasme uit te drukken. Het koor barstte los in extatische geluiden, de pianola speelde en de tamboerijnen rinkelden. Tommy controleerde of zijn vlinderdasje goed zat, klemde zijn vergulde bijbel in zijn hand en stortte zich door het gordijn het podium op, ondertussen lofprijzingen aan de Heer roepend.

De eerwaarde Tommy zweette snel en hevig. Dat was een ramp toen hij een tiener was, vooral bij de jacht op meisjes, maar het veranderde aardig in zijn voordeel in zijn carrière van fanatieke bijbelverkondiger en bewerker van mensenmassa's. De gemiddelde man kon een heel tijdje op het podium rondhangen, met zijn armen zwaaien en getuigen van de Heer, voor hij begon door te lekken, maar bij Tommy brak het zweet al in de eerste paar minuten uit en stroomde langs zijn gezicht en onder zijn armen en over zijn rug, zodat zijn overhemd aan hem vastplakte en zijn haar zo draderig en sprieterig werd alsof hij net uit het water kwam. Hij zag eruit, grapte hij soms, alsof hij zichzelf hier op het podium had gedoopt, zonder de hulp van water van iemand anders. Zijn gehoor reageerde op dat effect omdat het leek alsof hij op een machtige en krachtige manier met de duivel worstelde en zij bedachten dat een man met zoveel innerlijke hitte zeker wel wat genezende warmte voor hen kon missen.

Hij was een vaalgele man met een huidkleur die nog bleker leek in vergelijking met zijn koolzwarte haar en massieve, borstelige wenkbrauwen, die in het midden op de brug van zijn neus bij elkaar kwamen. Zijn haar was altijd zo zwart als teer geweest en Tommy getroostte zich enige kosmetische inspanningen om dat zo te houden nu de natuur er wat grijs doorheen wilde strooien. De combinatie van licht en donker kwam nog beter uit onder de zwakke verlichting in de tent – het was gemakkelijker wonderen te doen in het halfduister dan in het volle daglicht – en soms leek hij voor de meer toegewijden en degenen uit zijn gehoor met een grotere verbeeldingskracht, verlicht door een innerlijk licht. Anderen zouden, als ze hun inzicht hadden kunnen uiten, hebben gezegd dat de combinatie meer duivels dan heilig leek, maar wie was ondankbaar genoeg om de bron van genezing in twijfel te trekken?

Deze avond had noch zijn gezweet, noch zijn voorkomen, noch zijn onvermoeibare fanatieke gepreek en gehamer, noch zijn vermaningen en zijn allerbeste gebed, het beoogde effect. De inwoners van Bald Nob voelden gewoon de aanwezigheid van de heilige Geest niet onder hen, en Tommy voelde een beetje paniek opkomen. De laatste tijd werd zijn gehoor steeds moeilijker, hoewel hij zich niet kon herinneren dat het ooit zo doods was. Hij gaf de schuld aan de verderfelijke invloed van de TV. Ze konden zowat iedere week een goede preek, gebed en genezing op de buis vinden en over het algemeen van betere kwaliteit dan Tommy kon leveren. De bedienaren op de TV konden zelfs op afstand genezen. Alles wat je moest doen was dicht bij de TV kruipen en de genezende aanraking voelen die recht door de ethergolven op je afkwam. Voor een donatie van een zekere omvang wilde de evangelist zelfs de naam en de aandoening van de kijker tijdens de uitzending vermelden. Hij bood zo persoonlijke service in de beslotenheid van de eigen huiskamer, maar binnen gehoorsafstand van miljoenen. Dat soort dingen maakten toehoorders helemaal te passief, maar ook te veeleisend. Er bestond geen vervanging voor het echte contact met een menselijke hand zoals de eerwaarde Tommy R. Walker bood, maar het werd steeds moeilijker zijn gehoor daarvan te overtuigen. Tommy zou een moord gedaan hebben voor een kans zelf op de TV te komen, natuurlijk, maar intussen vermoordde de TV hem.

Vanuit zijn ooghoeken zag hij het meisje met het engelengezicht in beweging komen. Hij had haar tijdens zijn toespraak in de gaten gehouden en haar zo vaak aangestaard als hij maar kon, terwijl hij toch zijn charme en aandacht op de hele menigte richtte. Van een afstand leek ze naar hem te grijnzen, maar achter in de tent was het licht op zijn zwakst en Tommy was er dan ook niet zeker van. Hij probeerde een manier te bedenken om haar na de voorstelling te ontmoeten en die grijns van haar gezicht te vegen op hetzelfde moment dat hij haar kleren uitdeed. En het zou best kunnen dat zijn verdeelde aandacht gedeeltelijk de schuld was van zijn gebrek aan succes bij de rest van zijn gehoor. Een menigte boeien vereiste een flinke dosis concentratie op datgene waarmee je bezig was en een grote energie.

Een ogenblik was hij bang dat ze naar de uitgang liep, maar toen drong het tot hem door dat ze door het gangpad op hem toe kwam. Hij had de gekwelden nog niet uitgenodigd om naar voren te komen en haar beweging trok de aandacht van zijn gehoor. Nu keken ze naar haar, hun interesse werd meer getrokken door die mooie vrouw dan door zijn boeiende betoog en, verdomme, dat was precies datgene dat ervoor kon zorgen dat hij helemaal opnieuw moest beginnen.

Ze stopte precies aan de rand van het podium en stond naast de rolstoel van de vrouw met de slechte schouder.

'Eerwaarde Tommy,' zei ze.

Tommy probeerde haar te negeren en bleef gewoon doorpreken alsof ze niet bestond, alsof daar niet vlak voor hem de blikvanger van de hele verdomde kliek gapende boerenkinkels stond.

'Eerwaarde Tommy,' riep ze weer, deze keer luider en met haar armen naar hem uitgestrekt. Nu kon ze niet meer genegeerd worden en, God sta hem bij, deze keer had hij haar stem gehoord, het verminkte geluid van een ernstig spraakgebrek. Spraakproblemen waren het èrgste. Je kon een kreupele wel een paar seconden laten staan en soms kon je bij een blinde als je op zijn oogballen drukte een opflikkering van licht opwekken – of je kon hem laten denken dat je dat deed – maar er bestond geen manier om iemand met een gespleten gehemelte 'Prijs de Heer' te laten roepen in plotseling ronde en begrijpelijke klanken. Het hele verdomde gehoor kon horen dat de aandoening er nog was, hoe de getroffene er zelf ook over dacht.

'Genees me,' zei het mooie meisje, of Tommy giste tenminste dat ze dat zei. Terwijl Tommy probeerde hier een uitweg uit te vinden, kon hij toch niet helpen dat hij woede voelde dat zo'n knappe vrouw zo'n last moest dragen. Ze was jong, zag eruit als niet ouder dan achttien, met het vooruitzicht haar hele leven geconfronteerd te worden met een mond die nooit haar gedachten kon uiten.

Tommy keek rond om hulp, maar Rae, even verrast als hij, stond als vastgevroren tussen de coulissen en de koorleden, die de dubbele taak hadden zowel voor veiligheid en algehele rust te zorgen als om zijn helende stoten op te vangen, stonden daar gehypnotiseerd, en lieten hun tamboerijnen hangen. De diaken kwam nu pas in beweging, maar het zou veel te lang duren om bij het meisje te komen en haar weg te halen. Dit schepsel was voor zijn gehoor gewoon te mooi om haar weg te sturen en te vergeten. Ze wilden dat ze door God genézen werd en verder geen poespas, en Tommy kon de kracht van hun eis voelen toen hij naar de rand van het podium liep.

Ze hield haar armen naar hem uitgestrekt alsof ze zichzelf aan een heilige aanbood. Tommy begon met bij haar te knielen in de hoop dat hij iets kon doen buiten het zicht van het grootste deel van zijn gehoor, maar zij greep zijn arm en trok zich op het podium en liet hem geen andere keus dan te doen alsof dat zijn bedoeling was. Afgezien van haar terugschoppen tussen de toehoorders, was er geen andere mogelijkheid dan zich met haar bezig te houden.

'Genees me, eerwaarde Tommy. Ik weet dat je dat kunt. Ik weet dat je dat kunt,' zei ze, of brabbelde zoiets. Tommy kon zijn gehoor, meelevend met haar gebrek, 'awwun' horen roepen. Zo'n arm jong ding, dachten ze, en zo knap ook.

'Ik ga je genezen, zuster,' zei Tommy luid.

Ze begon nog meer geluid te maken, maar Tommy legde zijn handen op haar gezicht en kneep haar kaken dicht om haar haar mond te laten houden. Ze was even mooi van dichtbij en zelfs midden in zijn paniek vroeg Tommy zich af of hij haar niet gewoon hier en nu door haar te kussen beter kon maken.

De eerwaarde Tommy was net van plan te zeggen dat hij haar heel graag wilde genezen als hij bij het genezingsgedeelte van zijn optreden was, toen ze naar hem knipoogde.

Geschrokken riep Tommy in een reflex: 'Satan, verdwijn!' en duwde het meisje van hem weg het podium af. Hij was zo verbaasd dat hij vergat dat de vangers nog niet op hun plaats stonden.

Het meisje was alert en landde op haar voeten, maar ze wankelde een beetje en kromp ineen alsof ze in een soort greep werd gehouden. Haar lichaam huiverde een beetje en een ogenblik vroeg Tommy zich af of hij haar een of andere zenuwbeschadiging had toegebracht. Maar het was haar schuld, hem zo te laten schrikken. Wat was ze van plan?

In een drukkende stilte richtte het meisje zich langzaam op. Tommy dacht eraan zijn prediking snel te hervatten om, wat voor duivelse dingen ze ook zou uiten, die weg te moffelen, maar hij wist dat, als hij dat deed, zijn gehoor het hem niet zou vergeven.

Ze keek naar Tommy op, deze keer met haar armen half opgeheven in een houding die aan de paus deed denken en staarde eerbiedig naar hem op het podium. Haar gelaat was bezield door de geest zoals Tommy in geen jaren had gezien en toen ze sprak was haar stem vervuld van ontzag.

'Dank u, eerwaarde Tommy,' zei ze. De klank van haar stem was zacht, maar helder als de uitspraak van een leraar, iedere lettergreep nauwkeurig gearticuleerd.

'Dank God,' zei Tommy, half verbaasd over de verandering.

'God zij geloofd,' stemde ze in met een stem vol tranen maar trillend van al die vreugde waar het apostolische koor naar streefde maar nooit bereikte. 'Geloofd zij Jezus!'

Tommy staarde haar vol verbazing aan toen zijn toehoorders losbarstten.

'Om de wonderen die Hij doet,' riep ze uit.

De toehoorders kwamen in beweging, schreeuwend en gillend van waardering.

'En Zijn dienaar, Tommy R. Walker!'

Oh, hoe hielden ze nu van hem. Maar ze hielden nog meer van haar. Er gaat niets boven volmaaktheid hersteld te zien worden. Tommy zag dat ze hen in bedwang kon houden, hen kon verheffen en hen uit kon schudden. Op dat moment had ze door er alleen maar om te vragen al hun portefeuilles kunnen krijgen en zij zouden haar gezegend hebben omdat ze die had aangenomen. Zij was het beste wat hij ooit gezien had.

En het was de beste avond die hij in maanden had gehad.

6

Zijn vriendje huilde weer. Hij probeerde het te verbergen, alsof je in een cel iets verborgen kon houden. Hij lag op zijn brits boven Cooper, huilend en snuffend en antwoordde: 'niets' toen Cooper vroeg wat er aan de hand was. Cooper wist wel wat er aan de hand was. Zijn vriendje huilde omdat Cooper de volgende morgen weg zou gaan.

'Het komt wel goed met je,' zei Cooper, maar hij was er helemaal niet zeker van dat dat zo was. Het zou kunnen dat Swanns nieuwe celgenoot iemand was die niet zo aardig was als Cooper. Of, erger nog, het zou zo iemand als Swann zelf kunnen zijn, iemand die Swann geen bescherming kon bieden tegen de andere roofdieren. Zijn vriendje zou dan weleens vogelvrij kunnen zijn. Cooper had anderen in die situatie uit elkaar gescheurd zien worden, in stukken getrokken als een stuk vlees dat tussen de leeuwen werd gegooid. Ze zouden niet zoveel consideratie met hem hebben als Cooper had, ze zouden niet met hem praten en hem niet laten voelen dat hij een menselijk wezen was, zoals Cooper altijd had nagestreefd.

Maar het was niet alleen angst of het hem goed zou gaan waardoor Coopers vriendje huilde. Het was ook liefde.

'Je zult me vergeten, is het niet?' vroeg Swann.

'Nee.'

'Jawel,' zei Swann bitter. 'Je zult me zo gauw als je weg bent helemaal vergeten. Dat duurt geen dag. Je zult nooit meer aan mij denken.'

'Natuurlijk wel,' zei Cooper.

'Nee, dat zul je niet. Ik weet hoe jouw geest werkt.'

'Ik zei van wel,' zei Cooper, en raakte geërgerd door de richting die het gesprek nam.

'Beloof je het?'

'Wat?'

'Beloof je dat je me niet zult vergeten?'

Cooper zuchtte lusteloos. De emotionele eisen van zijn vriendje waren soms de moeite niet waard, maar vanavond kon hij zich veroorloven grootmoedig te zijn. Morgen zou hij uit de bajes zijn. Morgen ging hij terug naar de wereld.

'Ik beloof het,' zei Cooper.
'Wat beloof je?'
'Wat je maar wilt.'
Zijn vriendje was een ogenblik stil en Cooper dacht eraan hem te schoppen. Cooper wilde nog niet met praten ophouden, maar hij wilde niet over zijn vriendje praten, hij wilde over zichzelf praten. Hij had zijn eigen zorgen over zijn ophanden zijnde vrijlating, maar hij wist niet hoe hij het ter sprake moest brengen zonder zijn vriendje overwicht over hem te geven. Zelfs de zwaksten konden een manier vinden om een kwetsbare plek uit te buiten, zelfs iemand die Cooper zo goed had behandeld als Swann, zelfs nu nog, een paar uur voor zijn vertrek.
Toen Swann weer sprak, was er een kinderlijke en vleiende klank in zijn stem.
'Kan ik naar beneden komen?' vroeg Swann.
Cooper vond dat niet echt fijn, maar hij bromde dat het goed was. Dan kon het vriendje weten hoe geschikt hij voor hem was.
Swann glipte op Coopers brits en kroop dicht tegen de grote man aan.
'Zal ik je nog ooit terugzien?' vroeg hij. Hij klonk alsof hij weer zou gaan huilen.
'Natuurlijk,' zei Cooper.
'Wanneer?'
'Nou, niet voordat je hier uit bent, omdat ik hier niet meer terugkom.'
'Ik zit hier nog drie jaar. Als ik nog zolang leef zonder jou.'
'Het komt best goed met jou,' loog Cooper. 'Ze weten dat jij mijn vriendje bent. Ze zouden zich niet durven bemoeien met het vriendje van de oude Coop.'
Swann nam niet de moeite zulke baarlijke nonsens tegen te spreken. Voor zover hij wist, geloofde Cooper erin.
'Ik vraag me af of jij na drie jaar je zelfs maar zult herinneren hoe ik eruitzie.'
'Ik herinner me alles,' zei Cooper. 'Er is niets mis met mijn geheugen.'
'Dat bedoelde ik niet.'
'Vraag me maar wat. Vraag me over de Mexicaan.'
'Ik weet dat je je de Mexicaan kunt herinneren en de meisjes en de hele rest...'
'En de flikker, vergeet die niet.'
'Ik weet het. Ik weet dat je je dat allemaal herinnert. Ik zit erover in dat je míj vergeet. Kan ik je af en toe schrijven?'
'Ik schrijf geen brieven,' zei Cooper.
'Nee, ik schrijf naar jou. Jij hoeft niet te antwoorden. En ik kan je ook opbellen, als je dat leuk vindt.'

Cooper zweeg.

'Ik kan sommige dingen tegen je zeggen,' fluisterde Swann. 'Ik kan af en toe met je praten op de manier die je leuk vindt.'

'Goed dan,' zei Cooper onzeker. Hij voelde zich aan de telefoon nooit op zijn gemak, de andere stemmen ergerden zich aan hem, ze wilden dat hij te vlug antwoordde als hij tijd nodig had om na te denken.

Zijn vriendje merkte de onzekerheid in zijn stem. 'Alles zal goed gaan,' zei hij. 'Ik weet dat je een beetje...' Hij zocht naar het juiste woord. 'Bang' was niet wat Cooper wilde horen. '...bezorgd bent hoe het zal gaan in de wereld.'

Cooper bromde nietszeggend.

'Maar alles gaat gewoon goed.'

Zijn vriendje begon Cooper over zijn borst te strijken alsof hij een groot beest liefkoosde.

'Denk er maar aan, dat je twee vrienden hebt, die je vroeger nooit had toen je in de wereld was.'

'Wie?'

'En je kunt ze allebei om hulp vragen en ze zullen altijd voor je klaar staan.'

'Wie?'

'Jezus. Jezus is nu toch je vriend?'

'Oh, ja.'

'Je kunt Jezus altijd om hulp vragen. Dat weet je toch, hè?'

'Dat weet ik.'

'Hij zal je altijd antwoord geven als je Hem iets vraagt, maar misschien niet altijd op een manier die je begrijpt.'

Cooper snoof verachtelijk. Daar schoot hij niets mee op.

'Je zei twee vrienden,' vroeg Cooper.

'En mij,' zei zijn vriendje. Zijn hand gleed omlaag en streek Cooper over zijn onderbuik.

'Uh-huh.'

'Je kunt mij altijd om hulp vragen, weet je. Dat weet je toch wel, hè? Als je in moeilijkheden zit, of als je verward bent, kun je altijd bij me aankloppen.'

'Weet ik,' zei Cooper, hoewel het nooit bij hem was opgekomen. Wat kon het vriendje nu voor goeds doen terwijl hij wegkwijnde in de gevangenis? De kans was groot dat hij niet eens zichzelf kon helpen.

'Ik zal je briefkaarten geven met een postzegel erop en mijn adres er al opgeschreven. Je kunt er een boodschap op schrijven als je wilt, maar zelfs dat hoef je niet te doen. Als ik een kaart krijg weet ik dat je aan me denkt en dan zal ik gelijk voor je bidden. Dat zou toch goed zijn, niet?'

Cooper bromde nog eens.

'Omdat Jezus en ik één ding gemeen hebben,' vervolgde Swann. Zijn vingers streken nu door Coopers schaamhaar. 'Weet je wat dat is?'

Cooper lette niet langer op wat het vriendje zei. Zijn hele aandacht was bij de hand van de ander.

'We houden allebei van jou,' zei het vriendje.

Cooper boog zijn rug en probeerde Swanns vingers dichterbij te krijgen. Als zijn vriendje verder ging hem op te vrijen, dan zou Cooper hem afmaken.

'Zullen we samen bidden?' vroeg Swann vleiend.

'Later,' zei Cooper. Hij drukte de kleine man omlaag.

Ik kan zijn kop eraf trekken, dacht Cooper, toen hij de spanning in zijn lijf voelde groeien. Ik kan hard genoeg knijpen om zijn hoofd eraf te laten springen als bij een pop. Deze keer zou hij dat niet doen. Hij zou gepakt worden. Maar vanaf morgen kon hij alle koppen eraf trekken die hij maar kon vinden.

Net voor zijn bevrijdende schreeuw stelde hij zich voor dat hij het deed bij een heleboel kantoorbedienden, ploegbazen en schoolmeesters, de een na de ander. Hij zag de gezichten van die mannen en vrouwen voor zich, die zo verbaasd keken als hun nek brak en hun koppen wegrolden.

7

Toen Karen thuiskwam trof ze noch Becker noch Jack aan. Een lamsstoofschotel stond op het fornuis, klaar om voor het diner opgewarmd te worden. Ze kon Beckers voorliefde ontdekken aan de grote hoeveelheid sjalotjes en pepers en het gebruikelijke mengsel van Indische kruiden. Het zou een heerlijk maal zijn en het huis zou nog verscheidene dagen daarna ruiken naar kardemom en koriander. Deze keer lag er een dikke groene laag over de stoofpot zodat het eruitzag als de bovenkant van een stilstaande vijver. Met het topje van haar vinger stelde Karen vast dat de op algen lijkende substantie spinazie was, die gekookt was tot het uiteenviel, en jawel, heerlijk. Beckers kookkunst was een goede afspiegeling van de man zelf, dacht ze: ongewoon, exotisch, en uiterst smaakvol. Maar vreemd, altijd een beetje vreemd.

Karen ging door het gat in de heg van de achtertuin en liep over het kleine centrum van zes winkels en het filiaal van een bank dat voor het handelscentrum van Clamden doorging. Drie jaar nadat ze naar Clamden verhuisd was, was Karen nog steeds verbaasd dat zo'n uitgesproken half landelijk stadje kon bestaan binnen een uur forenzen van New York City. Het karakteristieke van een kleine stad en het niet veeleisende tempo van Clamden waren een hulde aan de macht van de bestemmingswetgeving. Veelal, zo niet overwegend bewoond door vluchtelingen uit Manhattan die daar nog steeds werkten, deed de stad aan alsof hij van de rest van Amerika afgegrendeld was in een tijdcapsule, een gelukkig overblijfsel van de jaren vijftig. Karen verbaasde zich erover dat er echt nog moeders waren die niet werkten. Ze ontmoette hen op de ouderavonden van school, waar ze altijd een beetje laat, altijd een beetje gekweld, binnenviel, komend van haar baan, met een wolk van zorgen nog om haar hoofd gonzend als een zwerm muggen. Zij waren daar in hun sportbroeken en kleren met Laura Ashley-patroon, gemoedelijk babbelend over het avondpartijtje van het turnersteam en het verkopen van gebak voor de kerk, terwijl Karen er ongemakkelijk bijzat in haar uniform, met een .38 automatisch pistool met extra korte loop in haar tas en haar FBI-badge weggestopt in haar vestzak. Dat was een ongerijmdheid die haar soms dwarszat, maar andere keren eigenaardig kalmerend was. Weer een passende beschrijving van haar leven met John Becker.

Ze vond Becker en Jack op een van de drie speelplaatsen van de basisschool, waar ze een balletje trapten in de invallende schemering. Beckers vriend Tee, het hoofd van de politie van Clamden, was bij hen en vuurde Jack aan. Af en toe gaf ook hij met zijn grote voeten een schop tegen de bal. Zoals gewoonlijk was het Tees stem die boven de andere twee uitkwam, een spectakel vol zelfspot en van grote opgeruimdheid. Jack was ook luidruchtig. Hij moedigde zichzelf aan en werkte hard aan een sport die niet vanzelf ging. Becker was meestal stil, weerde Jacks pogingen om hem met de bal te passeren af, maar stimuleerde hem stilletjes toch. Hij bewoog met een gemak en een atletische gratie die een deel leken te zijn van alles wat hij deed.

Karen dacht aan het incident met Jack tijdens hun klimtocht. Het geduld dat Becker bleek te tonen bij alles wat hij deed, de zorgvuldige uitleg, het echte begrip voor Jacks angst. En die vreemde trek in zijn opvatting. De drang je angst beet te pakken. Karen was blij dat Jack de invloed van een man in zijn leven ondervond en Jack aanbad Becker. Ze hield zelf ook van hem, dacht ze. Of tenminste af en toe, en misschien was zo nu en dan liefde alles waar men op kon hopen als je niet naïef maanziek was. Het was beter dan helemaal geen liefde en Karen had besloten daar genoegen mee te nemen, vooral omdat het verweven was met een heel echte lichamelijke hartstocht, die geen tekenen vertoonde af te nemen. Zijn aanraking deed haar nog steeds huiveren van verwachting en zijn kus liet haar knieën knikken... En toch...

Karen glipte terug in de schaduw van de forsythiaheg die om de speelplaats stond en bleef kijken, ongezien... En toch waren er van die momenten, van die vreemde, onzekere momenten, dat Karen er niet zeker van was met wie of wat ze samenleefde. Nachten waarin ze zich bewust was dat hij tot aan de dageraad wakker naast haar lag, niet kerend en draaiend in een gevecht met slapeloosheid, maar stil liggend, alsof hij luisterde naar het geluid van iets dat hem in het donker besloop. Alsof alleen zijn voortdurende waakzaamheid de beesten weg kon houden.

In haar ervaring worstelden alle mannen met hun eigen demonen, gewoonlijk de drang tot ontrouw, tot drinken, of onverantwoordelijkheid in het algemeen. Maar die demonen waren niet meer dan kwajongens in vergelijking met de duivels die vochten om Beckers ziel. Hij had haar natuurlijk zijn angsten uitgelegd, maar dat had ze alleen maar meer beangstigend gemaakt, omdat ze, ondanks dat ze zich daartegen had verzet, had geweten waar hij over sprak. Ze had sommige van zijn demonen als haar eigen herkend.

Karen liep terug naar het huis dat ze met Becker deelde en wachtte op de terugkomst van haar familie. In haar tas had ze het instrument dat Beckers demon zou kunnen loslaten en ervoor zou kunnen zorgen dat het hem weer in zijn macht kreeg. Hij had niets gezegd over de vorige brief die ze hem gebracht had, maar zijn reactie van stille ontzetting had haar laten merken hoe diep die hem geraakt had. Ze herkende hetzelfde poststempel, hetzelfde getypte adres. Wat het ook was, het had een vervolg.

Ze dacht erover de brief voor hem achter te houden, maar ze wist dat het zinloos was. Als de demon in Beckers ziel zich roerde, dan kon alleen Becker met hem afrekenen. De briefschrijver zou uiteindelijk een manier vinden om hem te bereiken en Becker zou zelf met de duivel moeten worstelen.

In eerste instantie negeerde Becker de brief en liet hem op de salontafel liggen waar Karen hem had neergelegd. De avond ging voorbij alsof het epistel niet bestond. Het lag daar als een keutel in het midden van de huiskamer. Pas 's nachts, toen hij de lichtelijk moeizame ademhaling hoorde, die erop wees dat Karen in een diepe slaap was, stond Becker stilletjes op en keerde naar de huiskamer terug. De envelop werd door het maanlicht dat door het raam viel beschenen en lichtte op, hem uitdagend hem te blijven negeren.

De werkwijze van de briefschrijver was hetzelfde als de eerste keer, de kop van *The New York Times* met gaatjes erin geprikt. Zittend in de logeerkamer, die dienst deed als kantoor voor Karen en Becker, ontcijferde hij de boodschap met behulp van de scrabble stenen.

'i kNow whY.' 'Ik weet waarom.'

De code aan de bovenkant van de bladzijde was:

```
.   . . .
. . . . .
```

– een andere doosvlieger. Becker schreef het getal 10111 op en vertaalde dat in het getal drieëntwintig.

Hij kon niets anders doen dan wachten tot de volgende dag, wanneer hij in de bibliotheek de betreffende datum en pagina kon opzoeken. Hij zat daar dus maar in zijn studeerkamertje en overwoog de betekenis van de code.

Zijn briefschrijver had ervoor gekozen zijn boodschap in code weer te geven, maar waarom? Niet om de inhoud voor Becker verborgen te houden, zoveel was wel duidelijk. Hij moest daarom bezorgd zijn geweest dat zijn boodschap, als hij hem schreef of verzond, onderschept werd. Schreef hij de boodschap op in het bijzijn van iemand die erbij betrokken was, iemand die gevaarlijk was? Of werd zijn post door iemand gelezen voor die verzonden werd?

Becker trachtte zich het verloop van de gebeurtenissen voor de geest te halen waarin zijn briefschrijver in het bijzijn van een getuige gaatjes zat te prikken in een zorgvuldig uitgeknipte kop van een drie jaar oud exemplaar van *The New York Times* zonder dat het de aandacht trok. Dat leek onwaarschijnlijk. Het voordeel zou natuurlijk zijn dat degene die het zag niet zo gemakkelijk de boodschap kon ontcijferen, maar zou dat niet het gedoe van de briefschrijver nog meer verdacht maken?

Een tweede mogelijkheid was dat de schrijver bang was dat de boodschap gevonden zou worden als hij eenmaal opgeschreven was. Dat leek te betekenen dat er geen goede plaats was om hem op te bergen. Hoeveel ruimte zou er nodig zijn om een paar vierkante decimeter papier weg te moffelen? Maar een geadresseerde envelop zou moeilijker te verbergen zijn. Wat zou kunnen betekenen dat de schrijver niet zo gemakkelijk bij een brievenbus kon komen. Zijn boodschap moest een tijdje wachten voor hij op de post kon – bijvoorbeeld als de schrijver opgesloten zat. Of de schrijver woonde in een afgelegen gebied, ver van de dichtstbijzijnde brievenbus.

Becker bestudeerde het poststempel nog eens. Decatur, Alabama. Dat was niet precies midden in Alaska, maar ook niet New York City. Alabama was landelijk genoeg dat een brief posten gemakkelijk een probleempje kon opleveren, en het poststempel was nooit een erg nauwkeurige aanduiding waar een poststuk echt vandaan kwam. Becker wist dat zijn eigen post dikwijls het poststempel van Stamford droeg, en Stamford was vijfenveertig kilometer en ten minste vier tussenliggende stadjes van Clamden verwijderd en had een totaal andere postcode. Decatur, Alabama kon het verzamelpunt voor uitgaande post zijn van een omliggend gebied van honderden vierkante kilometers.

Een derde mogelijkheid was dat iemand de post van de briefschrijver las voor die de deur uitging. Becker had gezien dat Karen dat deed met Jacks brieven naar zijn correspondentievriendjes van school. En ze had hem zowaar verbeteringen laten maken in bedankbrieven naar zijn grootouders. Maar Jack had toen nooit een postzegel gehad en gewoonlijk liet hij ook na de envelop dicht te plakken. Becker wist dat deze schrijver geen kind was. Hij wenste dat het waar was. Hij wenste dat er sprake was van een grap, een subtielere versie van wat achtjarigen deden die in hun handen giechelden en een slager vroegen of hij varkenspootjes had en als dat zo was of hij dan niet ongelukkig liep.

Waar Becker nu mee te maken had, was een volwassene, een intelligent iemand die bang was voor iemand of iets, en die, waarschijnlijk met enig risico voor zichzelf, hulp probeerde te krijgen. Als hij of zij probeerde Becker informatie te geven over een lang geleden gestorven meisje, die drie jaar geleden in een verlaten mijn werd gevonden, dan was de meest voor de hand liggende conclusie dat de briefschrijver zijn actie verborg voor iemand die er enig belang bij had dat die informatie niet bekend werd.

Maar waarom ik? vroeg hij zich af. Waarom niet gewoon de FBI in het algemeen? Elke agent zou de boodschap hebben kunnen decoderen en direct de zaak aanpakken. Waarom een agent uitzoeken die niet langer in actieve dienst is?

Hij wist het antwoord zonder erover na te denken. Omdat hij bekend was. De schrijver had òf van Becker gehoord, òf, erger, had hem ontmoet. Als het eens iemand uit die laatste groep was, dacht Becker, als het eens een van die psychopaten was die Becker achtervolgd en gegrepen had...

Hij had er nooit een gemakkelijk te pakken gekregen. Ze waren allemaal te slim om achterhaald te worden door traditioneel politiewerk, daarom werden die gevallen aan Becker gegeven. Het was nooit een kwestie van gewoon een vingerafdruk vinden of een merkje van een wasserij of een verloren mapje lucifers met de naam van de bar erop waar de moordenaar werkte. Ouderwets politiewerk was noodzakelijk, het hielp ook wel, maar er waren zoveel smerissen en agenten als je maar wilt die dat konden doen en uiteindelijk was het nooit genoeg. Uiteindelijk was het Becker die in de zaak dook, op een manier die maar weinig anderen konden doen. Of die zichzelf toestonden dat te doen. Hij kroop in de huid van de moordenaar, dompelde zich onder in de geest van de moordenaar en dwong zich zijn gedachten te denken en zijn koortsdromen te dromen. Er was niets occults aan, zoals veel van zijn collega's dachten. Er was geen buitenzinnelijke waarneming bij betrokken. Zijn therapeut begreep hoe het werkte – en de prijs die Becker betaalde. Niemand begreep een dief beter dan een andere dief. Een pyromaan begreep een pyromaan. En mannen die moordden vanwege de onvergelijkbare sensatie die hun dat gaf, werden het beste begrepen door...

Becker verliet het studeerkamertje en liep zachtjes door het donkere huis. Onderweg vervloekte hij het binnendringen van de schrijver in zijn leven. Ik ben er af, dacht hij. Ik ben er uit en weg. Deel van een familie. Ik bouw een leven op. Toen strekten de tentakels van zijn eigen onverzadigbare beest zich naar hem uit en glipten door de scheuren van zijn slordig opgebouwde veiligheidsgevoel. Hij kon de slijmerige aanraking op zijn been voelen, hoe ze hem naar beneden trokken en op hetzelfde moment hoe de kronkels omhoogreikten naar zijn keel.

Hij deed voorzichtig de deur van Jacks kamer open en zag de jongen in het maanlicht liggen met een arm boven zijn hoofd alsof hij hangend aan een tak sliep. Becker hield ervan hem onverwacht te observeren, van de onschuld die van hem afstraalde. Becker had groot respect voor de reinheid van Jacks leven, de zuiverheid en de eenvoud. Hij was een jongen, die deed als een jongen, die dacht als een jongen, en die alleen die gevoelens had die een jongen van tien hoorde te hebben. Op die leeftijd had Becker al de verschrikkingen van mishandeling meegemaakt die hem hadden gevormd en tot zijn huidige crisis hadden geleid. Hij beschouwde het als een klein wonder dat hij in de gelegenheid was Jacks jeugd mee te maken, en, zo bang als hij voor zichzelf was, bijna evenzo bang was Becker dat zijn eigen verleden op een of andere manier Jacks toekomst zou aantasten.

In het duister van de zitkamer dwong Becker zich stil te zitten en zijn angsten voor zich te houden. Als dit een verslaving was waarover hij een zekere controle had gekregen, had hij dat bereikt zonder de zelfhulpgroepen in twaalf stappen die voor iedere andere soort verslaving bestonden. Er bestonden geen bijeenkomsten voor mensen met zijn aandoening. Anderen die ook zijn probleem hadden, bewogen zich stil door de schaduwen van de buitenwereld, op rooftocht naar onschuldigen. Zij kwamen niet te voorschijn voor behandeling. In tegenstelling tot dronkaards en verslaafden die misschien hulp zochten als ze de bodem bereikten, hunkerden de wezens waar Becker in gespecialiseerd was naar de bodem. Dat was het waar ze heel hun leven naar gestreefd hadden en het was daar en daar alleen dat ze de bevrijding vonden die ze nodig hadden, zelfs als ze steeds verder in het moeras zakten. Voor hen was er geen grens hoever ze konden zinken, omdat iedere succesvolle moord alleen maar hun ontaarding deed groeien en hun behoefte vergrootte. Er was geen bodem. Het enige dat hun grenzen oplegde was tijd. Hoe lang konden ze doorgaan tot ze werden gepakt? Becker twijfelde er niet aan dat er een heleboel waren die nooit gepakt werden, die moordden en moordden tot hun eigen harten bezweken aan de totale overmaat van genot aan dit alles.

Beckers zelfhulpgroep kon alleen bijeenkomen in de gevangenis, waar hij persoonlijk veel van hen opgesloten had. Of op het kerkhof, waar hij er zelfs nog meer naar toe gebracht had. Nadat hij zijn eerste slachtoffer onder de grond had gewerkt, had Becker ontdekt wat hij gemeen had met de mannen op wie hij jaagde. Hij was, voelde hij, hetzelfde als zij, behalve dan dat hij een jachtvergunning had. Zijn slachtoffers werden door de gemeenschap verafschuwd en hij werd geprezen, maar in Beckers gedachten voerde hij alleen maar een door de gemeenschap geaccepteerd kannibalisme uit. De grote vis in de vijver die alle kleintjes opat, dacht hij met walging over zichzelf.

Maar er was natuurlijk nog iets anders dat hem van zijn gelijken onderscheidde, behalve zijn FBI-badge en de officiële samenwerking met de FBI, en dat was de oorzaak van zijn pijn. Anders dan zij, wilde Becker wanhopig stoppen. Hij geloofde niet dat een echte genezing mogelijk was. Hij zou in het diepste van zijn ziel altijd zijn wie hij was en geen enkele therapie kon hem van iets anders overtuigen, maar hij wist dat hij door een uiterste wilsinspanning zijn gedrag kon veranderen. Hij kon stòppen.

En hij had het gedaan hoewel hij ontslag bij het Bureau moest nemen om dat te bereiken. Ze hadden zijn ontslag niet aanvaard, maar hem in plaats daarvan met 'onbepaald ziekteverlof' gestuurd, zoals dat in ambtenarentaal heet, wat betekende dat ze hem konden oproepen als ze hem nodig hadden en zich verder niet om hem bekommerden. Van zijn kant was hij niet verplicht om te reageren als ze hem opriepen. Maar ze wisten dat hij dat wel zou doen. Een fret weigert niet een hol in te gaan. Daarvoor was hij opgeleid. Daar was het te beleven.

De volgende morgen ging Becker in de bibliotheek voor het hem nu bekende microfilmscherm zitten en bepaalde snel de datum en de pagina van de boodschap. Opnieuw stond het verhaal onder aan de pagina, niets meer dan een vulstukje van de telex van het persbureau. Er was een tweede lijk gevonden in dezelfde mijn in Hendricks, West Virginia. Een andere jonge vrouw die al maanden vermist werd. Haar overblijfselen werden gevonden als gevolg van de ontdekking van het lichaam van de eerste jonge vrouw, en de overheid kondigde aan dat het zoeken in de mijn voortgezet zou worden.

Er was zelfs minder informatie dan er over het eerste lijk was geweest, maar er was ook minder nodig. Eén vrouw zou op een of andere manier verdwaald kunnen zijn en gestorven van de kou. Geen twee. Niet in verschillende schachten van de tunnel. Het tweede meisje was drie maanden na de eerste als vermist opgegeven.

Hij had iets gevonden dat werkte, dacht Becker. De moordenaar had een methode gevonden die hem beviel, een manier van ontvoeren, een manier van wegwerken. Waarom zou hij het niet nog eens doen? Als het werkt, moet je er gebruik van maken.

Seriemoordenaars stumperden in het begin altijd een beetje. Ze leerden met vallen en opstaan wat voor hen het beste werkte. De eerste pogingen waren gewoonlijk klungelig, gaven minder volledige voldoening, en berustten meer op dom geluk dan op zorgvuldige planning. Velen van hen werden in het begin van hun carrière gepakt omdat ze nog niet wisten waar ze mee bezig waren. Ze maakten beslissende fouten vóór ze hun methoden hadden verfijnd. Maar degenen die de beginperiode overleefden, leerden snel en al gauw beheersten ze hun weerzinwekkende vak.

Deze had zijn meesterschap bereikt, realiseerde Becker zich. De krant was twee jaar oud, de lichamen waren pas na drie jaar ontdekt. De grot kon vol zitten met lijken. Becker kon nog weken bewijsdocumenten van zijn briefschrijver ontvangen – maar hij wist dat dat niet zou gebeuren. Zijn briefschrijver had deze keer gezegd: 'Ik weet waarom'. Hij wist wie en hij wist waarom en hij was erop gebrand dat aan Becker te vertellen anders zou hij niet het risico van de gecodeerde boodschappen nemen.

Becker pakte een atlas van de Verenigde Staten van een plank in de bibliotheek en sloeg hem op een tafel open. Decatur, Alabama was ver verwijderd van Hendricks, West Virginia. Meer dan zeshonderd kilometer over de weg. Niet dat de afstand veel uitmaakte. De brieven kwamen jaren nadat de daad gepleegd was. In die tijd kon een beest wel vijftienhonderd kilometers wegslippen. En natuurlijk zou hij de kolenmijn verlaten hebben zogauw het eerste lijk gevonden was. Hij zou allang een nieuw hol hebben gevonden. Een ander gat in de grond, volgestopt met de ontbindende overblijfselen van iemands dochter.

Je hebt vast een ander hol, jij klootzak, dacht Becker. Er is geen reden om het op te geven, niet terwijl je hart snel genoeg pompt om je hart in je borst te laten opspringen als je het met ze doet, wat het ook mag zijn. Alleen nu heb je een getuige gekregen, iemand die dicht bij je staat, die weet waar je mee bezig bent en die bijna te bang is om je tegen te houden. Bijna.

Voor de eerste keer zag Becker zijn briefschrijver niet als een ander stuk tuig die hem in het moeras trachtte te sleuren, maar als een vriend. Een fatsoenlijk menselijk wezen die wist waar hij mee bezig was en het haatte en ermee wilde stoppen. Ondanks het risico voor zichzelf, seinde hij Becker van veraf in en maakte hem attent op het bestaan van een menseneter.

Hij gebruikte de lengte van zijn vingertop tot aan de eerste knokkel als maat, mat een straal van ongeveer vijfenveertig kilometer af en trok een denkbeeldige cirkel met Decatur als middelpunt. Hij begon de namen van de steden binnen die cirkel op te schrijven maar hield ermee op toen hij Springville noteerde. Hij hoefde niet verder te kijken. In Springville stond de staatsgevangenis van Alabama.

Becker leunde achterover in zijn stoel en keek een ogenblik peinzend naar het plafond. Achter haar informatiebalie keek June Atchinson met belangstelling toe.

Schrijf nog maar eens, mijn vriend, dacht Becker. De gevangenis is groot, help me je te vinden. Help me hem te vinden.

8

Aural kon een stukje zingen ook, verdomd als het niet waar was. Ze had een stem als een engel uit de zuidelijke staten, met net genoeg neusklanken om iedereen in zijn gehoor op zijn gemak te stellen. Ze had niet wat je noemt een sterke stem, maar het apostolisch reveil van de eerwaarde Tommy R. Walker had geen Ethel Merman nodig. Ze hadden microfoons voor het volume en alles wat Aural moest doen was de noten zingen met haar zoete, hese sopraan, en elektriciteit zorgde voor het volume. In Aurals geval leek het zelfs dat minder beter was. Als ze moeilijk te horen was, zou zijn gehoor zich gewoon naar voren buigen en nog beter luisteren, als kolibries die zich uitrekten voor het laatste beetje nektar. Niemand had zich ooit ingespannen om naar Rae te luisteren, dat was zeker. Daar gaven ze niet om.

De eerwaarde Tommy was verbaasd over Aurals overwicht over zijn gehoor, over hoe gemakkelijk ze in de rol van Rae was gestapt en hem een gehoor had geleverd dat niet alleen klaargemaakt werd voor meer geestelijke verheffing maar daar ook nog naar snakte, als het er maar uitzag en klonk als Aural. Het verbaasde hem hoe snel en gemakkelijk Aural had begrepen waar de zaak om draaide en hoe ze de menigte moest bewerken tot ze zo opgeladen waren met enthousiasme voor redding door Tommy's zweterige handen, dat ze hun weg naar voren vochten en zelfs krukken omverliepen. Maar nog belangrijker was – en dat kwam heel goed van pas bij een vrouw, dacht Tommy – haar begrip van de financiële kant van het religieuze werk. Ze deden hun portefeuilles verder open als Aural in de buurt was, daar was geen twijfel over – en welke zeikerige, arme, achterafboer kon weigeren genereus te geven als de engel Aural de schaal ophield, vooral nu Tommy haar de zwart met karmozijnrode japon tijdens de offergave te dragen had gegeven. Daarbij zou Gabriël weleens in het niet kunnen vallen, hoe díe er verdomme ook uitzag. Aartsengel of niet, als het op voorkomen aankwam, had hij zeker niet meer in huis dan Aural, behalve misschien zijn vleugels.

En, voor de rest kostte ze niet veel. Alles wat ze vroeg, was het penninkje van de weduwe om van te leven, en omdat ze in een van de trailers bij de rest van de show leefde, was dat maar een heel klein penninkje. De eerwaarde Tommy kon niet gelukkiger zijn. Nou, er was een klein dingetje dat hem dwars zat, maar hij nam zich voor zich daar spoedig mee bezig te houden, als hij maar de gelegenheid kreeg zonder dat Rae in de buurt rondhing.

Maar al was Tommy dan verbaasd over haar kwaliteiten in haar omgang met het publiek, ze was zelf alleen lichtelijk verrast hoe snel het bij haar teruggekomen was na een hiaat van wel tien jaar of meer. Haar vader was een pure evangelist geweest, die al tevreden was als hij de zondaars op de knieën kreeg, als ze tranen stortten van opluchting en bevrijding, en die niet naar echte medische wonderen streefde. Maar de handelwijze kwam veel overeen. En het was bij gebrek aan charisma van de voorganger nog steeds een armzalig gebeuren, gedoemd zich in de kleinste gemeenschappen en in de meest afgelegen gebieden af te spelen. Haar vader was er nooit erg goed in geweest. Tot die conclusie was Aural in haar vroege tienerjaren gekomen en de eerwaarde Tommy R. Walker was dat ook niet. Hij kon wel dromen dat hij landelijke bekendheid kreeg op de satelliet TV, maar dat was een droom die hij alleen zelf had. Aural deelde die niet. Er was voor geestelijke genezing meer nodig dan overvloedig zweten en een luide stem, en het vervelende was dat de eerwaarde niet wist wat dat was.

'Gekke naam, Aural,' zei Rae toen Aural een week bij de show was. Rae was al van het podium verwijderd en Tommy had haar de minder belangrijke taak gegeven zich te ontfermen over zijn toehoorders als die voor de show binnenkwamen. Rae gaf er niet om dat ze haar plek op het podium had moeten opgeven, ze had zich daarbij toch al nooit op haar gemak gevoeld, maar ze vond het wel erg dat ze ook buiten het podium in de aandacht van Tommy op de achtergrond was geschoven. En dat gebeurde duidelijk, of het nieuwe meisje zich daar nu bewust van was of niet. En natuurlijk was ze er zich van bewust – ze was tenslotte een vrouw.

'Ik heb natuurlijk weleens gehoord van "Oral" zoals bij Oral Roberts,' vervolgde Rae. 'Maar Aural is nieuw voor me.'

'Het is mijn eigen naam,' zei Aural. 'Mijn eigenlijke naam was Aura Lee, zoals in het liedje,' zei ze, terwijl ze het als een woord uitsprak, Auralee. 'Ik heb nooit van die naam gehouden, daarom hield ik het stukje dat ik leuk vond.'

Rae glimlachte. Aural besefte dat de vrouw aardig probeerde te zijn. Ze probeerden altijd aardig te zijn als hun mannen tot haar aangetrokken werden en Aural was altijd bereid om aardig terug te zijn, maar op de lange duur werkte dat nooit. De mannen stonden altijd in de weg en de vrouwen eindigden altijd met haar te haten, zelfs als ze hun mannen niet gewild had. Soms, dacht ze, was het omdàt ze hun mannen niet gewild had. Meestal was haar vriendschap met andere vrouwen kort en teleurstellend oppervlakkig. Ze kon wel gemakkelijk met hen lachen en direct geheimpjes uitwisselen zoals vrouwen doen, maar Aural had ervaren dat het in het algemeen gemakkelijker voor haar was met mannen om te gaan. Van hen had ze tenminste geen onrealistische verwachtingen. Zelfs als ze voorgaven alleen maar vrienden te willen zijn, wist Aural wel beter. Er was iets geruststellends in de voorspelbaarheid van mannen, en ze waren zo veel gemakkelijker te manipuleren. Vrouwen gebruikten hun hersens te veel. Aural had nog nooit een andere vrouw ontmoet die niet altijd probeerde uit te vissen hoe ze van een man kon krijgen wat ze wilde, terwijl ze hem liet geloven dat het zijn idee was. Mannen dachten helemaal niet met hun hersens, had Aural ondervonden, en ze verspilden absoluut geen stukje van hun televisietijd om over de aard van hun relaties na te denken. Aural wíst ronduit dat ze slimmer was dan elke man die ze ooit zou ontmoeten.

'Ik ben verbaasd,' vervolgde Rae, 'dat jij met al jouw talent nooit in de showbusiness bent gegaan. Je zingt net zo goed als sommigen van die meisjes die je in Nashville hoort.'

'Nou, dank je, dat is aardig van je,' zei Aural. 'Ik heb ooit eens over zo'n carrière gedacht – toen ik jonger was. Mijn vader was er bijzonder verrukt over... Natuurlijk raakte mijn vader erg gauw opgetogen. Hij was een enthousiaste man. Hij regelde enkele agenten en platenmensen en zo om naar me te komen kijken.'

'Allemachtig, hoe opwindend.'

'Nou, dat vermoed ik. Ik was pas zestien in die tijd en beschouwde het gewoon zo ongeveer als vanzelfsprekend – je weet wel, zoals kinderen doen.'

'Lieverd, je kan pas twee jaar ouder dan zestien zijn,' zei Rae bijna volmaakt eerlijk.

'Lieve hemel,' zei Aural even oprecht. 'Ik ben allàng die tienerjaren voorbij, godzijdank wel. Het leek wel of ik zo hitsig was dat het gewoon kriebelde. Voelde jij dat niet, dat het overal kriebelde en je smachtte naar een jonge kerel om je te krabbelen?'

'Zo dacht ik er nooit over,' zei Rae preuts. Ze greep met haar hand naar haar keel als om zulke gedachten af te weren.

'Oh, ik wel. Natuurlijk is het zo dat het nooit moeilijk is een man te vinden die bereid is je te helpen. In feite, is het bijna onmogelijk iemand te vinden die dat niet wil.'

Rae zweeg. Haar ervaring was helemaal niet zo. Het bleken meestal platonische vriendschappen die mannen haar boden. Aural ging vlot pratend verder en Rae realiseerde zich dat de jonge vrouw een onderwerp had aangesneden dat haar interesseerde.

'Ik realiseer me nu dat veel op die leeftijd gewoon ouderwetse nieuwsgierigheid was, weet je. Ik bedoel, ik wilde ronduit wéten wat dat seksgedoe inhield. Mensen maken een fout door het geheim te houden voor kleine kinderen, denk je ook niet? Dat maakt er juist een mysterie van en iedereen houdt van mysteries. Als je eenmaal een paar mannen met hun broek naar beneden hebt gezien, dringt het tot je door dat ze helemaal niet zo verrassend zijn, ze zijn allemaal ongeveer hetzelfde, behalve degenen die slechter zijn, maar tegen die tijd is het, veronderstel ik, te laat om je nog zorgen te maken over het mysterie. Je bent er dan al aan gewend.'

'Ik weet zeker dat je gelijk hebt,' zei Rae, heimelijk het feit betreurend dat ze niet genoeg ervaring had om er zeker van te zijn dat Aurals taxatie van de mannen juist was of niet. Maar intuïtief leek het haar juist.

'De kwestie is, ik zou willen dat ik in plaats van mannen een andere slechte gewoonte had. Wat mij betreft, zou ik liever tabak pruimen, maar ik veronderstel dat we onze slechte gewoonten niet voor het kiezen hebben, wel?'

Rae vroeg zich af hoe Aural erin slaagde zo'n gladde en roze teint te houden met al die wereldse ervaring. Zij zelf had aanleg vlekken in haar gezicht te krijgen als ze er aardig uit moest zien en zelfs het kleinste beetje stress zorgde voor koortsuitslag op haar lippen.

'Wat gebeurde er met die platenmensen en zo?' vroeg Rae.

'Oh, ja. Nou, papa had geregeld dat ze allemaal naar een van zijn shows zouden komen, en ik veronderstel dat ze dat ook deden, maar de avond ervoor liep ik weg met Earl Hockfuss. Dat was een jongen met de aardigste bos haar dat op een bepaalde manier over zijn voorhoofd viel, zodat je gewoon tegen iets zachts wilde huilen of schreeuwen of het vastpakken en goed vastknijpen. Als Earl dan overeind wilde komen en zijn haar opzij deed, dan kneep ik gewoon mijn billen samen en perste mijn dijen op elkaar, je weet wat ik bedoel, Rae? Natuurlijk was ik pas zestien, weet je nog. In die tijd moest ik hebben gedacht: haren maken de man. Waarschijnlijk omdat ik mijn vader had horen preken over Samson en Delilah of zoiets.' Aural lachte. 'Ik reageerde toen te gemakkelijk op indrukken.'

'Je liep weg en trouwde?'

'Nee, lieverd, ik liep alleen weg. Earl en ik gingen naar een motel in Black Ridge en bleven daar drie dagen tot Earl besloot dat hij te gekrenkt was om ermee door te gaan.'

'Allemachtig.'

'Ik weet het. Maar het was leerzaam. Tenminste voor mij. Als die oude Earl iets leerde in die drie dagen, liet hij dat nooit merken, behalve misschien wie de sterkste was in seks, als het tot seks kwam. Maar ik leerde een hoop, meestal tot mijn teleurstelling.' Aural grinnikte op een manier die Rae liet voelen dat ze hoorde te blozen. 'Maar niet alles, lieverd. Niet alles.'

'Wat deed je vader toen je wegliep?'
'Ik weet het niet. Ik heb hem sinds die tijd niet meer gezien. Hij bad, veronderstel ik, en dan keek hij uit naar iemand om zijn gehoor te bewerken. Ik weet dat hij me daarvoor miste. Ik was er niet meer om zijn publiek te bewerken.'
'Maar hij was predikant,' zei Rae.
'Lieverd,' zei Aural, en raakte Rae's arm aan. 'Lieverd.'

De eerwaarde Tommy R. Walker was met Aural alleen in zijn trailer, een zegen om van te genieten en uit te buiten. De apostolische medewerkers waren bezig de tent neer te halen en Rae was naar de stad vertrokken om boodschappen te doen. Dat nam gewoonlijk nogal wat tijd in beslag omdat Rae uit was op koopjes en alles vergeleek. Rae kon van een half uur in de supermarkt een halve dag maken, en voor een keer was Tommy R. daar dankbaar voor.
Aural zag er buitengewoon goed uit. Ze had haar gelukzalige pose die het op het podium zo goed deed laten varen en toonde tekenen van opwinding en strijdbaarheid. Tommy dacht dat het om hem was tot hij zich realiseerde dat ze om meer geld vroeg.
'Je weet dat ik het waard ben,' zei ze. 'Je verdubbelde volledig je ontvangsten sinds ik in de show ben.'
'Nou... verdubbeld...' Tommy haatte discussies over geld, tenminste met werknemers. Dat was voldoende om iemands bezieling te doen bekoelen.
'Gemakkelijk. Ik kan een collecteschaal net zo goed beoordelen als jij en ze zijn gewoon voller, toch? Je denkt toch niet dat dat is doordat het met je wonderen beter gaat, is het wel?'
'Daar komen ze voor, juffie. Om te zien hoe de macht van de Heer door mijn handen geopenbaard wordt.'
'Voor ik op het toneel verscheen hadden de mensen daarvoor anders lijm in hun zakken. Ik heb je alleen zien werken, weet je nog?'
'Dat was een slechte avond. Dat kan gebeuren.'
'Dat is de laatste tijd niet meer voorgekomen, toch?'
'Je moet het zo bekijken,' zei Tommy. 'Het is niet dat je niet wordt gewaardeerd. Heb ik je foto niet vlak naast de mijne op de poster gezet?'
'Vlak onder de jouwe.'
'Onder, boven, ernaast, wat voor verschil maakt dat uit? Ik maak een ster van je, lieverd. Je zou dankbaar moeten zijn. Jouw mooie gezicht komt op iedere telefoonpaal en iedere winkelruit in Pikeville.'
'Ik heb niet gevraagd om mijn foto op wat voor poster dan ook. Waar ik om vraag, is een deel van het geld.'
'De apostolische medewerkers krijgen geen deel en zij zijn al vijf

jaar bij me, op een enkeling na. Rae is al zeven jaar bij mij. Zij krijgt ook geen deel.'

'Ik kijk niet naar Rae. Ik veronderstel dat je een eigen regeling met haar hebt.'

Tommy stond op, liep in drie stappen door de trailer en stond naast haar.

'Ik heb een regeling met Rae die gemakkelijk ook de jouwe zou kunnen zijn,' zei hij, terwijl hij op haar neerkeek. Ze was maar zo'n kleintje, als je eenmaal naast haar stond. Het was gewoon haar pit die haar groter deed lijken. Tommy had grote bewondering voor pit. Zolang die maar behoorlijk geleid werd.

'Laten we zakelijk blijven,' zei ze.

De eerwaarde Tommy legde zijn armen om haar heen. Hij was geen reus, maar zij kwam nauwelijks tot aan zijn borst. Dat maakte dat een man haar wilde beschermen.

'Dit kan zakelijk zijn, als je het zo wilt bekijken,' zei Tommy. Ze draaide zich met haar rug naar hem toe, maar ze stootte hem niet van zich af.

'Wat voor zakelijks noem je dit?'

Tommy drukte zijn kruis tegen haar achterste. Zijn armen gleden om haar middel.

'De beste soort,' zei hij, terwijl zijn stem hees werd.

'Ik heb het over geld, eerwaarde. Ik kwam hier niet voor salami.'

'Dat hoort allemaal bij de service,' zei Tommy. Hij dacht dat hij haar tegen zich aan voelde drukken, dacht dat ze voor hem een beetje met haar kont wiebelde. 'Ik bied redding en salami zonder extra kosten.'

Aural gleed met haar hand achter haar en raakte zijn gulp aan. Tommy leunde met zijn gezicht op haar hoofd.

'Verdomd, eerwaarde, dat is geen salami.'

'Je raadt het.'

'Dat lijkt meer op een van die cocktailworstjes die je met een tandenstoker eet.'

Aural sloeg hem een keer hard met haar knokkels en Tommy liet haar los en sprong achteruit.

'Je vergeet tegen wie je het hebt,' zei hij, terwijl hij zich oprichtte en zijn waardigheid probeerde terug te krijgen.

'En jij wéét niet eens tegen wie je het hebt,' zei Aural. 'Ik ben niet een van die idealistische kleintjes, die na een show naar je toekomen, met hun hoofdje helemaal in de war door de gedachte aan de zonde. "Oh, red me, eerwaarde Tommy, red me," en je brengt hen redding recht overeind tegen de achterkant van de trailer.'

'Dat ben je niet, hè? Naar ik heb gehoord, schepte je erover op hoe je een man kunt uitputten.'

'Dat heb ik Rae in vertrouwen verteld,' zei ze. Haar gezicht werd plotseling rood door dat verraad.

'En zo vertelde ze het mij,' zei hij. 'In vertrouwen.'

Tommy las de emotie op haar gezicht en realiseerde zich dat hij een zwakke plek had gevonden.

'Dat had ze je niet moeten aandoen,' vervolgde hij. 'Dat was gemeen. Dat verdiende je niet.'

'Ik denk dat ik het wel overleef.'

'Je kunt het haar betaald zetten, weet je.'

'Met jou?'

'Er is geen betere wraak, lieverd. En ik beloof je dat ik heel wat meer weet dan die tiener met dat gekke haar. Ik kan jou goed bevredigen en tegelijk heb jij je wraak.'

Aural glimlachte. Een ogenblik leek dat bijna uitnodigend. Ze keek hem in het gezicht waar zijn wenkbrauwen op zijn voorhoofd lagen als een ruige zwarte rups. Als hij met zijn verleidersblik met zijn ogen knipperde, leek de rups te kruipen.

Zo'n hoge nood had ze nu ook weer niet, dacht Aural, ook niet bijna zo'n hoge nood. Maar het feit dat ze het ook maar overwogen had, duidde erop dat ze maar beter zelf snel een man kon vinden, nu ze nog koelbloedig genoeg was om zelf de keuze te maken. Als het zover kwam dat een man jou uitkoos, God weet waar dat dan op uitliep.

Tommy legde een hand op haar wang. De palm van de hand was al zweterig.

'Vooruit, lief ding,' zei hij. Zijn stem was weer hees. 'Je weet dat je het wilt.'

'Maar wat wil ik?' vroeg Aural, nog steeds lief glimlachend.

'Nou, veronderstel we proberen het uit tot we er achter komen?'

Tommy legde zijn andere hand op haar borst en zag haar oogleden trillen. Hij wist het. Sommigen moesten gewoon eerst nee zeggen, dat was alles. Er ging niets boven volhouden, daar was charme niets bij.

Ze legde een hand bovenop zijn hand die op haar borst lag, en hij voelde dat haar vingers zich voorzichtig om zijn vingers strengelden. Haar andere hand gleed omlaag naar zijn rits en Tommy glimlachte toen ze die langzaam opentrok. Hij hield van het langzame werk, niets gehaast, ze wist wat ze deed. Hij probeerde haar borst te kneden maar ze hield die hand stevig vast. Hij ontspande zich dus maar toen hij haar vingers in zijn broek voelde tasten. Als zij al het werk wilde doen, vond hij dat best.

Haar vingers kropen in zijn onderbroek en kriebelden aan zijn balzak. Ze gleden zachtjes om zijn testikels en knepen.

Tommy gromde van genoegen.

'Oh, jah,' zei hij, met zijn ogen dicht.

Ze kneep. En kneep. En kneep.

'Hé.' Zijn ogen schoten open en hij zag haar naar hem glimlachen.

Tommy probeerde haar hand weg te trekken maar ze hield stevig vast en de pijn werd erger. Haar andere hand had nog steeds zijn vingers in haar greep en ze liet niet los. Hij had geen macht meer en niets meer om iets mee te doen. Ondertussen bleef ze gewoon harder knijpen.

'Je doet me pijn!'

'Nou, zeker,' zei ze zakelijk. 'Gek dat iets zo fijn kan voelen en dan zo akelig, vind je niet? Gewoon te veel van het goede soms.'

'Je maakt mijn ballen kapot!'

'Jij kunt ze weer genezen, schat,' zei ze. Ze glimlachte nog steeds. Dat vond de eerwaarde Tommy nog het vreemdste, dat ze gewoon bleef glimlachen, niet kwaadaardig, maar met een tikje echt plezier.

Toen hij bijna zeker wist dat hij een eunuch zou worden als ze niet ophield, sloeg hij haar.

Ze wankelde achteruit. Haar hoofd tintelde van de kracht van de klap die haar op het voorhoofd getroffen had. Maar ze liet zijn ballen los. Tommy legde allebei zijn handen over zijn kruis en hield Aural voortdurend in de gaten alsof hij verwachtte dat ze opnieuw naar hem zou graaien.

Maar ze zag er niet agressief meer uit. Ze zag er ook niet bijzonder beledigd uit. Ze zag er eigenlijk nog het meest voldaan uit. Alsof ze allang had geweten dat hij haar zou slaan, alsof ze het verwacht had en blij was dat hij het uiteindelijk gedaan had.

9

De manager zei hem een minuutje te wachten, en Cooper ging opzij van de toonbank staan en keek naar de klanten hoe ze hun hamburgers, stukjes kip en frietjes kregen. Cooper mocht de meesten niet, het beviel hem niet wat hij op hun gezicht las als ze hem aankeken en dan plotseling een andere kant opkeken alsof ze iets gezien hadden waar beleefde mensen niet naar keken. Hij gaf de voorkeur aan het openlijk staren van kleine kinderen, die nog te jong waren om zich zorgen te maken om manieren. In de regel werden ze bij hun armen meegetrokken omdat ze te lang naar hem keken en soms knielden hun ouders naast hen en legden iets op dringende maar instruerende toon uit. Cooper kreeg dan de neiging die ouders te pletten, wilde daar waar ze geknield zaten bovenop hen stampen en dan op en neer springen.

De manager was zelf een onbetrouwbaar uitziende bastaard. Cooper had hem verteld dat hij een baan zocht en niet bang was hard te werken, precies zoals ze hem hadden geleerd in de reclasseringsles die ze in Springville gaven. Hij was beleefd geweest, had alstublieft gezegd, had de man zelfs mijnheer genoemd, hoewel hij een schriele bastaard was, die Cooper met één hand in stukken had kunnen breken. Er was hem gezegd te wachten en hij wachtte, maar dat betekende niet dat hij zich niet bewust was van wat de manager in zijn schild voerde. Cooper zag hem iets tegen een van de medewerkers achter in de keuken zeggen, en zag die medewerker lachen. Hoe een of ander jochie met een puistenkop en een papieren muts op dacht dat hij zich kon veroorloven Cooper uit te lachen, was een mysterie dat hij graag op zou willen lossen door in die puistenkop te knijpen tot die opensprong.

Nadat hij Cooper daar lang genoeg had laten staan om duidelijk te maken dat hij de baas was, kwam de manager terug met een sollicitatieformulier.

'Vul dit maar in,' zei de manager, en bood Cooper een pen aan.

Cooper keek wezenloos naar het papier.

'Het is maar een formaliteit,' zei de man. 'We kunnen altijd iemand gebruiken die bereid is te werken.'

'Ik ben bereid te werken,' zei Cooper. Hij gaf het papier aan de man terug alsof de overeenkomst gesloten was.

'Je moet het toch invullen,' zei de manager.

'Ik kan borden wassen,' zei Cooper.

'Goed.'

Cooper keek de open keuken in en zocht de vaatwasmachine of de gootsteen.

'We gebruiken hier grotendeels wegwerpservies en -bestek,' zei de manager.

Cooper vroeg zich af waar hij het over had: servies en bestek. Cooper wist hoe hij borden moest wassen, hij had dat in Huntsville geleerd, hij wist hoe hij die machines moest bedienen.

'Waarom vul je dit niet gewoon in en breng je het bij me als je klaar bent. Er is geen haast bij, doe het op je gemak.'

De manager liep weg en Cooper ging aan een van de plastic tafeltjes zitten en vouwde zijn forse benen ongemakkelijk onder het blad. Hij zag de plek waar hij zijn naam moest schrijven en schreef die daar in blokletters. Nog een paar van die vragen waren gemakkelijk genoeg, maar een gedeelte bracht hem in verwarring. Ze hadden hem in Springville geleerd hoe hij een formulier als dit moest invullen, maar hij was er wel wat van vergeten. Hij wenste dat zijn vriendje hier was. Zijn vriendje kon als geen ander die dingen begrijpen.

Een mannelijke medewerker veegde met een spons de tafel tegenover Cooper schoon. Cooper trok zijn neus op toen hij de scherpe lucht van het schoonmaakmiddel rook. Hij gromde dreigend. Het was al moeilijk genoeg om zich te concentreren zonder dat iemand ammoniak onder zijn neus hield. Cooper keek de medewerker dreigend aan. De man hoorde het geluid en draaide zich om te kijken. Hij had de grote ogen en het opgezwollen hoofd van het Downsyndroom. Op zijn gezicht lag een gelukzalige glimlach.

'Hoi,' zei de man vriendelijk.

Geschrokken van die vriendelijkheid, zei Cooper op zijn beurt 'Hoi' en bestudeerde weer het sollicitatieformulier. Zo'n verdomd achterlijke kan hier een baan krijgen, dacht Cooper. Moest die achterlijke ook een formulier invullen? Ze konden nu niet meer verhinderen dat hij een baan kreeg, ze konden hem beslist niet weigeren, hij kon veel vlugger werken dan die kerel.

Hij keek weer naar de werker, de man glimlachte nog steeds. Zijn ogen stonden zo gelukkig dat het leek of Cooper en hij vrienden waren die elkaar lang niet hadden gezien. Ik ken jou niet, dacht Cooper. Kijk niet naar me alsof je me kent. Ik zal je dikke hoofd wijd open laten barsten.

De werker ging in het vertrek rustig zijn gang, zich zalig onbewust van de kwaadaardigheid in Coopers priemende blikken. Cooper keek om zich heen naar de manager en vroeg zich af of die man zich wel bewust was van het niveau van zijn medewerkers. Misschien moest Cooper hem daar wel op wijzen als de manager kritiek had op dit zeikformulier. Cooper wist hoe hij in een keuken moest werken, verdomme! Hij was geen gewone tafelzwabberaar. Hij had in een keuken gewerkt die voor meer dan duizend man drie maaltijden per dag klaarmaakte. Hij kon dat werk, als ze het hem maar gewoon lieten doen!

Zijn ogen begonnen te branden en het formulier zweefde voor zijn ogen en tergde hem met stompzinnige kantoorklerkvragen en woorden zo ingewikkeld als knopen. Ik ben verdomme niet achterlijk, dacht hij. Geef me een test, iets waaraan je kunt zien dat ik kan werken, geen sollicitatieformulier voor een achterlijke. Uit frustratie begon hij het formulier te verkreukelen, maar hield ermee op toen de woorden van de reclasseringsambtenaar steeds maar in zijn oren bleven dreunen: 'Denk eraan het is allemaal niet tegen jou persoonlijk gericht, zo werkt de maatschappij nu eenmaal. Bewaar je geduld, haal diep adem, en probeer het opnieuw. Blijf het proberen. Blijf het proberen.'

De reclasseringsambtenaar was een vrouw geweest met zilverkleurig haar en een grote moedervlek vlak naast haar bovenlip. Soms had ze Cooper aan zijn moeder herinnerd. Soms had hij gewild dat ze naar zijn cel was gekomen om die dingen nog eens uit te leggen, alles en alles, tot hij het begreep. Soms dacht hij dat hij haar graag zou vermoorden. Hij wilde dat ze nu hier was om te zien wat voor onzin ze hem in de wereld probeerden te laten doen. Hij wilde dat zijn vriendje hier was, zodat die hem met het formulier kon helpen. Zijn vriendje had gezegd dat hij hem kon bellen als hij ooit hulp nodig had. Cooper dacht erover dat nu te doen, maar dan zou hij de woorden van het formulier hebben moeten oplezen door de telefoon en hij vond de telefoon toch al niks...

Nu was het formulier gekreukeld. Hij dacht erover een nieuw te vragen zodat de manager niet zou denken dat hij nergens om gaf – en misschien zou een nieuw formulier gemakkelijker te lezen zijn, misschien was hem eerst wel het verkeerde formulier gegeven – maar hij wilde niet dat de manager zou denken dat hij het gedaan had... Hij kon zeggen dat die achterlijke het papier had verkreukeld toen hij de tafel schoonveegde. Hij kon de manager laten zien hoe het was gebeurd en onderwijl kon hij demonstreren hoe goed hijzelf een tafel kon schoonvegen en dan was het formulier helemaal niet meer nodig. En als de achterlijke zou proberen te ontkennen dat hij het formulier had verkreukeld, zou Cooper hem verkreukelen op een manier die hij nooit meer zou vergeten.

Hij streek het papier zo goed als hij kon glad en keek om zich heen om te zien of de achterlijke naar hem keek, of hij misschien een voorgevoel had van zijn list. Hij zag een meisje naar hem kijken, dat met haar gezicht omlaag een milkshake dronk met een rietje en hem vanonder haar wenkbrauwen aanstaarde. Toen hij terugkeek, en haar tartte te blijven kijken, glimlachte ze en wendde haar blik niet af zoals ieder ander deed. Wat was haar probleem, verdomme? Als ze niet ophield met naar hem te staren, was hij verdomd snel haar probleem.

Het kreng stond op en liep op hem toe, nog steeds aan haar rietje zuigend. Ze zag eruit als achttien ongeveer, in ieder geval oud genoeg om meerderjarig te zijn. Ze zag er niet slecht uit ook, maar als ze niet ophield met naar hem te staren, zou hij haar ogen uitrukken.

'Gaat het?' vroeg ze, uiteindelijk haar rietje loslatend. Een druppel chocolademelk hing aan haar onderlip. Ze stak het puntje van haar tong uit en likte hem weg.

'Wat?' Cooper dacht dat ze het over het formulier had en streek het nog eens glad.

'Ik zei: "Hoi",' zei ze. 'Ben je je bril vergeten?'

'Wat?'

'Ik zie dat je wat moeite hebt met dat formulier. Ik dacht dat je je bril vergeten was. Wil je dat ik het voorlees?'

Voor Cooper er achter was wat de bedoeling was, was ze in de stoel tegenover hem gaan zitten en had het formulier naar haar toe gedraaid.

'Het is gekreukeld...'

'Ik denk niet dat dat veel uitmaakt,' zei het meisje. '"Ze willen alleen de feiten, m'vrouw."' Ze grinnikte alsof ze een grapje gemaakt had en Cooper gluurde door zijn wimpers naar haar en probeerde erachter te komen waar ze op uit was.

'Nou,' vervolgde ze. 'Laten we eens kijken wat ze van je willen. Naam; nou, dat heb je goed. Hallo, Darnell Cooper. Ben je echt drieëndertig? Daar zie je niet naar uit, je lijkt veel jonger.'

'Waar hou je mij voor?' vroeg Cooper.

'Jij bent wat ze noemen goed geconserveerd, denk ik,' zei ze. Er was een glimlach in haar woorden zelfs als ze niet glimlachte. 'Nu hier, waar staat vorige betrekkingen... heb je ooit gewerkt?'

'Natuurlijk.'

'...Wil je zeggen waar?'

'In de keuken.'

'Nou, Coop, ik denk dat ze wel wat meer informatie willen dan dat.'

Cooper was in de war doordat ze zijn roepnaam gebruikte. 'Jij kent mij niet,' zei hij en hij was er bijna zeker van dat het waar was.

'Ben je me zo gauw vergeten?' vroeg ze en lachte toen. 'Nee, ik ken je niet en zo iemand als jij zou ik me zeker herinneren, geloof me. God, je lijkt me sterk.'

'Ik ben sterker dan zomaar iemand,' zei Cooper.

'Dat geloof ik graag. Hoe kom je aan die tatoeëring?'

'Zomaar.'

'Ik vind tatoeëringen leuk.'

'Uh-huh.'

'Ik heb er ook een, weet je.'

Cooper zweeg. Hoe kon hij dat nu weten?

'Maar die zit op een plaats die ik je pas kan laten zien als ik je beter ken.'

Ze lachte weer om zichzelf. 'Ze zeggen dat ik schaamteloos ben. Denk jij dat ik schaamteloos ben?'

'Ik denk helemaal niet over jou.' zei Cooper.

'We moeten je ertoe krijgen om... Je bent er toch niet zó een, wel?' Ze wuifde met haar hand.

Cooper staarde haar aan. Hij kon een stuk van de gleuf tussen haar borsten zien. Ze liet het zo zien dat hij er zijn hand in kon steken, dat wist hij. Daarom kleden de vrouwen zich op die manier, om het gemakkelijker voor je te maken.

'Je bent niet zo'n ouwe nicht, hè? Er lopen er tegenwoordig een afschuwelijke hoop rond en het zijn altijd degenen die er het beste uitzien. Waarom is dat...? Ze zeggen dat een heleboel bodybuilders zo zijn... Dat heb ik nou altijd... Niet dat ik er wat tegen heb, het lijkt alleen zo'n verspilling, dat is alles... Ben jij er eentje?'

'Wat?'

'Ze zeggen dat Stallone er een is, maar dat geloof ik niet. Geloof jij dat?'

'Wat?'

'Een flikker.'

Vroeg ze of híj een flikker was? Cooper kon het niet geloven.

'Ik heb er eens een koudgemaakt,' zei hij, maar daar had hij onmiddellijk spijt van. Maar ze scheen er niet om te geven.

'Nou, je ziet eruit dat je dat gemakkelijk genoeg kunt doen.'

'Ik kan het. Ik heb het gedaan.'

'Dat zal wel... Ben je overal zo sterk als met die armen?' Ze zag eruit of ze plotseling bloosde, maar Cooper kon zich niet voorstellen dat ze plotseling verlegen geworden was.

'Ja,' zei Cooper.

Weet je wat, waarom vul ik dat ding niet voor je in..., omdat je je bril kwijt bent, weet je. En dan kun je mij op een milkshake trakteren.'

'Je hebt net een milkshake op.'

Ze grinnikte. 'Jij hebt ook alles in de gaten, hè? Misschien kunnen we er nog een voor mij bestellen. Ik ben onverzadigbaar.'

Ze legde haar hand een ogenblik op de zijne, nog steeds grinnikend alsof ze samen een grap beleefden. Cooper grinnikte terug en keek in haar gleuf. Ze nam de pen uit zijn vingers.

Toen ze zich over de tafel boog om het formulier in te vullen, liet ze zelfs nog meer van haar borsten zien.

Ik zou je zo snel dood kunnen maken dat je het niet zou geloven, dacht hij. Ik zou je zomaar ineens dood kunnen maken. Toen herinnerde hij zich de meisjes in de kolenmijn. Of ik zou je heel langzaam dood kunnen maken. Ik zou er eindeloos over kunnen doen.

Ze leek te weten dat hij over haar dacht omdat ze naar hem opkeek en weer glimlachte.

'Ik versier de dingen een klein beetje,' zei ze. 'Als ik klaar ben maken ze je chef... Omdat we zo'n grote forse bink als jij in de buurt willen houden, toch?'

'Ben je weleens in een kolenmijn geweest?' vroeg Cooper.

'Lieverd,' zei ze, 'ik wil alles een keer proberen.'

10

De derde brief was anders. Die bestond niet.

De envelop was hetzelfde, geadresseerd aan Becker per adres de FBI, en het poststempel was nog steeds Decatur, Alabama, maar Becker maakte hem open en vond er niets in. Geen brief, geen boodschap in de envelop zelf geschreven, niets, zelfs geen stofje.

Had zijn briefschrijver gewoon vergeten het knipsel van *The Times* in de envelop te doen? Of stond hij onder plotselinge druk en was hij niet in de gelegenheid vanwege zijn eigen veiligheid? Of had iemand het eruit genomen? Als de briefschrijver afhankelijk was van iemand anders om zijn brief op de post te doen, zoals Becker vermoedde, dan was het mogelijk dat de man was gepakt. En als hij gepakt was, wat was er dan van hem geworden?

Becker hield de envelop tegen het licht om te zien of de envelop zelf het medium voor de boodschap was. Er was geen spoor van iets dat erin geschreven was zonder inkt. Er waren geen gaatjes in de envelop.

Becker voelde zich verbouwereerd, hij stak een lucifer aan en hield de envelop erboven om onzichtbare inkt te voorschijn te brengen. Die was er niet. Hij zocht in Jacks kamer, kwam weer te voorschijn met een vergrootglas en bestudeerde de envelop van binnen en van buiten. Weer kon hij niets vinden. Er waren veel meer subtiele manieren om een boodschap te verbergen, en te ontdekken, maar Becker was er zeker van dat zijn briefschrijver niet verwachtte dat hij het postpapier naar het FBI-lab zou brengen. Beide boodschappen waren aan hem gericht, niet aan het Bureau. Om wat voor boodschap het ook ging, de briefschrijver verwachtte dat Becker die zelf zou vinden, en dat betekende zonder uitgebreide wetenschappelijk hulp.

En hoe langer Becker erover dacht, hoe meer hij ervan overtuigd raakte dat er ergens een boodschap was. Als, zoals hij eerst had vermoed, iemand de boodschap had onderschept, waarom was dan alleen de envelop verstuurd? Waarom de aandacht van de ontvanger erop gevestigd dat er iets fout gegaan was? Vooral als die ontvanger iemand van de FBI was? Veel veiliger, en veel waarschijnlijker, was dat wie de boodschap ook had verwijderd, ook de envelop achtergehouden zou hebben.

Daarom zat de boodschap in de envelop, op de envelop, of was het de envelop zelf en moest het niet onmogelijk zijn deze te ontcijferen omdat de schrijver verwachtte dat Becker dat deed. Becker sloot zijn ogen en ging met zijn vingers over de oppervlakte van het papier en dacht zo een patroon van bobbeltjes te vinden, misschien in het adres, een primitief braille dat Becker kon begrijpen. De envelop was volmaakt glad, behalve het adres en de postzegel. Hij wreef verschillende keren zachtjes over het adres. Het was ruwer dan het papier eromheen en dat duidde erop dat het was getypt en niet met een laserprinter was gedaan, maar als die ruwheid enige betekenis had, kon Becker die niet ontdekken. Misschien kon een blinde het, maar Becker was geen blinde en had ook niet dat soort tastzin. De briefschrijver moest dat geweten hebben.

Het enige echte reliëf op het oppervlak van de voorkant van de envelop was bij de postzegel, waar op een klein plekje de lijm niet gepakt had en de gekartelde rand net genoeg liet opstaan om het Beckers vingers te laten ontdekken. Hij onderzocht de postzegel onder Jacks vergrootglas maar vond niets ongewoons.

Becker stak het gas onder de fluitketel aan en voelde zich een amateur-detective. Hercule Poirot zou het zo niet gedaan hebben, dacht hij. Agatha Christie zou voor haar nuffige, matige speurder een manier gevonden hebben een oplossing te vinden door zuivere deductie. Maar ik ben niet zo slim als die oude Hercule, gaf hij toe, ik moet gewoonlijk mijn handen vuil maken.

Toen de ketel floot, hield Becker de envelop boven de damp en stoomde de postzegel tot hij begon te krullen. Onder de postzegel en een beetje aangetast door de stoom stond een serie puntjes, weer een nummer in binaire code. Deze keer waren de puntjes niet door een speld gemaakt, zodat ze aan de binnenkant van de envelop niet ontdekt konden worden. Ze waren echter wel zo klein als speldeprikken en zagen eruit alsof ze met een speld als pen gemaakt waren, maar deze keer met inkt. Of met een substantie in plaats van inkt.

Het was roodbruin, de kleur van jodium, en Becker dacht dat het bloed was. Misschien een vleugje melodrama, misschien omdat dat beter uitkwam. Tegenwoordig was het bijna onmogelijk een flesje inkt in huis – of in de gevangenis – te vinden en bloed, het eigen bloed, was altijd gemakkelijk beschikbaar, vooral in kleine hoeveelheden en wanneer het schrijfgereedschap een speld was. Een paar prikjes in een vinger was genoeg om een cijfer in puntjes te schrijven, dacht Becker.

Deze keer was het een langer nummer. Becker tekende een serie blokjes en merkte ze aan de onderkant van rechts naar links, beginnend met een volgorde van 2, 4, 8, 16 enzovoort tot het papier vol was. Hij zette een puntje in ieder blokje dat overeenkwam met een markering op de envelop, en telde het resultaat op met een zakcalculator. Het nummer was 15113054.

Karen vond hem in het studeerkamertje waar hij in de ruimte zat te staren. Er stond een pizzadoos op de keukentafel, die duidelijk bedoeld was voor het diner, maar geen borden, geen servetten. Becker was zeker niet overdreven precies als het ging om de geneugten van het dineren, maar in de laatste maanden was hij steeds nauwgezetter geworden in kleine dingen en deze plotselinge onachtzaamheid betekende voor Karen een waarschuwing dat er iets mis was. Niet dat ze veel waarschuwingen nodig had. Ze had gemerkt dat hij zich na de aankomst van de eerste brief steeds meer terugtrok en de schemertoestand waarin hij nu verkeerde liet geen twijfel over zijn stemming.

'De nieuwe brief?'

Becker keek niet naar haar op.

'De laatste brief,' zei hij.

Ze ging achter hem staan en masseerde zijn nek en zijn schouders. Hij onderging de massage alsof hij van steen was en ze hield er gauw mee op.

'Hoe weet je dat het de laatste brief is?'

'Hij zal niet meer schrijven.'

'Nou, goed dan. Nu kun je het vergeten, wat het ook is.'

'Hij heeft me opgeroepen,' zei Becker sarcastisch.

Karen zweeg, en hoopte dat ze niet ieder antwoord uit hem hoefde te trekken.

'Hoe bedoel je, "heeft me opgeroepen"?' vroeg ze uiteindelijk.

'Hij heeft me gezegd waar hij is en wie hij is, en hij kan niet zo goed naar mij toe komen.'

Hij bleef maar naar een punt op de muur staren. Hij had haar nog niet aangekeken sinds ze de kamer binnengekomen was.

'Ik moet dus naar hem toe gaan.'

'Wat is het echt?' vroeg ze.

'Ik ben bang,' zei hij.

'Doe het dan niet.'

Hij grinnikte doodernstig.

'Als ik niet meer zou doen waar ik bang voor ben, dan zou ik niet veel meer doen.'

'Je hoeft je voor niemand meer te bewijzen, voor jezelf niet en voor iemand anders niet. Zeker niet voor het Bureau.'

'Misschien toch voor mezelf... Je weet wat het is, Karen. Je weet hoe verleidelijk het is.'

Karen zweeg. In een zaak samen met Becker had ze een persoon gedood en een ander dood laten gaan aan de wonden die hij zichzelf toegebracht had. Beiden hadden het verdiend te sterven – ze hadden vele malen zelf gedood – maar het was niet de moraal van haar keuzes die Karen dwars had gezeten. Het was haar reactie. Ze had voor de eerste en enige keer in haar leven de primitieve opwinding van het doden gevoeld, de opwinding waarvan Becker bang was dat die hem zou verteren. Geschokt en opgelucht had ze hem bekend dat ze zijn passie begreep en met hem deelde. Maar ze had het sindsdien steeds ontkend en de sterkste ontkenning was tegenover zichzelf. Ze was naar Kidnapping gegaan om de mogelijke blootstelling aan de verleiding te verminderen en was dankbaar geweest voor iedere promotie die haar hoger op de ladder bracht en verder weg van de gevaren van het veld.

'Niet echt,' zei ze. 'Ik weet dat het je dwars zit.'

Hij keek haar een seconde onderzoekend aan. Hij drong bij dit onderwerp nooit bij haar aan. Becker wist wat hij wist, maar respecteerde haar verlangen om te vergeten. Hij wenste dat hij hetzelfde kon doen.

'Ja, het zit me dwars.'

'Je bent eruit, John. Blijf erbuiten als dat is wat je wilt.'

'Ik ben toch de puzzels van de brieven blijven oplossen? Ik wist van het begin af dat het moeilijkheden zou geven, maar ik bleef ze oplossen. Misschien is dit wat ik wil.'

'Het zijn maar brieven – je hebt er niet om gevraagd – ze dwingen je niet om erbij betrokken te raken.'

'Dat weet ik.'

'Als er een probleem is, laat het Bureau zich er dan mee bezighouden.'

'Ze houden er zich mee bezig,' zei hij. 'Met mij.'

Ze hield op met het masseren van zijn schouders en schoof haar kin op zijn hoofd, haar handen tegen zijn borst.

'Doe het gewoon niet. Blijf er buiten. Het kost je veel te veel.'

'Ik moet naar een gevangenis om met een gevangene te praten,' zei hij. 'Kun je dat voor me regelen?'

Karen aarzelde. 'Je kunt zonder enige hulp een bezoek brengen.'

'Ik moet met hem alleen zijn. Het gaat niet door plexiglas heen met camera's op ons gericht en een bewaker op een paar meter afstand.'

'John...'

'Ik wil niet dat Hatcher erbij betrokken wordt. Als dat wel zo is, begin ik er niet aan. Jij hebt de bevoegdheid om dat te regelen.'

'John – ik kan het niet.'

'Heeft Hatcher mij "gemarkeerd"?' 'Gemarkeerd' was een richtlijn van directeur Hatcher dat elke actie van het Bureau, waarbij een ondergeschikte agent betrokken was, hij geïnformeerd wilde worden.

'Je weet dat dat heel gevoelig ligt,' zei Karen.

'Vertrouwelijke informatie, hè? Oké, ik begrijp het. Maar het zou niet vertrouwelijk zijn als ik niet "gemarkeerd" was, toch? Dan kon je de vraag beantwoorden.'

'Geen commentaar.'

'Dus ben ik "gemarkeerd", wat betekent dat ik niets kan doen zonder dat Hatcher erbij betrokken is, op zijn minst als een stille waarnemer. En daar ik niets wil doen als Hatcher erbij betrokken is, betekent het dat ik niets kan doen. Geweldig. Ik ben dus uit de problemen. Ik doe niets.'

Hij stond op en nam haar in zijn armen. 'Ik heb saucijs en champignons op de pizza. Goed?'

11

In Washington, het centrum van de Amerikaanse democratie, een stad waar geheime ontmoetingen en privé-agenda's gedijen, vond in het kantoor van het Congres een geheime ontmoeting plaats tussen het congreslid Quincy Beggs en directeur van de FBI Thurston Hatcher. Er was geen andere dringende reden de ontmoeting geheim te houden dan de begrijpelijke voorkeur van de beide mannen. Beiden wisten dat er een tijd was om in de openbaarheid te treden, om het publiek zelf deelgenoot te maken van de resultaten van hun inspanningen voor de gemeenschap, en dat er een veel langere tijd was om hun activiteiten stil te houden uit vrees dat het publiek echt iets van hen zou verwachten. Het had geen zin de bevolking ergens deelgenoot van te maken, zouden beide mannen aanvoeren, totdat er echt iets mee te delen was.

Beggs was een kleine man, met te veel vet, dat onaantrekkelijk zijn hele nek vulde, uit zijn boord puilde en onder zijn kin plooide. Het gaf hem het uiterlijk van een man die niet gewend was een overhemd en das te dragen, een werkman, in het pak gedwongen door de eisen van zijn kantoor. In werkelijkheid was het congreslid jurist van zijn vak, politicus door zijn voorkeur en ambitie, en zag hij er alleen maar vadsig uit omdat de omvang van zijn nek voortdurend toenam, ongeacht wat voor maat boord hij droeg. Nu zijn toenemende omvang hem echter tot man van het volk maakte, was Beggs scherpzinnig genoeg om niet op dieet te gaan. Zijn uiterlijk werd voor hem een steun op zijn politiek toneel en hij was bovenal een toneelspeler. In feite voelde Beggs zich nooit beter op zijn gemak dan wanneer hij een rol voor grote groepen mensen speelde – maar nu niet, nu hij een rol tegenover één toehoorder speelde.

Directeur Hatcher was een perfecte toehoorder. Hatcher was bij het Bureau gekomen tijdens het dominante kleermakersbewind van J. Edgar Hoover en voelde zich zonder pak, das en vouw in zijn broek nooit helemaal gekleed. Hij zou er in vrijetijdskleding net als Richard Nixon ongekleed uit hebben gezien. De overeenkomst hield daarbij niet op, zouden veel van zijn ondergeschikten zeggen. De manier waarop Hatcher oprechtheid voorwendde was bijzonder gênant, dezelfde dubbelhartigheid, zeiden zijn critici, als de verklaringen van integriteit van de vroegere president. Men moest wel erg vooringenomen zijn met de man – of belang hebben bij zijn succes – om hem te geloven. Het was echter een deel van Hatchers vaardigheid als directeur en manipulator dat hij in staat was de mensen die het voor het zeggen hadden voor zich in te nemen. Hij bood hun wat ze wilden en presenteerde dat met alle achting van de geboren stroopsmeerder.

'Het lijkt mogelijk, congreslid Beggs,' zei Hatcher, aan de vouw in zijn blauwe serge broek trekkend, 'alleen mogelijk, dat ik een aanknopingspunt heb om de man te vinden die u zoekt. Vergeef me, ik versprak me toen ik: "ik" zei. Ik bedoel natuurlijk wíj. Er zijn veel goede mannen en vrouwen bij al het werk van het Bureau betrokken.'

'Zeker. Buitengewone mensen,' stemde Beggs in.

'Ik beschouw mezelf gewoon als een deel van de organisatie.'

'U bent te bescheiden, mijnheer Hatcher. Dat hoeft niet in dit kantoor. Uw bijdrage aan het Bureau is goed bekend.'

'Nou, dank u. Ik beken dat ik een speciale belangstelling voor deze zaak heb – natuurlijk omdat ik me er heel goed van bewust ben hoe het u persoonlijk raakt, meneer Beggs.'

'Wanneer zou u langs deze onderzoekslijn enige resultaten kunnen verwachten, mijnheer Hatcher? Niet dat ik uw behandeling van de zaak wil beïnvloeden.'

'Natuurlijk niet... Als ik zelf direct de leiding neem – wat ik natuurlijk van plan ben te doen – zou ik denken dat we enig belangrijk resultaat kunnen hebben tegen de zomer.'

'Vroeg in de zomer of laat in de zomer?' vroeg Beggs. Zijn tweejaarlijkse verkiezing was in november.

'Dat is onmogelijk te voorspellen,' zei Hatcher. 'Maar natuurlijk zal ik de zaak zo veel mogelijk bespoedigen. In een zaak die zo oud is, zijn er altijd moeilijkheden – maar dan is ook de voldoening bij een oplossing des te groter.'

'Dat is inderdaad zo. Ik kan gerust zeggen dat de mensen in mijn kiesdistrict zeer onder de indruk zouden zijn. Evenals ik, mijnheer Hatcher. Evenals ik.'

Hatcher glimlachte ingetogen en reikte naar zijn broek.

Het was een volmaakte Washington-overeenkomst. Er was geen gefluister over promotie van Hatcher, geen gewag van een extra stimulans voor Beggs bij de komende verkiezingen. Geen van beiden was nodig, alles was goed begrepen. Geen van de mannen voelden persoonlijk iets voor elkaar, maar ze waren zojuist hechte bondgenoten geworden.

Hatcher verliet zeer ingenomen met zichzelf het kantoor van het Congres. Voor hem was het een situatie zonder verliezer. Als hij de dader opleverde dan stond Beggs diep bij hem in het krijt en had hij hem in zijn zak. Als Hatcher niet slaagde de dader te leveren, was het heel waarschijnlijk dat Beggs niet zou worden herkozen en zou hij hoe dan ook niet langer voor Hatcher van betekenis zijn. Hij zou dan natuurlijk in de gunst moeten zien te komen van het nieuwe lid van de Commissie van Toezicht dat voor Beggs in de plaats kwam, maar met de bronnen van de onderzoeksafdeling van het Bureau tot zijn beschikking, was dat nooit erg moeilijk.

Het enige probleem dat overbleef, was Becker. Becker was altijd een probleem, dat lag in de natuur van de man, maar het lag evenzo in zijn natuur een oplossing te betekenen. Hatcher hoefde alleen maar een paar schroeven aan te draaien.

12

'Wat bedoel je met je stak hem in brand? Zoals op de brandstapel?'

De vraagsteller was de diaken van de apostolischen. Hij zat met zijn koor op de voorste rij stoelen in de tent vlak voor de wonderbaarlijke Geloof en Genezing Revival van de Eerwaarde Tommy R. Walker. De tent stond op een braakliggend sojabonenveld net buiten Pikeville, Kentucky. Aural was op het podium gaan zitten tegenover het koor, met haar voeten bengelend over de rand als een schoolmeisje op een muurtje.

'Nee, hij was geen hèks,' zei ze. 'Hij was alleen een gewone klootzak.'

Rae giechelde en Aural keek haar onheilspellend aan. Weer had Rae iets bekendgemaakt dat Aural haar in vertrouwen verteld had. Het was niet het ergste van de wereld, daar Aural haar niets toevertrouwd had wat ze echt geheim wilde houden, maar het wees op een bepaald verrassend gebrek in Rae's karakter. Aural zou haar nooit voor een kletskous gehouden hebben. Maar misschien had ze wel nooit zo'n interessante vriendin om over te kletsen als Aural gehad.

'Je kunt niet iedere klootzak in brand steken,' pruttelde een vrouwelijk lid van het koor. Er was een spoor van spijt in haar stem.

'Geen vreugdevuur is groot genoeg,' viel een andere vrouw bij. De mannen leken in verlegenheid gebracht.

'Hoe kon hij toelaten dat jij dat deed?' vroeg de diaken openhartig aan Aural.

'Ik zou niet willen zeggen dat hij het echt toestond, diaken. Hij tekende protest aan, zou je kunnen zeggen.'

Hebron James, de basso profundo van de groep, een verrassend kleine man in verhouding tot zijn diepe stem, keek vol afgrijzen naar Aural.

'Je verbrandde hem levend?' baste hij. 'Terwijl die arme man om genade smeekte?'

'Alleen maar omdat hij zijn laars naar je toe smeet?' viel de diaken bij. 'Meid, dat is niet erg christelijk!'

'Niet alleen vanwege de laars,' zei Aural ter verdediging. 'De laars was de druppel die de emmer deed overlopen om zo te zeggen.'

Een van de vrouwen mompelde meelevend.

'Er komt een tijd dat je er genoeg van hebt,' zei Aural. 'Er komt een tijd dat je het verdomd veel te veel wordt.'

'Amen,' liet de vrouw horen, een bijzonder krachtige sopraan die van het begin af aan Aurals kant had gestaan.

'Verdomme, het kan me niet schelen wat hij gedaan heeft,' ging Hebron verder. 'Een man levend verbranden...'

'Je weet dat hij het verdiende,' zei de sopraan, en wierp de bas een betekenisvolle blik toe. 'Je weet dat het zijn verdiende loon was.'

'Niemand verdient zoiets,' hield Hebron vol. 'Het kan niet schelen wat hij gedaan heeft.'

'Ik weet dat het jou niet kan schelen,' zei de sopraan. 'Dat is wel duidelijk.'

'Een man heeft ook zijn zorgen,' zei Hebron, terwijl hij naar zijn schoenen keek. 'Het zijn niet alleen de vrouwen die problemen hebben. Een man heeft ook zijn redenen voor wat hij doet.'

'Dat is zeker waar,' bracht de diaken naar voren. 'Deze dingen komen nooit van een kant. Wat deed jij om hem uit te dagen, lieverd?'

De andere vrouw hield verontwaardigd haar adem in, maar Aural lachte alleen maar. 'Alles wat ik maar kon,' zei ze. 'Ongeveer de enige manier om de aandacht van die verdomde dwaas te trekken was iets pijnlijks boven op zijn kop. Ik moest af en toe zijn hersenpan als een bel laten galmen om hem te laten weten dat ik er ook nog was.'

Rae sprak met de overtuiging van een vrouw die net een praatprogramma over dat onderwerp had gehoord. 'Dat was een verkeerde relatie,' verklaarde ze.

'Zijn ze dat niet allemaal,' zei Aural. 'Zijn ze dat niet allemaal.'

De menigte die na de show buiten de tent wachtte was aangegroeid tot bijna een kwart van het aantal mensen dat eerder binnen was geweest. Iedereen leek persoonlijk met de voorgangers te willen praten, als fans bij een rockconcert. Velen van hen stonden daar natuurlijk voor de eerwaarde Tommy, erop gebrand de handen aan te raken die zo velen hadden genezen, maar nog meer, en een steeds groeiend aantal, stonden daar voor Aural. Zij drongen zo dicht om haar heen dat ze zich nauwelijks kon bewegen, duwden haar allerlei dingen onder de neus om te tekenen, en spraken haar naam uit, soms fluisterend, soms zingend, alsof ze haar aanriepen. De mannen drongen naar voren om haar beter te kunnen bekijken. Ze konden nauwelijks geloven dat de schoonheid, die ze van een afstand hadden gezien, een nauwkeuriger beschouwing van dichterbij kon doorstaan. Maar dan stonden ze verbaasd en bleven ze kijken. De vrouwen kwamen kijken of die beminnelijkheid, die aura van heiligheid en goddelijk zelfvertrouwen, kon overleven buiten het podium, de verlichting van de tent en de spiritualiteit van de show. Als het meisje echt aanleiding gaf een heilige te zijn, dan wilden ze dicht bij haar zijn, en als ze een komediante was, hoopten ze allemaal, mannen en vrouwen, bevrijd te worden van de onverwachte hoop die ze gegeven had.

Aural stelde geen van allen teleur. Ze glimlachte onvermoeibaar, prevelde bemoedigende woorden en bescheiden dankwoorden. Ze zette haar handtekening op hun zelf geschreven teksten, onderging hun vragen, stond hen toe haar fluwelen japon aan te raken en, af en toe, langs haar lange haar te strijken. Ze ging niet met de eer van een van de wonderen van die avond strijken, maar verwees ze allemaal naar de eerwaarde Tommy, die op een paar meter afstand midden tussen zijn eigen kliek stond en zich inspande om te horen wat Aural en haar bewonderaars zeiden, terwijl hijzelf steeds meelevend knikte naar de lijders, die rond hem dromden. Het was hem niet ontgaan dat haar aanhang groeide en groeide. Sommige van de gezichten herkende hij. Ze kwamen naar elke show, hoewel Tommy er zorgvuldig op lette dat hij zijn presentaties hield in steden die ten minste vijfenzeventig kilometer van elkaar lagen. Ze begonnen haar te volgen als groupies en Tommy's bewustzijn van de mogelijke winst in die situatie werd tenietgedaan door zijn toenemende afgunst.

Hij moest daar iets aan doen, dat was zeker. Het werd algauw de Aural McKesson Show, met de eerwaarde Tommy R. Walker in de hoofdrol, inplaats van andersom, en als hij niet oplette, zou Aural tot het besef komen dat het even gemakkelijk de Aural McKesson Show zou kunnen zijn met haarzelf in de hoofdrol als heilige en zangeres, en compleet naar de hel met de eerwaarde Tommy. Het meisje had nog niet de neiging getoond mensen te genezen, en voor zover hij wist had ze het ook nog niet geprobeerd, maar ze begreep zeker de techniek, en Tommy had nog niet zoveel eigendunk dat hij niet besefte dat zij het net zo goed kon als hij, als ze er zich toe zette. Waarschijnlijk nog een stuk beter, omdat, verdomme, ze in die japon die hij haar gegeven had, die uitdrukking van heiligheid had op dat podium, die door geen enkele prediking of gezweet van Tommy zou worden overtroffen. Als haar fans haar eens konden zien zoals ze werkelijk was: een vuilbekkige, ondankbare, respectloze, hebzuchtige, heiligschennende, kleine kwelgeest van een slet. Zo kende Tommy haar. Maar de truc was altijd je leven in het openbaar gescheiden te houden van je privé-leven, en Aural leek dat van het begin af aan te begrijpen.

Hij moest daar heel gauw wat aan doen, omdat volgens Rae Aural door alleen maar met haar vinger te wenken zó weg kon lopen met de apostolischen. En met Rae erbij, vermoedde hij, hoewel ze dat nooit zou toegeven. Rae was meer geboeid geraakt door Aural dan door Tommy. En onder de invloed van het meisje ook in kleine dingen opstandiger en weerbarstiger. De apostolischen waren zeker niet het Mormonen Tabernakelkoor, maar ze waren geoefend en volgzaam en werkten goedkoop. Zonder hen en zonder Rae om de honderd kleine dingen te doen die ze deed, zou Tommy zonder show zitten, zonder levensonderhoud, verdomme, zonder de minste hoop. Hij was te oud om opnieuw te beginnen met niets anders dan een vergulde bijbel en een winnende formule en drieduizend meter opgelapte canvastent.

Tommy keek naar waar Aural midden tussen haar fans stond. Ze glimlachte met die flauwe glimlach die ze altijd had als ze zich als een heilige gedroeg, niet breed genoeg om echte vrolijkheid te laten zien. Het was het soort glimlach die een moeder had als ze naar haar kind keek wanneer die voor de zoveelste keer iets vertederends deed, geduldig, begrijpend, altijd verdraagzaam voor degene waarvan ze hield. De mensen rondom haar dronken dat in. Hij zag Rae aan de rand van de groep staan, en naar Aural kijken met dezelfde devotie als al de anderen, alsof ze echt geloofde in dat toneel, alsof ze niet op welk moment dat ze maar wilde, tot de echte Aural toegang had. De schare rond Tommy was verdwenen, veel van hen werden door de groep rond Aural aangetrokken, zodat Tommy alleen kwam te staan, kijkend naar het verschijnsel dat hij zelf had helpen oproepen.

Hij zou Aural moeten binden op een manier dat ze niet los van hem kon komen... of hij moest haar kwijt zien te raken en wel snel.

Hij had geen idee hoe hij haar zou moeten binden – ze kon hem van zich afschudden en er op elk moment dat ze wilde met zijn show vandoor gaan – en het zou niet lang meer duren voor ze dat even goed doorhad als Tommy.

Maar hij wist wel hoe hij van haar af moest komen.

13

Cooper moest vijf kilometer lopen naar zijn werk omdat er naar het restaurant geen openbaar vervoer was en hij geen auto had, maar daar gaf hij niet om. Op weg naar zijn werk had hij de gelegenheid na te denken over wat hij die dag moest doen en op weg terug, als het donker was buiten, behalve in het licht van de koplampen van de auto's die voorbijreden, gebruikte hij de tijd om de gebeurtenissen van de dag nog eens te overdenken en te zien wat hij goed gedaan had en waar hij in de fout was gegaan. Het leek niet op het leven in de gevangenis. Hier in de wereld waren er zoveel manieren om een fout te maken. Niemand schreeuwde onder het werk tegen hem als hij een fout maakte – Cooper was niet het soort man tegen wie je zou schreeuwen – maar ze hadden andere manieren om hem dat te laten voelen. Manieren waardoor hij zich nog slechter voelde. Hij wist dat ze allemaal achter zijn rug over hem spraken, hem bespotten, lachten over zijn onbeholpenheid en grijnsden over zijn traagheid.

Maar hij had manieren om het hen betaald te zetten. Daar dacht hij aan op weg naar zijn werk, aan de methoden die hij zou gebruiken om af te rekenen met al die hinnikende, neerbuigende, kloterige mannetjes die met hem in het restaurant werkten. Met ieder op een aparte manier. Hij kon ze allemaal tegelijk samenknijpen en hen onmiddellijk straffen, maar dat zou niet zo leuk zijn. Hij wilde hen een voor een te pakken nemen en het langzaam aan doen zodat ze wisten waarom ze gestraft werden, en hij wilde het bij ieder ook op een verschillende manier doen, omdat dàt pas leuk zou zijn.

Hij wist nog niet precies wanneer hij zou beginnen met zijn collega-werknemers terug te betalen, maar hij wist dat hij eerst een auto moest hebben. Om twee redenen. Als hij een auto had kon hij ze ergens naar toe brengen, weg van het restaurant. Een plek vinden was niet zo moeilijk. De weg werd aan beide kanten omzoomd door een armoedig dennenbos en daar waren niets anders dan bomen, struiken en slangen. Cooper wist dat omdat hij dat had onderzocht. Het land was niet goed genoeg om op te boeren en te dicht bij de weg om er te wonen. Het was afvalland en Cooper broedde op manieren om er een hoop afval op te gooien. Of eronder.

De andere reden dat hij een auto nodig had, was om weg te komen als hij klaar was. Hij zou wel stom zijn om te blijven en steeds naar het restaurant op en neer te lopen, als er niemand meer over was om er te werken behalve hij. En Cooper was niet stom. Soms duurde het een poosje om precies uit te vogelen wat hij wilde, maar dat maakte hem nog niet stom. De mannetjes in het restaurant zouden er juist gauw genoeg achterkomen hoe slim hij was. Zo gauw hij een auto had.

En hij ging er ook geen pikken. Hij wist wel beter. Dat was dè manier om iedere agent uit de staat je te laten stoppen en naar je registratie te laten vragen. Het zou zijn eigen wagen moeten zijn. Hij zou van hemzelf moeten zijn. Hij zou ervoor betalen met zijn eigen geld. Of hij zou tenminste de aanbetaling doen. Hij kon het zichzelf zien doen, lopen naar de occasionafdeling, wijzen naar de auto die hij wilde hebben, en dan die zelfvoldane grijns van de verkoper laten verdwijnen door een pak bankbiljetten uit zijn zak te trekken en uit te tellen. Hij kon zichzelf de sleutels zien aannemen uit de handen van die klerk, die nu wel onder de indruk móest zijn, achter het stuur gaan zitten en gewoon wegrijden met de papieren in zijn zak. Verder kon Cooper over de auto niets meer zien, dat was het enige beeld dat hij voor de geest had. Maar dat was genoeg. Het zou leuk zijn, en hij wist wat hij zou doen als hij de auto eenmaal had. Dat gedeelte was ook een beetje wazig, maar niet omdat hij het niet helder zag. Eerder, omdat hij te veel mogelijkheden kon zien.

Ondertussen maakte het Cooper niet uit dat hij moest lopen. Af en toe minderde een vreemdeling vaart en bood hem een lift aan. Cooper vond dat prettig zolang ze niet probeerden te veel tegen hem te praten. Hij hield ervan in een andere wagen te zitten, hij hield ervan de chauffeur vanuit zijn ooghoeken te bestuderen, hij hield ervan zich voor te stellen wat hij met de chauffeur zou doen als hij iets leuks zou uitproberen. Soms vroegen ze hem waarom hij zat te grinniken. Hij had het nog niet tegen een van hen gezegd – maar hij zou het kunnen.

Hij herinnerde zich het meisje. Haar auto was oud, maar groot, met zeeën van ruimte, zelfs op de voorbank. Er was een probleem met de uitlaat, maar wat Cooper zich het beste herinnerde was dat ze hem liet rijden, hem naar de snelweg liet gaan en hem opjoeg tot hij heel hard ging, zo hard dat hij alleen nog maar op het rijden kon letten. Ze bleef hem aansporen harder en harder te gaan en toen deed ze dat wonderlijke en gleed op die grote voorbank naar beneden en zei hem op de weg te letten anders zou hij hen allebei doodrijden. Maar het was heel moeilijk op het rijden te letten terwijl zij dat met hem deed. Het was ook niet zomaar een beetje geflirt. Ze kwam op hem af alsof ze uitgehongerd was, met al het gekreun en de natte geluiden waarvan hij dacht dat het woorden waren, maar waar hij niets van kon maken door wat ze met hem deed. En hij wist ook niet waarom ze de moeite zou nemen erbij te praten. Maar ze was erg goed. En snel, zo snel dat hij, voor hij klaarkwam, nauwelijks aan het gedeelte toekwam waarin hij erover dacht hoe gemakkelijk het zou zijn om haar dood te maken. Cooper probeerde op de weg te letten, maar hij slingerde een paar keer akelig naar de kant en schoot bijna in de greppel. Toen hij bij zijn hoogtepunt brulde en het uitschreeuwde, kwam ze overeind van de bank, veegde haar gezicht af en lachte.

'Ik dacht wel dat je dat leuk vond,' zei ze, nog steeds lachend. 'Of dit, of je moet het opvangen in je ritssluiting.'

Ze hing nu tegen haar portier en zag er heel tevreden met zichzelf uit. Haar blouse stond open en hij zag dat ze haar hand erin stak.

'Blijf rijden,' zei ze.

'Waarnaar toe?' vroeg hij.

'Kijk, dat is eenvoudig,' zei ze. 'Stuur gewoon de auto en de weg geeft de richting aan.'

Cooper vond de klank van haar stem nu niet leuk meer, maar na een minuutje gleed haar blote voet over de zitting en ze begon met haar tenen met zijn been te spelen. Hij kon zich niet herinneren dat hij haar haar laarzen had zien uittrekken.

Ze spinde nu zo'n beetje en haar hand was onder haar blouse bezig, maar Cooper hield er niet van al zo snel erna weer aangeraakt te worden en hij kreeg, terwijl ze zo voortraasden, de neiging haar uit de auto te gooien.

'Ik zou je dood kunnen maken, weet je,' zei hij.

'Je krijgt gauw je kans, schat,' zei ze. Haar voet lag nu op zijn schoot, maar wat ze dacht te bereiken met haar hiel was voor Cooper een raadsel. Zo rondwoelen ergerde hem nu juist.

'Uh-huh,' zei hij.

'Mijn beurt,' zei ze.

Cooper keek haar van opzij aan. Als ze dacht dat hij ging doen wat zij net gedaan had, dan moest ze nog gekker zijn dan ze zich voordeed.

'Houd je ogen op de weg,' zei ze. 'Ik zal je laten zien waar je af moet slaan.'

Hij reed de auto een modderig pad op dat niet veel breder was dan de auto. Dat was de eerste keer dat Cooper het dennenbos verkende.

Lopend op weg naar zijn werk, grinnikte hij toen hij eraan dacht.

De achterlijke man met de uitpuilende ogen was oké, besloot Cooper. Hij mocht hem wel. Hij glimlachte gewoon veel en zei vriendelijke dingen. Hij probeerde nooit Cooper raad te geven en had nooit commentaar op hoe hij iets deed. Maar de kerel die bij de frietpan rondhing, Kyle, of hoe hij ook heette, begon een echte ergernis te worden. Cooper had dat soort eerder meegemaakt. Hij was verdomd bang voor Cooper – het enige teken dat hij een beetje verstand had – maar probeerde uit alle macht om vriendjes met hem te worden. Cooper wist dat hij hem een keer iets aan zou doen, al was het alleen maar om hem te laten ophouden met zijn pogingen zijn maatje te worden. Cooper wilde Kyle niet als zijn maatje, hij had zo'n pukkelige tiener niet nodig als makker. Dat kind wist van niks. Als Cooper hem iets zou doen, zou het kind ophouden te proberen zo aanhalig te zijn en het zou ook goed zijn om hem in te laten zien dat Cooper echt gevaarlijk was. Als ze dachten dat hij niet gevaarlijk was, zouden ze denken dat ze alles konden zeggen en doen, dat ze de draak met hem konden steken zoals ze wilden.

'Waar is dat meisje waar ik je mee zag?' zei hij nu en wenkte naar Cooper alsof ze een geheim deelden.

'Wie?'

'Die waar ik je mee zag,' zei Kyle.

'Jij hebt mij nooit met een meisje gezien,' zei Cooper.

'Ja zeker,' hield Kyle vol. 'Je reed weg in haar wagen. Een Oldsmobile van wel honderd jaar oud.'

Cooper dacht niet dat iemand hem met het meisje gezien had.

Kyle liet een portie bevroren patat in het pruttelende vet glijden, dat even met een gedempt gesis hevig borrelde.

'Hoe heette ze?' vroeg Kyle.

'Dat weet ik niet,' zei Cooper naar waarheid.

'Natuurlijk wel. Mayvis, toch? Ik zie haar hier vaak. Ze is een echte schoonheid, niet?'

Cooper trok de rubberen afvalbak onder het aanrecht vandaan en sleepte hem naar de deur. Dat was niet echt zijn werk, dat hoorde bij de achterlijke man, maar Cooper moest die keuken uit. Hoe kwam het dat hij niet had gemerkt dat Kyle had staan kijken toen hij met het meisje wegreed?

'Ze is oké,' zei Cooper.

'Wat heb je met haar gedaan?' vroeg Kyle. Zijn stem insinueerde alle mogelijke dingen.

Cooper keek op van de afvalbak en staarde het kind aan. Hij vroeg zich af of hij de hand van de jongen in het kokende vet zou schuiven als dat hem zijn bek zou laten houden.

'Iets,' zei Cooper.

'Dat dacht ik al,' zei de jongen en knipoogde weer. Toen zei hij, tot iedereen in de keuken die het maar horen wilde: 'Ik wed dat de oude Coop iets machtig interessants met Mayvis heeft gedaan.'

Iemand bromde iets, en dat nam Kyle op als een aanmoediging om door te gaan.

'Hij deed het zo goed dat ze niet is teruggekomen,' zei Kyle. 'Heb ik geen gelijk, Coop?'

Cooper dacht erover om het hele hoofd van de jongen in het frituurvet te dompelen maar inplaats daarvan tilde hij de vuilnisbak op en verdween door de deur.

'Waar heb je haar gelaten?' hield Kyle aan. 'Sommigen van ons zouden haar graag vinden.'

'Ergens,' zei Cooper. De hordeur sloeg met een klap dicht, maar Cooper kon hen nog over hem horen praten.

14

Clamdens politiechef hobbelde zwaar achter de voetbal aan, met zijn ene hand zijn holster vasthoudend, terwijl de rest van zijn uitrusting aan zijn riem – portofoon, gummiknuppel, sleutels, handboeien – tegen zijn heupen en achterwerk sloeg.

'Je verwoest de mythe van de elegante dikke man,' zei Becker.

Tee haalde krachtig uit naar de bal, maar schampte hem met de zijkant van zijn laars, zodat hij doelloos ergens in de richting van Becker stuiterde.

'Niet dik,' pufte Tee. 'Dat is een buikje. Het is een teken van achtenswaardigheid.'

'Je begint ontzettend achtenswaardig te worden,' zei Becker. Hij bereikte de bal met een paar snelle stappen en schopte hem naar Jack.

Tee klopte met welbehagen op zijn buik. 'Denk maar dat het een symbool van gezag is,' zei hij. 'Onder al dat vlees en die uitrusting ben ik zo mager als een windhond. Het uniform is erg misleidend. Vind je niet Jack?'

Jack gromde iets dat een instemming zou kunnen zijn terwijl hij zich met open mond van inspanning op de bal concentreerde. Hij en Tee hadden eigenlijk dezelfde balvaardigheid en beiden speelden ze ongeveer even lang.

'Jouw gewone type misdadiger is mager,' legde Tee uit. 'Een eerlijke kolos boezemt hen van nature ontzag in.'

Jack schopte de bal naar Becker, en weer schoot Becker hem met opvallend gemak naar Tee. Die kerel was net een van die flippers in een flipperkast, dacht Tee. Hij raakte de bal amper, beroerde hem nauwelijks, en die leek dan precies te gaan waar hij hem naar toe wilde hebben en met de juiste snelheid en kracht. Tee was opnieuw onder de indruk van de moeiteloze atletische eigenschappen van zijn vriend.

Tee deed nog een verdwaald schot en lachte om zichzelf.

'Ik ben meer een footballspeler,' zei hij. 'Dit is een verdomd Europees spel. Wie heeft er ooit van gehoord dat je je handen niet mag gebruiken? Dat is onnatuurlijk.'

'Het is de meest populaire sport van de wereld,' zei Becker, naar de bal dansend en hem naar Jack toe tikkend.
'Oh, zeker, van de wereld. Wat weten die ervan?'
'Wat je gewone type misdadiger betreft –' zei Becker.
'Nu je het daar over hebt,' zei Tee. 'Die ken ik goed. Ik kan hem door de valse manier waarop hij kijkt en zich beweegt zo uit een menigte pikken.'
'Dat is een aardig talent,' zei Becker. 'Dat moet zijn nut hebben.'
'Daarom hebben ze mij chef van de politie gemaakt,' zei Tee. 'Het oude onfeilbare oog. Ik kan niet alleen je delinquent er uit pikken – dat is politietaal, Jack, heel subtiel –' Jack knikte om aan te geven dat hij luisterde. 'Ik kan je zelfs zijn misdadige specialiteit vertellen.'
'Hoe doe je dat precies, die specialiteit?'
Tee pakte de bal op en hield hem tegen zijn heup.
'Je weet hoe huisdieren en hun eigenaars na een poosje op elkaar gaan lijken? Zo is het ook met de gemiddelde dader. Na een paar jaar gaat hij lijken op wat hij doet. De inbreker bijvoorbeeld, krijgt grote oren en een stiekeme blik.'
'Let niet op hem, Jack,' zei Becker.
'Een seksduivel krijgt haar op zijn handen, precies zoals ze het ons hebben verteld.'
'Mij werd verteld dat je het blindelings kon,' zei Becker.
Jack nam de bal uit Tees handen en de grote man scheen het nauwelijks te merken. Jack herkende de intonatie van hun stemmen. Als die twee mannen elkaar op die manier plaagden, kon Jack beter met zichzelf gaan spelen tot hun bui voorbij was.
'Je zult gemerkt hebben dat ik geen bril op heb,' zei Tee.
'Ik heb het nog niet gemerkt, maar ik kan ook niet al te goed zien.'
'Daar was ik al bang voor. Altijd droevig om een goede man slechter te zien worden.'
'Nou, gezien jouw ervaring in die zaken...'
'Ik ben tenslotte, de chef van de politie.'
'En je hebt het buikje om het te bewijzen,' zei Becker. 'Dus, als expert, wat kun je me vertellen over de man die vanuit de heg naar ons staat te kijken?'
Tee bestudeerde de forsythiaheg rond het speelveld. Het kostte hem een moment om de vorm van een man te onderscheiden die tussen de struiken stond. Hij schudde zijn hoofd, en erkende daarmee Beckers vermogen dingen te zien zonder dat hij leek te kijken. De man stond achter Beckers rug en Tee kon zich niet herinneren dat Becker zich ook maar een beetje omgedraaid had.
'Wat doe je, ruik je ze?'
'Deze is een beetje rijper dan de meesten,' zei Becker.
De man stond op minstens vijfendertig meter afstand. Tee had

een grapje gemaakt; hij was er niet zeker van dat Becker dat ook had gedaan. Hij had Becker eens gevraagd hoe hij dat deed, hoe hij blijkbaar alles opmerkte zonder er aandacht aan te besteden. Beckers antwoord had het mysterie alleen maar groter gemaakt. 'Zoals een hert dat doet,' had Becker gezegd. 'Hij merkt alles op omdat alles een bedreiging is. Hij is bang.' Tee kon niets hertachtigs in zijn vriend zien, noch kon hij enige vrees ontdekken. De man die hij kende was geen passief prooidier, dat wegkroop in de schaduw. Hij was de gestalte in de schaduw; hij was een roofdier.

'Het zou een trainer kunnen zijn,' gokte Tee over de man in de struiken. 'Mijn reputatie zou zich verbreid kunnen hebben, of die van Jack misschien.'

'Dat zou kunnen, veronderstel ik,' zei Becker.

'Je klinkt twijfelachtig. Ik zou zeggen een voetbaltrainer of een fan. Of hij kan de weg kwijt zijn.'

'En op de bus wachten?'

'Of een pervers iemand.'

'Dat is een fan van een bepaald slag mensen,' zei Becker. 'Misschien heeft je reputatie zich toch verbreid.'

'Moet je niet naar mij kijken. Dat soort aandacht trek ik niet. Maar ik heb mijn bewonderaars natuurlijk.'

'Als chef, zal dat wel.'

'Dat kan ik niet helpen. Maar het zijn allemaal mannelijke mannen en vrouwelijke vrouwen.'

'Ik heb van de vrouwen gehoord. Ben je nog steeds uit op Mimi van de donut-winkel?'

'We zijn gewoon goede vrienden,' zei Tee op dat moment ernstig. Hij wiep een blik in de richting van Jack om te zien of die luisterde. 'Ik wil dat je dat goed begrijpt.'

'Ik geloof je, maar ik ben dan ook lichtgelovig.'

'Denk je dat ik naar hem toe moet lopen en die kerel intimideren?'

'Ik zou de moeite niet nemen.'

'Ik zou hem bewusteloos kunnen slaan omdat hij daar rondhangt. Een chef kan dat doen, dat weet je.'

'Of je kunt hem vanhier uit neerschieten en jezelf de wandeling besparen.'

'Zeker geen slecht idee. Verder heb ik een portofoon op mijn heup, zoals je ziet.'

'Laat dan eens wat horen,' zei Becker.

'Ik zou hulp in kunnen roepen, als er tenminste batterijen in zitten.'

'Eigenlijk zou ik al die moeite niet nemen,' zei Becker. Hij gaf een teken aan Jack om hem de bal toe te schoppen. Becker schepte de bal op zijn teen, ving hem uit de lucht op zijn enkel en liet hem tot zijn knie stuiteren. 'Hij komt ons heel gauw opzoeken. Je kunt hem bewusteloos slaan als hij hier is.'

'Oh, goed.'

Alsof er een teken werd gegeven stapte de man uit de heg en begon op hen toe te lopen. Hoe wist hij die dingen toch, vroeg Tee zich af.

Directeur Hatcher van de FBI, de man die aan de oostkust de baas was over verschillende afdelingen voor de zware misdaad, stond tussen de struiken en keek hoe Becker een balletje trapte. Hij haatte de manier waarop Becker de bal behandelde, haatte de manier waarop de man zich bewoog, de manier waarop hij alles met moeiteloze gratie leek te doen en spotte met de klungelachtige pogingen van degenen om hem heen. Dat was een van de redenen dat Becker de meest effectieve agent was die Hatcher ooit had gezien. Een van de meerdere redenen, en Hatcher benijdde hem om alle. Er was één uitzondering. Hatcher, die de meeste dingen alleen bereikte in de praktijk en door ijverige inspanning, had één volmaakte eigenschap waar Becker niet aan kon tippen. Hatcher wist dat hij niet de meest briljante agent was, ook niet de dapperste, noch de meest systematische. Hij had zeker van nature geen speurtalent, geen instinct voor zijn beroep, geen inzicht in de gedachtenwereld van de misdaad buiten wat hij in zijn opleiding had geleerd. Wat Hatcher had en wat Becker totaal miste, was de mogelijkheid mensen te manipuleren. Gewoonlijk kreeg je geen prijzen of medailles voor zo'n eigenschap – je kreeg promotie. Het was geen talent dat anderen zouden prijzen of je erom benijden en andere mannen verlangden er niet naar ook zo te worden, zoals bij atletiek of humor. In feite hielden velen niet van iemand met zo'n eigenschap. Velen, maar niet allemaal. Het werd herkend door anderen die die eigenschap ook hadden en zij manipuleerden Hatcher om anderen te manipuleren. Zo werkte het totdat hij de top bereikt had en al het manipuleerwerk zelf deed. Zo zat het met macht.

De meeste mannen van het Bureau zouden de reis om Becker persoonlijk te ontmoeten niet hebben gemaakt. Ze zouden hebben gedacht dat het zo'n hooggeplaatst persoon als Hatcher omlaag gehaald zou hebben. Maar dat was omdat ze status als iets belangrijks zagen, en dat zagen ze verkeerd. Belangrijk was die resultaten te bereiken die zijn eigen positie zouden verstevigen, en zijn greep op de macht die zijn functie hem bood te laten groeien. Becker kon niet door de telefoon gemanipuleerd worden. Hij kon ook niet op Hatchers kantoor ontboden worden alsof hij nog steeds bij het Bureau in dienst was. Hem kon niet opgedragen worden een opdracht aan te nemen. Hij kon er ook niet toe gebracht worden door zoete broodjes te bakken. Het geheim om iemand te manipuleren was zijn zwakheden te kennen, en hij kende die van Becker.

Beckers voornaamste zwakheid was dat hij Hatcher haatte. Hij haatte hem openlijk en uitdagend en deed geen moeite het te verbergen. Dat maakte dat zijn verslagen bevooroordeeld waren en rechtstreeks afbreuk deden aan zijn relaas bij zijn superieuren. Hatcher haatte Becker ook maar paste ervoor op dat steeds aan iedereen te laten blijken. In het openbaar prees hij Beckers onbetwiste moed en bekwaamheid en spande hij zich tot het uiterste in een indruk van eerlijkheid te geven. Dat gaf geloofwaardigheid aan de minste of geringste aanwijzing van enig tekortschieten.

Becker ventileerde zijn haat tegen Hatcher tegen ieder die maar luisteren wilde. Hatcher gebruikte zijn haat tegen Becker alleen op die plaatsen waar het het meeste effect had en dat was een van de verschillen tussen hen. Niet dat hij Becker ooit veel schade wilde berokkenen. De man had zijn nut. Goed geleid en spaarzaam gebruikt, kon Becker van nut zijn om een ander vooruit te helpen. Hij kon voor het karretje gespannen worden. Hatcher was er in het verleden in geslaagd Beckers successen tot zijn overwinningen te maken en hij vertrouwde erop dat hij dat weer kon doen.

De grote agent staarde nu naar Hatcher en praatte tegen Becker, die niet de moeite nam om zich om te draaien en te kijken. Hatcher was opgemerkt en dat verbaasde hem niet. Hij had tijdens zijn training niet uitgeblonken in surveillance-techniek, en zelfs al was dat wel zo, zou het te veel hoop geweest zijn Becker erg lang te bespioneren zonder ontdekt te worden.

Toen Hatcher uit de struiken stapte en het veld begon over te steken, verwaardigde Becker zich eindelijk om in zijn richting te kijken. Hij zei iets tegen de agent en beiden lachten. De vijfendertig meter over het lege veld leken een eeuwigheid met hun ogen op hem gericht. Het was alsof hij in het bereik van een sluipschutter liep nu Becker zo naar hem keek en Hatcher had moeite met de simpele handeling van het lopen nu hij er zich zo van bewust was. Hij struikelde een keer en keek om om het wraakzuchtige stuk graszode te vinden dat hem beentje gelicht had. Hij hoorde het gelach van de agent op hem afkomen. Eenvoudige coördinatiehandelingen waren altijd al lastig geweest voor Hatcher – hij wist nooit waar hij zijn handen moest houden als hij tegen iemand praatte en ritmische zaken ontgingen hem volledig. Hij was aan die handicaps gewend en tamelijk gewoon geraakt aan het vermaak dat zijn stuntelige houding anderen verschafte. Hij gaf er niet langer om wanneer ze in hun vuistje lachten, of zich ten koste van hem vermaakten. Ze hadden nooit in de gaten dat hij hen in de luren legde.

Becker zou zich natuurlijk ook vermaken over zijn vernedering, maar Hatcher wist dat hij dat tot zijn eigen voordeel kon aanwenden. Hij zou geen energie verspillen door zich zorgen te maken over zijn trots.

Becker liet de bal nu met zijn hele lichaam stuiteren, hield hem in de lucht met zijn knieën, voeten, schouders, borst en hoofd. Het was een indrukwekkend vertoon van beheersing en behendigheid en dat gaf Hatcher nog een scheut haat. Een man van die leeftijd had niet het recht zo behendig te zijn als een tapdanser.

Toen hij binnen de twintig meter was gekomen, begon Hatcher te glimlachen. Hij had er altijd wat tijd voor nodig om een glimlach te voorschijn te toveren, maar als hij die eenmaal vast op zijn gezicht had, dan kon hij die daar houden zolang als nodig was.

'Wat zegt jouw onfeilbare oog je over dit figuur?' vroeg Becker, toen Hatcher te voorschijn kwam.

'Beslist een schurk,' zei Tee.

'Absoluut.'

'Een bruin pak, zwarte schoenen. Hij lijkt op z'n minst een mode-crimineel.'

'Er is meer.'

'Jezus, hij is stijf! Hij beweegt als Nixon.' Tee lachte toen Hatcher struikelde. 'Beslist geen geveltoerist.'

'Zo? Is dat de mening van een expert?'

'Als hoofd van de politie – wil je het officiële oordeel?'

'Alsjeblieft.'

'Er komt een slang in het gras op ons af.'

'Je bent er dichtbij,' zei Becker. 'Maar een slang gaat tenminste op zijn buik recht op zijn doel af. Hatcher heeft zoveel moed niet. Hij lijkt meer op een hagedis.'

'Is het een vriend van je?'

'Al heel lang,' zei Becker.

Hatcher schatte zijn nadering verkeerd in en stak veel te vroeg zijn hand uit. Hij moest met zijn uitgestoken hand nog vijftien meter lopen, met een starre glimlach op zijn gezicht.

'Directeur Hatcher, FBI,' zei hij, zich eerst tot Tee richtend. 'Aangenaam kennis te maken, agent.'

'Chef,' zei Becker.

'Pardon, chef…?'

'Terhune. Thomas Tee Terhune. Hoe gaat het met u?'

'Aangenaam.' Hatcher draaide zich naar Becker alsof hij hem voor het eerst opmerkte. 'John. Hoe is het met je?'

Becker nam Hatchers uitgestoken hand niet aan.

'Ik voel er niet veel voor,' zei Becker.

'Pardon?'

'Ik voel er niet veel voor om het te doen. Ik wil die zaak niet. Je kunt teruggaan.'

Hatchers glimlach werd breder en hij keek een ogenblik omhoog alsof hij in de lach schoot.

'In feite...' begon hij. Toen voegde Jack zich bij het gezelschap en nam de bal uit Beckers hand. 'En wie is dit? Jij moet het zoontje zijn van speciaal agent Crist. Jack, is het niet?'

'Je weet dat hij dat is,' zei Becker. 'Je hebt Karens dossier goed bestudeerd op weg van New York hierheen.'

'Je wordt vast een sterke jongeman, Jack. Wil je als je groot bent ook agent worden, net als je moeder?'

'Hij wordt proctoloog. Het werk is hetzelfde maar het betaalt beter.' Becker ging tussen Hatcher en de jongen staan alsof hij Jack tegen besmetting moest beschermen. 'Ga maar met Tee mee naar huis,' zei hij. 'Ik kom over een paar minuten.'

Becker nam de bal uit de handen van de jongen, liet hem op de grond vallen en hield hem met zijn voet vast.

'Je ziet er goed uit, John,' zei Hatcher toen Tee en de jongen wegliepen. Zijn wangen gloeiden door de vernedering, maar zijn glimlach lag vast op zijn gezicht. Hij wist dat zijn ogen zijn haat uitstraalden, maar Becker keek niet in zijn ogen. Hij keek Hatcher helemaal niet rechtstreeks aan.

'Ga naar Springville en praat zelf met die man,' zei Becker. 'Je hebt mij niet nodig. Je hebt hem, voor zover ik weet, waarschijnlijk al geïdentificeerd aan zijn vingerafdrukken op de envelop of aan het DNA in zijn speeksel op de postzegel.'

'Ik weet niet wie je bedoelt.'

'Kijk, Hatcher, ik weet dat eerlijkheid een moeilijk ding voor je is en ik zou niet willen dat je een levenslange gewoonte zou opgeven en begon met door en door eerlijk te zijn, maar doe voor dit gesprek tenminste alsof, want anders is dit gesprek over. Jij hebt mijn post gelezen, ja?'

De glimlach verdween en Hatchers gezicht kreeg een vastberaden uitdrukking.

'Natuurlijk onderzoeken we alles wat voor een agent binnenkomt, voor je eigen veiligheid.'

'Ik ben geen agent meer, ik ben eruit.'

Becker gooide de bal alleen met zijn voet in de lucht en plotseling werd Hatcher geconfronteerd met een verbijsterende hoop zwarte en witte vlakjes die tussen hem en Becker op en neer schoten. Elke baan van de bal was een nauwkeurig gecontroleerde boog die van Beckers knieën en voeten kwam. Uiteindelijk ving hij de bal boven op zijn voet en hield hem daar als een jongleur die op applaus wacht.

'Heel indrukwekkend, John.'

Met nog één tikje stuurde Becker de bal met een flauwe boog in Hatchers richting. Die stapte verschrikt achteruit en probeerde hem met zijn handen te vangen. De bal viel op de grond en Hatcher keek er een ogenblik naar alsof hij er zeker van wilde zijn dat hij stillag voor hij hem oppakte.

'Nou, technisch gezien, beschouwt de regering jou als met onbeperkt ziekteverlof. Natuurlijk beschouwen we je allemaal nog als deel van ons team.'

'Ik neem ontslag. Ik doe het niet meer. Ik heb dat al tegen een hoop mensen gezegd.' Becker kromde zijn vingers en reikte naar de bal.

'Daar ben ik me van bewust, maar technisch – en ik haat het om technisch te zijn, maar er zijn van die tijden dat het van belang is – technisch werd je op onbepaald ziekteverlof gestuurd voordat je – eh – je ongenoegen kenbaar maakte. En net zoals we een agent niet kunnen ontslaan als hij door stress of andere psychische redenen met ziekteverlof is, kunnen we onder deze omstandigheden ook geen ontslag accepteren. Het zou door stress ingegeven kunnen zijn, weet je. Het zou niet goed zijn als we dat deden.'

'Ik had Tee jou toch moeten laten neerschieten. Dat zou zoveel eenvoudiger zijn geweest.'

Hatcher wierp de bal, onderhands gooiend, naar Beckers uitgestoken vingers. Tot Hatchers ontstellende ergernis, boog Becker de bal af naar zijn knie, tikte hem aan met zijn voorhoofd en plaatste hem tegen Hatchers borst. Deze keer slaagde Hatcher erin hem vast te houden.

'We denken dat we weten wie jou die brieven gestuurd heeft,' zei Hatcher, vechtend tegen de drang de bal in Beckers gezicht te slingeren.

'Natuurlijk weet je dat. Het laatste nummer was toch zijn gevangenisnummer?'

Becker kromde zijn vingers weer en stak ze uit naar de bal.

'Er is mij gezegd dat dat zou kunnen. Ik vraag me af, John, of we naar jouw huis kunnen gaan? Agent Crist zal gauw thuis zijn van haar werk en het zou goed voor haar zijn aan de discussie deel te nemen.'

Deze keer gaf hij de bal aan Becker.

'Is dit een discussie? Ik heb je mijn antwoord al gegeven.'

'Ook in zoverre het haar betreft?'

Becker hield de bal op zijn heup.

'Wat heeft zij ermee te maken?'

'Ik bedoel in haar werk.'

'Karen zit bij Kidnapping. Behandel je dit als een kidnapping?'

'In feite heb ik speciaal agent Crist overgeplaatst naar de afdeling Seriemoorden.'

'Waarom?'

'Waarom niet? Ze is een uitstekende agent en een bekwame bestuurster. Het is de gebruikelijke procedure om mensen voor te bereiden op promotie. Hen te laten rouleren en hen vertrouwd te laten worden met zo veel mogelijk terreinen waarop we actief zijn.'

'Dat kun je niet doen.'

'Waarom niet, John?'

'Ik wil niet dat ze betrokken raakt bij Seriemoorden.'

'Uh-huh.'

'Doe het niet, dat is alles.'

'Het is de juiste overplaatsing voor haar carrière, John.'

'Het zou niet goed voor haar zijn.'

'Zou je de moeite willen doen me dat uit te leggen? Het zou kunnen helpen als ik gewoon begreep waarom.'

'Nee, ik wil niet de moeite nemen het je uit te leggen. Ze was al eens op de afdeling Seriemoorden. Ze heeft er genoeg ervaring in.'

'We hebben bepaalde procedures. Als het aan mij zou liggen...'

'Het ligt aan jou, Hatcher. Het ligt helemaal aan jou. Ik zeg je, ik wil haar niet overgeplaatst hebben naar de afdeling Seriemoorden.'

'Ik begrijp het. Nou, het is een beetje ongebruikelijk. Je hebt echter gelijk, ze was als heel jonge agent korte tijd bij Seriemoorden. Precies voor één zaak, als ik me goed herinner, voor ze werd overgeplaatst. Ik herinner me de zaak niet meer in detail.'

'Natuurlijk doe je dat wel. Het was mijn zaak. Het was in feite ook jouw zaak.'

'Oh, dat is waar, John. Ik was het vergeten... Er waren wat doden, als ik me goed herinner.'

Becker keek hem dreigend aan, maar Hatchers vriendelijke toon haperde geen enkele keer.

'Nou, ik neem aan dat we in deze omstandigheden wel wat kunnen rommelen. Ik zou er een tijdelijke aanstelling van kunnen maken, alleen voor deze ene zaak. Daarna zou ze voor haar hele verdere carrière van Seriemoorden af zijn. Ik denk niet dat dat haar score zou beïnvloeden.'

'Wie geeft haar die score? Jij toch niet, toevallig?'

De glimlach op Hatchers gezicht verstrakte. 'Het is natuurlijk zo dat hoe sneller de zaak gesloten is, des te minder speciaal agent Crist aan Seriemoorden blootgesteld wordt.'

'Dat betekent dat als ik die zaak niet neem, ik verantwoordelijk ben.'

'Er is geen verband, John. Jij en agent Crist zijn aparte eenheden – die toevallig samenleven.'

Becker deed een stap naar Hatcher, liet de bal vallen en schopte er met zijn rechtervoet krachtig tegen.

'Nee!' schreeuwde Hatcher en viel met zijn handen beschermend om zijn hoofd op de grond. Net toen hij viel drong het tot hem door dat Becker de bal niet direct op hem gericht had. Wel dichtbij, maar niet rechtstreeks op hem. Als hij gewild had, had hij Hatcher met de bal kunnen onthoofden.

Hatcher krabbelde op, zijn wangen gloeiden door de vernedering, maar hij gaf er niet om dat hij in verlegenheid was gebracht. Hij had wat hij wilde hebben.

Hij had Becker weer aan het werk.

15

De eerwaarde Tommy R. Walker lag op zijn rug op bed, met Rae schrijlings bovenop hem, naakt voor de verandering. Normaal droeg ze haar nachtjapon en schoof die op tot op haar heupen, of een T-shirt waar ze in de warme maanden in sliep. De helft van de keren had ze ook haar sokken aan, en klaagde ze zelfs bij het warmste weer over koude tenen. Een verlegen meisje, die oude Rae, dacht Tommy, en na ongeveer het eerste jaar gaf hij er niet veel meer om of ze aangekleed bleef of niet, er was toch niet zoveel te zien. De laatste tijd echter, sinds de komst van Aural, had ze haar kleren afgeschud als een kerstboom zijn dennenaalden. Eerst gingen de sokken uit, dan het shirt, en onlangs was ze begonnen om iedere nacht helemaal zonder iets aan in bed te glijden, klaar om er tegen aan te gaan. Tommy had er een heel uitputtende klus aan gekregen. Dat was nog een verrassing, omdat Rae gewoonlijk niet iemand was die iets ondernam. Nu was ze de laatste dagen plotseling een hete teef geworden, die zich bij elke gelegenheid, naakt als een kip zonder veren en bij vol daglicht, aan hem aanbood. Ze was tot nu toe altijd het soort meisje geweest van lichten uit, gordijnen dicht.

'Oh, Tommy, jij groot, geweldig – stuk,' zei ze, een beetje zoekend naar het goede woord. Het was nou niet bepaald schunnige praat, maar het was gepraat, wat meer was dan ze tevoren ooit deed, tenzij hij haar precies vertelde wat ze moest zeggen. Het gaf niet dat het uit haar mond akelig klonk en het nooit het goede was – het feit dat ze iets zei, was al interessant.

Hij wist dat het natuurlijk allemaal door Aural kwam. Hij hoefde de naam van de jongere vrouw maar te noemen of Rae schoof tegen hem op en neer alsof de gedachte aan haar voor Rae even opwindend was als voor Tommy. De laatste paar keer hadden ze over Aural gesproken terwijl Rae op hem zat. Hij had gevraagd wat ze had gedaan en kort geleden had gezegd, en Rae had haar antwoorden tussen haar gepuf en gehijg door uitgeblazen. Dat hele gedoe van boven op hem zitten was een idee van Aural geweest, wedde hij. Hij was er tamelijk zeker van dat zij Rae tips had gegeven wat ze moest doen, omdat Rae tot nu toe absoluut geen natuurlijk talent voor die sport had getoond. Rae leek dat standje ook wel leuk te vinden, toen ze eenmaal gewend was zich op die manier te laten zien.

'Oh, eerwaarde,' kreunde ze. 'Je bent zo groot.'

Tommy nam zich voor niet te lachen. Het meisje deed haar best en moest aangemoedigd worden.

'Dank je,' zei hij.

'Je bent net een heel groot stuk – ummmm!'

Ze sloot haar ogen en wiegde haar hoofd heen en weer.

'Wat voor stuk? Een heel groot stuk van wat?'

'Ummm!'

Hij greep haar bij haar heupen en hield haar een moment stil. Dat was het laatste wat ze wilde.

'Een groot stuk van wat?'

Ze worstelde om los te komen en probeerde het goede woord te vinden, maar ze had moeite met het begrip.

'Salami,' hijgde ze tenslotte. Ze drukte zijn handen weg en pompte uit alle macht.

Tommy wist natuurlijk wat de bedoeling was. Rae hoopte hem buiten westen te neuken, zodat hij de kracht niet meer zou hebben om erover te piekeren achter Aural aan te jagen. Aural, die haar ongetwijfeld voortdurend aanmoedigde, hoopte waarschijnlijk hetzelfde. Maar ze hadden het van twee kanten bij het verkeerde eind, dacht Tommy. Ten eerste: frequente seks maakte niet dat je minder wilde, het maakte dat je méér wilde. Seks was het grootste afrodisiacum van de wereld en Rae zou hem drie keer per dag kunnen neuken, na iedere maaltijd, en dan zou hij nog een manier vinden om naar Aural te verlangen als hij daar zin in had. En ten tweede: hij had er niet langer zin in. Hij was nog steeds bezeten van Aural, toegegeven, maar niet om in haar broek te kruipen. Hij had geproefd wat een pijnlijke mislukking dat kon zijn. Wat hij nu wilde, was van haar afkomen. Snel, schoon en netjes. En zoals men tegenwoordig altijd zei, kennis is macht.

'Oh, eerwaarde,' zuchtte Rae, toen ze op zijn borst ineenzeeg. 'Jij bent de beste.'

'Hoe kun jij dat weten?'

'Jij maakt me zo gelukkig, schat,' zei ze.

'Hoe kun jij weten dat ik de beste ben? Je hebt maar een handje vol mannen in je hele leven gehad. Tenminste, dat heb je me verteld. Je hebt toch niet tegen mij gelogen?'

'Nee, lieverd. Een vrouw weet die dingen gewoon, dat is alles.'

'Nou, toevallig heb je gelijk. Ik bèn de beste, maar hoe jij dat kunt weten is mij een raadsel. Iemand als je vriendin Aural zou het kunnen weten, natuurlijk. Misschien heeft ze naar mij gekeken en het je verteld.'

'Ik heb geen hulp nodig om iets goeds als zodanig te onderkennen,' zei ze. Ze wilde er niet bij betrokken worden. Tommy was vaak een beetje wreed na de seks, maar Tommy was dan ook sowieso een beetje wreed.

'Wat zei je over dat ze haar vriend had verbrand?' vroeg Tommy, terwijl hij haar van zich af duwde en op zijn zij rolde.

'Zei ik daar iets over?'

'Nou, ja, Rae, dat deed je. Net toen je mijn broek uittrok. Ik vermoed dat je het vergat omdat je de salami vond.'

Rae giechelde en sloeg hem op zijn schouder. Vroeger zou ze gebloosd hebben als een biet en haar hoofd hebben weggestopt. De oude Rae bloeide helemaal op.

'Een goede salami laat een hongerige vrouw van alles vergeten,' zei hij.

'Jij,' zei ze, hem nog eens porrend.

'Dus wat ik weten wil is hoe die vriend dat opnam om levend verbrand te worden.'

'Ik denk niet dat hij dat erg op prijs stelde.'

'Dat zou ik ook denken. Hoe komt het dat Aural niet bang is dat hij haar achterna komt en probeert haar met een blik aanstekerbenzine en een zak briketten op een brandstapel te binden?'

'Aural zegt dat hij te dom is.'

'Te dom om het haar betaald te zetten?'

'Te dom om haar te vinden,' zei Rae.

'Uh-huh.'

'Hoewel, waarom zou je eigenlijk bij een man willen blijven die zó dom is... hemelse goedheid.'

'Niet alle vrouwen hebben jouw verstandelijke belangstelling voor salami, Rae,' zei hij.

Rae giechelde en stak haar hand tussen zijn benen.

'Het is niet helemáál verstandelijk,' zei ze.

Hij nam haar hand weg. Dacht ze dat hij een machine was?

'Zelfs als haar vriend haar niet kan vinden, is ze dan niet bezorgd dat de politie dat zou kunnen?' vroeg hij.

'Waarom zou de politie haar vinden?'

'Waarom? Nou, Rae, misschien ben ik fout, maar het lijkt mij dat een mens in brand steken waarschijnlijk een of ander ernstig misdrijf is.'

'In North Carolina.'

'Verdomme, overal.'

'Ik bedoel, ze deed het in North Carolina. Ze is nu in West Virginia. Moet het dan niet een landelijke misdaad zijn of zoiets?'

'Wat is verdomme een landelijke misdaad?'

'Lieverd, dat weet ik niet, maar ik denk niet dat de politie van North Carolina gewoon hier naar toe kan rijden en haar komt arresteren voor iets dat ze daarginder deed, tenzij het een federale misdaad is, en dan is het niet meer hun taak.'

'Wiens taak is het dan?'

'Van een federale misdaad? Nou, dat is iets voor de FBI, toch?'

'Zou het?' vroeg Tommy. Hij ging op zijn knieën zitten zodat hij voor de verandering boven haar uitstak. 'Een zaak voor de FBI, hè?'

'Dat denk ik,' zei Rae. Ze speelde met het haar op zijn borst en draaide het in strengetjes. Als hij haar niet liet ophouden, dan zou hij er tenslotte uitzien alsof hij vlechtjes droeg.

'Weet je wat?' vroeg hij.

'Wat?'

'Ik denk dat Aural beter uit kan kijken aan wie ze haar verhalen vertelt, omdat het bij iemand op zou kunnen komen dat ze aangegeven zou moeten worden.'

'Wie zou dat nu doen?'

'Dat weet je nooit,' zei de eerwaarde. 'De menselijke natuur is heel eigenaardig. Heel eigenaardig.'

16

Toen Cooper langs de snelweg liep, passeerde hem een vrachtwagen. De remlichten lichtten op terwijl hij snel vaart minderde. Een hevige mist was enkele minuten geleden opgekomen, die de dennebomen met een vochtigheid bedekte, die, nu de zon doorbrak, schitterde in de vroege ochtendzon. Soms was de weerkaatsing verblindend en de chauffeurs die in oostelijke richting gingen, reden met hun zonnekleppen omlaag en hun zonnebrillen op. Cooper keek naar hen. Sommigen hielden hun handen boven hun ogen en tuurden door hun wimpers tegen het felle licht in. Een eindje voor hem viel een flauwe bocht in de weg zo samen met de hoek van het zonlicht dat chauffeurs een paar honderd meter verblind werden en de snelheid van het verkeer tot kruipsnelheid afnam. Toen Cooper dichterbij kwam, veranderde de invalshoek van de zon zoveel dat het helle licht nog erger was en de mensen echt hun auto's stilzetten, sommigen zelfs aan de kant. Cooper liep er langs en het verbaasde hem te zien dat zoveel auto's zich gedroegen alsof er plotseling een stopteken midden op de snelweg verschenen was.

De chauffeurs leken hem zo dom nu ze, tot stilstand gekomen door de zon, blindelings achter de achterkant van de auto's voor hen kropen als olifanten in het circus met de slurf aan de staart, terwijl het verkeer op de westelijke baan op gewone snelheid voortraasde.

'Idioten!' schreeuwde Cooper. Die het dichtstbij stonden, keken gapend in het rond en probeerden uit te vinden waar die stem vandaan kwam. Sommigen wilden beslist hun hoofd buiten het portier steken en, starend tegen de zon in, rondkijken alsof ze de stem van God hadden gehoord.

'Stommelingen!'

Twee auto's verder stak een man zijn hoofd naar buiten, zijn das bungelde buiten de auto. 'Wat?' vroeg hij. 'Wat is er?' De man keek in Coopers richting, maar niet naar hem. Cooper dacht eraan die das te grijpen – een van die tegenwoordig in de mode zijnde beledigingen voor het oog met een vlucht reigers tegen een achtergrond van groen en oranje – en eraan te trekken tot het hoofd van de man eraf zou vallen.

'Je bent een stomme zak,' zei Cooper. De man bleef gewoon turen en leek meer verbaasd dan bedreigd.

'Wat?' vroeg hij nogmaals alsof de zon behalve zijn zicht ook zijn gehoor had aangetast. 'Wat?'

Toen realiseerde Cooper zich de draagwijdte van zijn onzichtbaarheid. Niemand kon hem zien. Dat betekende dat niemand hem kon tegenhouden, dat niemand hem kon aangeven. Hij voelde zich plotseling almachtig. Hij kon alles doen wat hij wilde met ieder van deze mensen in iedere auto, en niemand kon hem tegenhouden. Niemand zou zelfs weten dat hij het was die het deed.

Cooper liep verder en passeerde een jonge vrouw die naar hem op keek toen hij naast haar kwam en dan haar blik naar de achterbank richtte. Cooper kwam in haar dode hoek, draaide zich om en bestudeerde haar. Ze zag er goed uit, slank, welgevormd en elegant, en er was iets rond haar mond dat hem aan dat andere meisje herinnerde. Haar haar was kortgeknipt, waardoor ze eruitzag als een meisje dat een jongen wilde zijn. Hij wist niet waarom, maar Cooper mocht dat wel, hij voelde zijn opwinding groeien. Hij kon zo zijn hand uitstrekken en haar grijpen, dacht hij, en niemand zou het weten. Zo midden in een menigte en niemand zou het zien, omdat hij onzichtbaar was. Hij kon doen wat hij wilde – hij kon haar laten doen wat hij wilde – omgeven door tientallen auto's en mensen en niemand zou er ook maar iets van weten.

Cooper lachte bij het vooruitzicht en de vrouw richtte haar blik naar zijn kant. Ze had naar de vloer van de auto gekeken, in een poging de zon te ontwijken, maar nu keek ze op en beschutte haar ogen met haar hand.

Ze zag er ook stom uit, nu ze op die manier naar hem tuurde en hem niet zag. Ze waren allemaal stom, drong het in een golf van superioriteitsgevoel tot Cooper door, zo stom als een kudde koeien. Hij alleen kon zien waar hij liep, hij alleen was onzichtbaar.

Het portier van de auto was niet op slot. Cooper rukte dus het portier open, schoot de auto in en duwde haar naar de passagiersplaats.

In het begin was ze te geschrokken om te praten en haar mond ging even stil open en dicht als van een vis. Stom, dacht Cooper.

'Wat...' sputterde ze eindelijk. 'Wie ben je?'

'Ik ben de Onzichtbare Man,' zei Cooper. Hij greep haar bij haar arm. Ze snakte naar adem en trachtte zich los te trekken, maar het was natuurlijk niet mogelijk zich van Cooper los te trekken.

'Alsjeblieft,' zei ze, 'Alsjeblieft,' en ze duwde hem haar tasje toe.

Ze probeerde niet door het andere portier te ontsnappen, zoals hij had gedacht. In plaats daarvan leek de vrouw te proberen op de achterbank te klimmen. Cooper gluurde naar achteren en zag voor de eerste keer het kind op de achterbank. De baby staarde naar

Cooper, zijn grote blauwe ogen even nieuwsgierig als die van Cooper.

De moeder raakte in paniek, maar haar angst was nog niet op de baby overgeslagen en die bleef Cooper kalm bekijken.

'Hoi,' zei Cooper en stak zijn vinger naar het kind uit.

De moeder probeerde Coopers hand van de baby weg te trekken, dus trok hij haar op de voorbank terug. Ze beet in de hand die haar vasthield en zette haar tanden er zo diep in als ze maar kon. Het kind reikte naar Coopers vinger, maar hij moest zijn vrije hand terugtrekken om de vrouw in bedwang te houden.

De baby leek te voelen dat er iets mis was en zijn gezichtje rimpelde om te gaan huilen. Cooper wiebelde nog eens met zijn vinger voor de baby, maar het was al te laat en het kind liet een angstige schreeuw horen.

De vrouw was op de voorbank in elkaar gezakt en Cooper had dus beide handen vrij om die naar het kind uit te strekken, maar de dwarsbalk van de bank zat hem even in de weg. Plotseling klonken er claxons en Cooper hoorde iemand schreeuwen: 'Hé, klootzak!'

De zon was weg en het verkeer voor hem verdween al in de verte. De man achter hem, die met de das, toeterde en schreeuwde in grote haast om verder te gaan. Cooper realiseerde zich dat hij weer zichtbaar was. De vrouw kreunde, haar ogen knipperden open en dicht en weer open, de baby krijste.

Cooper nam het tasje dat de vrouw hem aangeboden had en verliet de auto. Hij rende het bos in, terwijl de man met de das naar hem schreeuwde. Hij rende tot hij geen geluiden van de snelweg meer hoorde.

Cooper kroop achter de lege propaanflessen, die opgeslagen waren bij het hek aan de achterkant van het restaurant. Kyle kwam de achteruitgang uit en sleepte het vuilnis naar de stortplaats. Hij passeerde de politieauto die vlak bij de stortplaats geparkeerd stond, met knipperend groot licht en het voorportier nog open, alsof iemand in grote haast was aangekomen en eruit was gesprongen. Kyle keek snel om zich heen of hij gezien werd en keek toen in de politiewagen. Cooper kon bijna de verleiding van de jongen voelen om de auto in te glippen, te zitten waar de agent zat, in de microfoon te praten en het geweer te strelen dat tegen het dashbord geklikt zat. Kyle grinnikte van nerveuze opwinding, zijn sproeterige huid bloosde.

Zo rood als een kreeft, dacht Cooper en lachte stilletjes.

Kyle weerstond de verleiding van de politieauto en leegde de afvalton met enige moeite op de stortplaats. Cooper wilde de ton van Kyle overnemen en hem met een hand oplichten gewoon om hem te laten zien hoe hij het kon. In plaats daarvan siste hij.

Kyle keek geschrokken in het rond alsof hij een slang gehoord had. Het kostte hem een ogenblik om Cooper op te merken, die van achter de propaanflessen naar hem wenkte. Hij liep er snel heen, vlug omkijkend naar het restaurant.

'Was jij dat? Ik dacht wel dat jij dat was, maar ik wist het niet zeker.'

'Wat?'

'De agenten zeiden dat iemand die ons uniform droeg op klaarlichte dag op de snelweg het tasje van een vrouw geroofd heeft.'

'Dat was ik niet,' zei Cooper.

'Op klaarlichte dag. Jezus, zei ik, die lul durft. Ik dacht dat jij dat was.'

Cooper schudde niet erg overtuigend zijn hoofd.

'Ze zeiden dat het een grote forse kerel was. Dat is alles wat de vrouw zich herinnert. Maar ongeveer acht verschillende mensen zagen hem in zijn uniform. Hij droeg zelfs zijn uniformpet.'

Cooper zette zijn gestreepte, papieren uniformpet af.

'Jij was het toch, niet?'

'Nee,' zei Cooper. 'Zoeken ze me nu?'

'Natuurlijk zoeken ze je nu, dwaas. Wat denk je dat die politiewagen hier doet?'

'Jij hebt ze niet verteld waar ik was?'

'Ik wist niet waar je was. Ik zag je net pas.'

'Uh-huh.'

Cooper legde zijn hand op Kyles schouder.

'En ik zou het hen toch niet verteld hebben, dat zweer ik,' zei de jongen, plotseling sneller pratend. 'Ik zou hen toch absoluut niets vertellen, maar ik hèb trouwens niets verteld, omdat ik het niet wist.'

'Ik heb het niet gedaan,' zei Cooper.

Kyle probeerde zich terug te trekken, maar Coopers greep op zijn schouders werd steviger.

'Ik weet het. Ik geloof je. Zo stom zou je niet zijn.'

'Het was niet stom,' zei Cooper.

'Ik weet dat wel. Het zijn de agenten die zeggen dat het stom was, ik niet. Ik weet dat jij niets stoms zou doen. Wij zijn vrienden, Coop. Wij werken samen. Ik ken jou.'

'Jij kent mij niet.'

'Nou...'

'Jij bent mijn vriend niet.'

'Natuurlijk wel, natuurlijk ben ik dat.'

'Ik heb twee vrienden,' zei Cooper.

'En mij. Ik ben je vriend. Je kunt op mij rekenen.' Kyle probeerde zijn hoofd te draaien om te zien of er enige activiteit was aan de achterdeur van het restaurant, maar de greep van Cooper werd steeds steviger. De jongen voelde tranen in zijn ogen komen.

Cooper probeerde zich te herinneren wie zijn twee vrienden waren.

'Mijn vriendje,' zei hij, zich er niet van bewust dat hij hardop sprak, 'en iemand anders...'

Twee agenten kwamen de achterdeur van het restaurant uit, ieder met een kop koffie in de hand. Kyle begon te praten maar Cooper reageerde sneller, trok de jongen achter de gasflessen en klemde zijn hand zo stevig om zijn mond dat de nek van de jongen achteroverschoot alsof hij geslagen werd.

Toen de politiewagen wegreed, keek Cooper naar het worstelende lichaam van de jongen alsof hij het voor de eerste keer zag. Hij nam zijn hand voor Kyles mond weg en de jongen hapte naar lucht en sputterde en leek een seconde weer te willen gaan praten, maar Cooper wilde niets meer van hem horen. Hij wist al wat hij zou gaan horen. Hij kneep dus zijn hand om de keel van de jongen en gebruikte die greep om zijn hoofd tegen de propaanfles te slaan.

De fles maakte een dof en hol geluid, als de grootste drum die Cooper ooit gehoord had. Toen de jongen na de vierde of de vijfde slag ophield te kronkelen, droeg Cooper hem naar de stortplaats en gooide hem erin. Hij lachte erom toen hij over het achterterrein rende. Hij lachte totdat hij de veiligheid van het dennenbos bereikte. Hij wist niet waarom, hij vond het gewoon grappig.

Na zijn tweede dag lopen, kwam Cooper het bos uit om op het geluid van een bel af te gaan. Hij kwam op een modderige weg en hij liep in de richting van de bel, niet alleen aangetrokken door het geluid ervan, maar ook door de belofte van een mensengemeenschap. Hij was moe van het slapen op de grond en het alleen maar praten tegen eekhoorntjes. Hij had ook honger. Hij had geld in zijn zak dat hij uit het tasje van de vrouw had gehaald en kon dus voedsel kopen. Hij had het geld vele malen geteld. Hij dacht niet dat het genoeg was om een auto te kopen, wat voor auto dan ook, maar hij wist zeker dat het genoeg was om een maaltijd te kopen. Hij had ook haar creditcard en Cooper wist dat er manieren waren om met de creditcard van iemand anders geld en voedsel en auto's en alles wat je maar wilde te kunnen krijgen, maar hij had nooit begrepen hoe je dat moest doen. Hij wist dat zijn vriendje dat zou weten. Zelfs als zijn vriendje zoiets niet gelijk wist, dan kon hij gaan zitten en het uitzoeken gewoon door erover te denken. En als dat niet werkte was hij niet bang om het iemand anders te vragen.

Cooper voelde zich nooit op zijn gemak als hij mensen vragen stelde wanneer hij het antwoord al niet wist. Het was net vragen om bespot te worden, maar op een of andere manier zat zijn vriendje

Swann daar nooit mee. Hij had gezegd dat Cooper zelfs zijn naam niet zou onthouden, maar, kijk, hij herinnerde zich die. Hij zei het hardop: 'Swann,' en plotseling kreeg hij bijna tranen in zijn ogen. Cooper schudde zijn hoofd, kwaad op zichzelf. Hij wist niet waar dàt verdomme goed voor was, huilen om een vriendje.

Coopers hand deed zeer waar de vrouw in de auto hem had gebeten en er verscheen een pijnlijk uitziende plek rond de afdrukken van de tanden. Onder het lopen stak hij zijn zere hand in zijn mond en zoog er een beetje op. Daardoor deed het wat minder pijn. Het geluid van de bel werd luider en hoewel hij met geen mogelijkheid ver genoeg kon zien door al de bomen die aan beide kanten van de weg stonden, wist hij toch dat hij dichterbij kwam.

Plotseling zag hij een open plek, die groter en groter werd. Vlak naast de modderige weg stond een één etage hoog, uit één ruimte bestaand potdekselkerkje. Een oude man stond op het voorpleintje en luidde een bel, die meer op een tafelbel dan een kerkklok leek. Een man met een dik gezicht, gekleed in een glimmend zwart pak, wit overhemd en zwart strikje, stond bij de deur en klemde een zwart boek tegen zijn borst. Hij keek naar Cooper als de predikers die hij in westerns had gezien, behalve dat zijn huid de kleur had van stoffig schoenleer. Cooper had ook begrafenisondernemers gezien die zo gekleed waren, voornamelijk in dezelfde films. Een hoop mensen werden in dat soort films doodgeschoten. Er was werk genoeg voor allebei, de predikers en de begrafenisondernemers.

Coopers plotselinge verschijning liet beide mannen schrikken, en de oude miste verschillende rukken aan het beltouw.

'Ben u hier wel goed, mijnheer?' vroeg de prediker toen Cooper recht op de deur toeliep. De prediker glimlachte, maar hij zag er niettemin niet erg gastvrij uit. Cooper stopte naast de man, keek hem aan en keek toen de kerk in. Hij torende boven de bedienaar uit, wiens omvang meer breed dan hoog was.

'Wat?'

De bedienaar rook naar heel oud zweet en whisky en een of ander soort after-shave. Cooper haalde vol afkeer zijn neus op en de bedienaar deed een stap achteruit.

'U bent natuurlijk welkom,' zei de bedienaar. 'Alle zondaars zijn welkom.'

'Uh-huh,' zei Cooper.

'Bent u de hele weg van Wycliffe komen lopen?' vroeg de bedienaar, in een poging een gesprek te beginnen.

'Wat?'

'Uw uniform,' zei de bedienaar. 'De dichtstbijzijnde is in Wycliffe. Ik vroeg me af of u de hele weg vandaar gelopen hebt, omdat ik geen auto zie.'

Cooper keek naar zijn gestreepte overhemd. De uniformpet had hij ergens in het bos verloren.

'Welke kant is Wycliffe op?'

'Die kant,' zei de bedienaar en wees in de richting waarin Cooper gelopen had voor hij bij de kerk stopte.

'Hoe ver?'

'Lopend of rijdend?'

Cooper keek hem met samengeknepen oogleden aan, een valstrik vermoedend.

'Ongeveer tien kilometer met de auto,' zei de bedienaar.

'Uh-huh... Denkt u dat ik daar werk kan krijgen?'

'Ja, mijnheer, dat denk ik wel. De kleding heeft u er al voor.'

Cooper overwoog of hij door bleef lopen naar het restaurant in Wycliffe of dat hij de kerk binnen zou gaan. Hij tikte tegen het zwarte boek dat de bedienaar tegen zijn borst klemde en de zware man wankelde een stap achteruit.

'Ik weet wat dat is,' zei Cooper.

'Halleluja,' zei de bedienaar.

'Jezus is mijn vriend,' zei Cooper, zwakjes lachend van genoegen toen hem te binnen schoot wie zijn tweede vriend was. Hij wilde tegen Swann zeggen dat hij zich een heleboel dingen herinnerde. Hij zocht in zijn zakken tot hij een briefkaart vond.

'Daar zeg ik amen op,' zei de bedienaar.

De oude man hield op met luiden en schoof beiden, Cooper en de bedienaar, voorbij de kerk in. Hij had zich van zijn aanvankelijke schrik hersteld en nu was hij niet nieuwsgierig meer naar de plotselinge verschijning van de zuurstokgestreepte reus.

'U kunt naar binnen gaan als u dat wilt,' zei de bedienaar tegen Cooper. 'U bent dan de eerste. De vrouwen komen zo.'

'De vrouwen?'

'Nou, het zijn tegenwoordig meestal vrouwen. Vrouwen zijn ontvankelijker van geest dan mannen. Ik weet niet waarom.'

'Uh-huh.'

'Misschien zijn zij over het algemeen betere en eerlijker wezens. Als je de vrouwen niet meetelt, zou ik nauwelijks nog een gemeente over hebben.'

'Ik hou van vrouwen,' zei Cooper.

'God zegene u,' zei de bedienaar en glimlachte voor de eerste keer met oprechte warmte. 'Ik weet wat u bedoelt. Ik weet echt wat u bedoelt.' Hij gniffelde samenzweerderig.

De bedienaar leek vriendelijk en Cooper dacht erover hem te vertellen over de vrouw die hem met het formulier had geholpen en hem daarna in haar auto had meegenomen, maar toen bedacht hij dat het beter was van niet. In plaats daarvan ging hij de kerk binnen.

Cooper zat op een bank op de derde rij van voren en dacht aan zijn vriend Jezus en aan zijn vriend Swann en realiseerde zich dat hij Swann een stuk beter kende dan Jezus. Jezus was echt een vriend van Swann en was ook een vriend van Cooper geworden, voornamelijk omdat er zoveel over Hem was gepraat.

Hij bleef daar toen de gemeente binnendruppelde en de mensen de kerk bijna vulden met hun forse, uitbundig uitgedoste lichamen. Maar hem gaven ze aan beide kanten alle ruimte, alsof hij een afstotend krachtenveld uitstraalde.

Hij hield van het gezang, dat zeker niet mooi was, maar het was luid en enthousiast en een van de vrouwen voor hem leek steeds in zwijm te vallen en weer bij te komen en iets over Jezus te roepen en dan weer in zwijm te vallen. Dat deel mocht hij ook wel, ook al omdat de prediker, die het gezien moest hebben, er geen enkele aandacht aan schonk.

Toen het allemaal voorbij was en iedereen weg, begon Cooper naar Wycliffe te lopen. Niemand bood hem een lift aan. Toen hij tenslotte bij een brievenbus kwam, nam hij de briefkaart uit zijn zak en bestudeerde het adres dat zijn vriendjes naam droeg. Hij dacht er een ogenblik aan er een boodschap op te schrijven, maar herinnerde zich dat Swann gezegd had dat het niet nodig was. Hij zou automatisch weten dat de oude Coop aan hem dacht en zou gelijk voor hem bidden. Cooper deed de briefkaart op de bus, trots dat hij het zich had herinnerd. Pas toen hij enkele kilometers verder gelopen had, kwam het weer bij hem op dat hij honger had.

17

Becker werd op het vliegveld van Nashville opgewacht en met de auto naar Springville gereden. Het vliegveld van Birmingham was in feite ongeveer vijfendertig kilometer dichter bij de gevangenis, maar de vlucht naar Nashville was goedkoper en daarom had het reisagentschap van het Bureau zijn reis zo geboekt. De dienstdoende agent in Birmingham was gewaarschuwd dat Becker onderweg was en dat hij zich gereed moest houden om assistentie te verlenen als dat nodig mocht zijn. Maar aangezien Becker begeleid werd door een speciaal agent uit Nashville, was het bureau van Birmingham meer dan gelukkig een gezonde afstand te bewaren en dat aan Nashville over te laten. De bezoeken van Becker hadden de neiging een hoop moeilijkheden te veroorzaken voor ieder die er dicht genoeg bij in de buurt kwam om erbij betrokken te raken.

Nashville had even geklaagd dat de route van Becker door hun bureau moest worden behandeld, daar de uiteindelijke bestemming echt in het gebied van Birmingham lag, maar ze hadden niet veel argumenten tegen de pennelikkers van de afdeling Inkoop, die zich bezighielden met zulke subtiliteiten als de aankoop van vliegtickets. De golf van kostenbewaking van de laatste tijd maakte dat ze, zo ze het niet geheel voor het zeggen hadden, dan toch tenminste overal grote invloed op hadden. Verschillende kostbare en desastreuze operaties van de afgelopen jaren lieten iedereen beter op zijn centen passen. De meest opmerkelijke missers waren van een zusterorganisatie, het Bureau voor Alcohol, Tabak en Vuurwapens (ATF) en hadden allemaal uitvoerige publiciteit gekregen, tot grote ergernis van de betrokken bureaucraten. Het feit dat het ATF ten gevolge daarvan bijna bij het DEA ondergebracht was – hoewel niet helemaal in verband met het Waco-fiasco – had niemand in het Bureau boven de rang van jongste bediende onberoerd gelaten. Kleine, goedkope en discrete operaties waren de gebruikelijke gang van zaken geworden, van het soort die met een minimum aan kosten triomfen in de pers konden oogsten. Verhalen van kidnappers, die de FBI dwarszaten bijvoorbeeld, waren het helemaal. Of van seriemoordenaars die uitgeschakeld en gegrepen werden. Niet alleen waren in zulke gevallen de krantekoppen erg groot, maar de publiciteit was alleen maar positief. En, in een tijd dat er meer en meer op de centen moest worden gelet, waren zulke gevallen uiterst rendabel. De reis van Becker was, naar Hatchers mening, bij de huidige instelling, perfect. Als het een succes was, zouden degenen die het aanging weten wie het initiatief voor dat succes genomen had. Hatcher zou er wel voor zorgen dat ze dat wisten. En als het tot niets leidde, had het het Bureau niet meer gekost dan een business-class vliegticket naar Nashville en wat bijkomende – maar in de hand gehouden – onkosten. Omdat Becker zelfs geen salaris ontving vanwege zijn ziekteverlof, was zijn prijs perfect in de geest van deze tijd.

In het verlangen niet meer bij een onderzoek van Becker betrokken te raken dan zijn collega uit Birmingham, stuurde de agent die in Nashville de leiding had de dienstdoende agent die hij het beste kon missen om Becker te begeleiden.

Haar naam was Pegeen, een knikje naar haar Ierse afkomst, die allang verdwenen had moeten zijn, maar die weigerde af te sterven. Haar overgrootvader, Sean Murphy, was de enige Kelt in haar familiestamboom in de laatste vijfenzeventig jaar en zijn dochters hadden een Deense moeder. Haar grootmoeder was getrouwd met een man met Duitse voorouders en haar moeder trouwde met een man die zo door en door veramerikaanst was dat hij wel zes verschillende nationaliteiten in verband met zijn huidige status kon brengen, maar geen enkele daarvan was Iers. Pegeens vaders achternaam was het enige overblijfsel, verschillende generaties oud, van een enkele mannelijke voorvader die Haddad heette; de eerste, en het enige Libanese lid van de familie. En toch, ondanks de tegenstromen in de loop der jaren, was de Gaelische stroom dominant gebleven in de geest van de vrouwen in Pegeens familie. Pegeen Haddad had geen gebrek aan respect voor haar vader of iemand anders uit haar veelsoortige stamboom, maar beschouwde zichzelf als Ierse.

Dankzij de bepaalde, misschien zelfs strijdlustige genen van Sean Murphy, had Pegeens haar de kleur van rauwe peen, waren haar ogen blauw-groen en had haar huid, gezien in contrast met haar haar, de witte kleur van een blad goed houtvrij schrijfpapier.

Toen Becker haar op het vliegveld voor het eerst zag, met een kartonnen bord met zijn naam erop in haar hand, en de binnenkomende passagiers bestuderend alsof een van hen een bom verborgen zou kunnen hebben, dacht hij dat ze een betreurenswaardig uitziend exemplaar was. Met haar haar weggestopt onder een baseballpet, die te laag over haar hoofd zat en waar haar oren onderuitstaken, zag ze er bijna als een idioot uit, een soort vrouwelijke versie van Huck Finn, compleet met sproeten op haar neus.

Ze droeg een versleten spijkerbroek met een scheur in een knie, een rood T-shirt dat haar uiterlijk niet ten goede kwam, een marineblauwe blazer, en een paar afgedragen zwarte schoenen, die eruitzagen of ze van haar vader waren geleend. Alles bij elkaar leek ze op een student die op Thanksgivingday op een vlucht naar huis wachtte; een van degenen die niet door een vriendje waren uitgenodigd om die vrije dag door te brengen. De blazer was om haar wapen te verbergen, wist Becker, daar ze geen tas droeg en haar broek zo strak zat dat die niets dikkers kon verbergen dan een creditcard. Hij kon zich niet voorstellen waar de baseballpet goed voor was, behalve misschien als modeverschijnsel. De alomtegenwoordige pet, die zelfs onder de gunstigste omstandigheden niemand goed stond, leek bijzonder weinig te passen bij een jonge vrouw die probeerde te camoufleren dat ze een FBI agent was, dacht hij.

'Verwacht je terroristen op deze vlucht?' vroeg hij.

'Mijnheer?' Als hij er tevoren nog aan getwijfeld had dat ze een agent was, dan zou het altijd aanwezige, op een speciale manier uitgesproken 'mijnheer' hem uit de droom geholpen hebben. Erin gestampt tijdens de opleiding, was het een manier om zich tot iemand te richten die werd gebruikt om afstand zowel als respect uit te drukken. De jongeren waren er zelfs nog dodelijker mee dan de ouderen, omdat het bij hen nog het extra gewicht van leeftijdsdiscriminatie had. Dat ene woord, goed gebruikt, kon een man die ermee zat dat hij ouder werd, harder treffen dan een stortvloed van vloeken.

'Je onderzoekt de passagiers alsof je verwacht dat ze een Uzi bij zich hebben,' zei hij.

'Weet u iets over terroristen op deze vlucht, mijnheer?'

'Ik maakte maar een grapje.'

'Terrorisme is niet grappig.'

'Nee. Sorry.'

Becker wees naar het bord met zijn naam. 'Ik ben je man.'

'U bent speciaal agent Becker?'

'Ik zou het niet zijn als ik daar iets aan kon doen, maar ik ben het.'

'Mijnheer, ik vraag me af of u mij het genoegen zou willen doen van een of andere vorm van identificatie?'

'Waarom? Ga je me arresteren?'

'Nee, mijnheer. Alleen uit voorzorg. Een rijbewijs is al genoeg als u uw legitimatie van het Bureau niet bij u heeft.'

'Denk je dat iemand zich in ernst voor mij uit zou willen geven als het niet echt zou moeten?'

'Ik denk dat een heleboel mensen een heleboel dingen pretenderen, mijnheer.'

Becker overhandigde haar zijn rijbewijs.

'Nou, als je ooit hoort van vrijwilligers die in mijn huid rondwandelen, wil je het mij dan beslist laten weten?' zei hij.
'Is er iets mis met uw huid?' vroeg ze.
'Die zit verdomd veel te strak,' zei hij.
Ze onderzocht hem zorgvuldig alsof ze zocht naar plekken waar hij uit zijn voegen zou kunnen barsten.
'U ziet er gezond uit,' zei ze tenslotte.
'Jij ook.'
Ze keek hem nog een ogenblik langer aan, onderzoekend of zijn reactie seksistisch was.
'Ik doe mijn best,' zei ze tenslotte. Ze stak haar rechterhand uit om hem een hand te geven terwijl haar linker haar FBI-legitimatie liet zien.
'Speciaal agent Haddad,' zei ze.
'Hallo.'
'Heeft u bagage, mijnheer?'
Becker nam zijn weekendtas op. 'Ik ben klaar om te vertrekken. Dit kost niet veel tijd.'
'Heel goed. Volgt u me maar, mijnheer.'
'Eerst nog een stop,' zei Becker.
In de souvenirwinkel kocht Becker een slof sigaretten, maakte het karton open en verdeelde de pakjes over zijn verschillende zakken.
Hij maakte een pakje open, trok het cellofaan eraf en peuterde het aluminiumfolie los. Hij ademde diep de geur van de sigaretten in en bood toen het pakje aan Pegeen aan.
'Dit is de enige keer dat ze goed ruiken,' zei hij. 'Voor ze beginnen je om te brengen.'
'U bent geen roker,' zei ze op een meer beschuldigende toon dan ze had gewild.
'Waarom niet?'
'U heeft geen vlekken op uw handen of op uw tanden.'
'Je hebt een snelle blik,' zei hij. 'Heel goed.'
'Dank u, mijnheer,' zei ze droog. Ze was gepikeerd omdat ze zijn opmerking neerbuigend vond. Ze prezen haar te veel voor kleine dingen, al die oudere mannen van het Bureau, alsof ze een kind was. En ze waren allemaal ouder, zelfs de jonge, vooral degenen die bijna even oud waren als zij. Ze deden in haar bijzijn of ze veteranen uit de Trojaanse oorlog waren, die ervan hielden haar eerbiedwaardige woorden van wijsheid, die ze door de jaren verworven hadden, mee te delen. Alsof ze niet alleen een kind was, en een meisje, maar een project, een experiment in opvoedkunde. Konden ze misschien deze wonderlijke hond leren praten? Konden ze deze vrouw veranderen in een man? Dat was het wat ze wilden weten, daar was Pegeen van overtuigd. Ze vermaande zichzelf kalm

te blijven en geen twistgesprekken te beginnen. Ze hadden nog een lange weg te gaan.

'Ik heb twintig jaar niet gerookt. Het zijn steekpenningen. Heel kleine steekpenningen.'

'Sigaretten als gevangenisgeld. Ja, mijnheer, ik ken dat. Zullen we dan maar...? Als u klaar bent?'

Toen ze op de parkeerplaats kwamen vroeg Becker naar haar pet.

'Draag je die altijd?'

'Ik had een vrije dag toen ik gebeld werd dat ik u moest ophalen, maar omdat ik nu chauffeuse ben, kan ik er ook wel zo uitzien. Dit kwam er nog het dichtste bij... Vindt u het niks?'

'Ik denk dat het al gek genoeg staat bij baseballspelers.'

Na een poosje zei ze: 'Ik kan iets anders opzetten als we bij de auto zijn.'

'Draag je altijd een hoed?'

'Ik ben erg blank,' zei ze.

'Leuk.'

'Ik bedoel mijn huid. Ik verbrand gemakkelijk.'

'Dat zie ik.'

'Wat bedoelt u daarmee... mijnheer?'

'Ik zie dat je een blanke huid hebt,' zei Becker voorzichtig. Hij kreeg het gevoel dat speciaal agent Haddad niet alleen lichtgeraakt was maar zelfs ruzie zocht. 'Ik weet dat omdat ik naar je kijk.'

'Heeft u daar een probleem mee?'

'Nee. Een blanke huid vind ik prima.'

'Dank u.'

'Ik spreek geen oordeel uit over jouw huid, Haddad. Het is niet mijn huid.'

'Dat is zo,' zei ze. 'Mijn huid is blank en de uwe is te strak.'

'Heb ik hier iets geraakt?' vroeg Becker. 'Je kent me niet lang genoeg om kwaad op mij te zijn.'

Ze keek hem verbaasd aan.

'Ik ben niet kwaad op u, mijnheer. Ik dacht dat u een gesprek wilde beginnen door die opmerkingen over mijn pet en mijn uiterlijk en dus gaf ik antwoord.'

'Ah,' zei Becker. 'Je dacht dat ik kritiek op je had.'

'Waarom zou ik dat denken, mijnheer? Zoals u al zei, u kent mij nauwelijks goed genoeg om dat te doen.'

'Sorry,' zei hij.

'Nee, hoor. U hoeft zich niet te verontschuldigen.'

Ze rukte het portier van de auto open. 'Ik ben hier alleen maar om te rijden,' zei ze. Sommige woorden gingen verloren in het geluid van de opengaande en dichtslaande portieren.

'Sorry, dat ik je vrije dag heb bedorven.'

Pegeen haalde haar schouders op.

'Ben je tevreden met je werk?' vroeg Becker.

'Prima, dank u,' zei ze. Ze gooide haar baseballpet op de achterbank en zette een zacht bruine vilthoed op met een brede slappe rand die over het grootste deel van haar gezicht hing.

'Heel leuk,' zei hij.

Pegeen manoeuvreerde de Ford de parkeerplaats af.

'Hoe noem je die hoed?' vroeg Becker geamuseerd.

'Ethel,' zei Pegeen. Ze lachte plotseling, alsof ze zichzelf bij verrassing had betrapt.

Becker zweeg lang genoeg om te laten merken dat hij de grap begreep. 'Ik bedoel de stijl. Heeft die een naam?'

'Het heet een Trilby,' zei ze.

'Ik vind hem leuk,' zei Becker.

'Oh, goed.'

Pegeen kreeg een bonnetje voor haar parkeergeld en draaide toen de I-65 op die hen naar Springville zou leiden.

'Heeft u nog iets nodig voor we op weg gaan? Enig blaasprobleem waar we rekening mee moeten houden?'

'Alleen dat prostaatding, maar daar kan ik hier niets aan doen,' zei Becker.

Pegeen draaide zich om en keek hem recht aan. Becker grinnikte, naar hij hoopte, op een innemende manier naar haar.

'Speciaal agent Becker, we moeten nog twee uur rijden naar Springville. Mijnheer, ik denk dat het voor ons allebei soepeler verloopt als we niet proberen grappig te zijn.'

'Ruzie,' zei Becker.

'Mijnheer?'

'Schiet maar op,' zei hij.

Misschien was het de stilte, of misschien het slaapverwekkende van de weg, maar na ongeveer een uur rijden dacht Becker dat hij een lichte ontspanning in de houding van agent Haddad bespeurde. Haar knokkels, die nooit de juiste tien-voor-twee positie verlieten, ontspanden zich voldoende om weer bloed door te laten.

'Ik hoop dat ik niet ongemanierd was,' zei ze zonder inleiding.

Becker dacht een ogenblik na voor hij antwoordde. 'Nee, je zou het openhartig kunnen noemen, maar niet ongemanierd. Ik weet zeker dat ik het in zekere zin verdiend heb. Dat is meestal zo.'

'Het lag niet aan u,' zei ze. 'Niet echt – nou, een beetje – maar het lag vooral aan mij. Ik dacht, misschien rijdt u niet, maar u heeft een rijbewijs.'

'Veranderen we van onderwerp?'

'Het lijkt me gewoon efficiënter voor u een auto te huren en zelf naar Springville te rijden. Dat zou mij in staat stellen het soort werk te doen waar ik voor ben opgeleid.'

'Hoe lang ben je in dienst?'

'Anderhalf jaar.'

'Verbaast het je niet dat de jongste agenten altijd het rotste werk krijgen?'

'De jongste vróuwelijke agenten wel, heb ik gemerkt, ja.'

'Ah,' zei Becker. 'Dubbele discriminatie. En nu word je met mij opgescheept. Geen wonder dat je nijdig bent.'

'Ik ben gewoon een beetje nieuwsgierig waarom ze een afgestudeerde nemen, een vrouw die de tamelijk rigoureuze opleiding van het Bureau doorlopen heeft – u bent het toch met mij eens dat die tamelijk rigoureus is, toch?'

'Rigoureus,' zei Becker.

'Ik heb daar een einddiploma van. En bijna zestien maanden actieve dienst op mijn conto. Waarom willen ze mij taxichauffeur maken voor een gewone rit? Dat verknoeit mijn hele dag.'

'De mijne verdomme ook,' zei Becker.

'Ja, maar u gaat met een doel naar Springville, neem ik aan, niet alleen maar voor het ritje.'

'Weet je echt niet waarom ze een agent hebben aangewezen om mij daar naartoe te brengen?'

'Nee.'

'Wat weet je over mij?'

'Niets. Moet dat? Bent u beroemd?'

Becker lachte.

'Je belazert me niet hè, speciaal agent Haddad? Heb je mijn dossier niet bestudeerd? Heb je niet geïnformeerd?'

'Nee. Had dat dan gemoeten?'

'Je weet dus echt niet waarom je hier bent. Geen wonder dat je kwaad bent.'

'Waarom ben ik dan hier?'

'Om een oogje op mij te houden,' zei Becker.

'Waarom moet ik dat doen?'

'Omdat ik de grote boze wolf ben,' zei Becker.

Pegeen keek hem aan om te zien hoe ze die opmerking moest opvatten. Zijn stem was vlak en ernstig en ze bestudeerde zijn gezicht om een aanwijzing te vinden dat hij een grapje maakte. Hij glimlachte flauwtjes maar het leek Pegeen een heel beklagenswaardige glimlach, een uitdrukking van diepe spijt.

'Je ziet er voor mij niet zo uit,' zei ze.

'Ik draag mijn schaapskleren,' zei Becker. Hij draaide zich naar haar toe en zijn glimlach werd breder, maar ze dacht dat zijn ogen de treurigste waren die ze ooit had gezien. 'Ik zei je dat het te strak zat... En bijna barst ik eruit.'

Pegeen probeerde te lachen. Ze wist niet wat ze anders moest doen.

Tegen de tijd dat ze bij de gevangenis waren was Becker zo diep in gedachten verzonken dat Pegeen zich afvroeg of hij er nog wel was. Ze parkeerde de auto in een vak dat gereserveerd was voor gevangenispersoneel en wachtte tot Becker uitstapte. Vanuit haar waarnemingspost achter het stuur was ze te dicht bij de gevangenis om veel meer te zien dan steen. Aan de ene kant was een parkeerplaats, aan de andere kant een goed onderhouden gazon. Het zou een bedrijf kunnen zijn, een fabriek, of een magazijn.

'Hier is het, mijnheer,' zei Pegeen.

Becker zat er ingezakt bij en staarde recht vooruit alsof hij figuren zag in de stenen muur voor de auto. Hij had zijn armen strak voor zijn borst gekruist alsof hij het koud had. Of iets anders... Nu Pegeen niet langer werd afgeleid door het rijden keek ze lang naar zijn gezicht. Hij scheen zich niet bewust van haar aanwezigheid. Er was een donkerte in zijn gelaat die Pegeen kende, maar die ze eerst weigerde te herkennen. Ze schraapte haar keel, schoof heen en weer op haar stoel in de hoop hem er uit te trekken, maar hij bleef in zijn gevoelens verzonken. Tenslotte moest ze toegeven dat hij er nog het meest bang uitzag.

'We zijn er, mijnheer,' zei ze uiteindelijk.

'Ik weet het,' zei Becker, nog steeds voor zich uit kijkend. 'We zijn er al een hele tijd.'

Pegeen overwoog hem te vragen wat hij bedoelde, maar besloot toen het te laten gaan.

'Is – eh – is alles in orde?'

'Ik ben alleen bang,' zei hij zakelijk.

Pegeen wist niet wat ze daarop moest antwoorden. Ze kon zich geen mannelijke volwassene herinneren die ooit had toegegeven ergens bang voor te zijn. Instinctief wilde ze haar hand uitstrekken om hem te troosten, maar dit was de FBI, ze waren allebei agenten, ze waren in dienst, Becker was een volwassen man... ze raakte zijn schouder aan.

'Ik weet zeker dat het goedkomt,' zei ze.

'Beloof je dat?' Zijn toon was jongensachtig, maar met een humoristische noot die liet merken dat hij zich ervan bewust was hoe hij klonk.

Haar nog steeds niet aankijkend, hield Becker de hand vast die op zijn schouder rustte.

'Wil je erover praten?' vroeg ze.

Becker schudde zijn hoofd en bleef kijken naar de stenen muur voor hem. Pegeen weerstond de aandrang om hem naar zich toe te trekken en hem te troosten met haar omhelzing. Ze bleef doodstil zitten en liet hem haar hand vasthouden.

Langzaam leek Becker te veranderen, of liever zijn hand leek te veranderen. Hij bewoog hem niet, zijn greep werd niet vaster, er was geen verandering in de plaats van zijn vingers of zijn handpalm, maar geleidelijk merkte Pegeen meer warmte. Het was net of hij energie naar zijn hand overbracht alleen door er aan te denken. Of misschien deed zij het wel, dacht Pegeen. Dat was mogelijk. Het was evengoed mogelijk dat er helemaal niets gebeurde, dat ze het zich alleen maar inbeeldde. Hij liet beslist niet merken dat er iets gebeurde. Hij had zich niet bewogen sinds hij haar hand in de zijne had genomen.

Het was niet seksueel, daar was ze bijna zeker van. Bijna. Maar ze wist niet wat het dan wel was. Nou, misschien meeleven, sympathie, of zoiets. Misschien had hij gewoon een hogere lichaamsthermostaat dan de meesten, of dan zij had, of was er iets in de combinatie van hen beiden dat dat veroorzaakte. Alles wat ze zeker wist was dat ze niet kon ophouden te denken aan het gevoel van hun twee handen op elkaar. En de evengrote zekerheid dat hij er zich ook bewust van moest zijn.

Ze probeerde eraan te denken wat ze haar chef zou vertellen als hij haar over haar reis zou vragen, zoals Becker leek te denken dat hij zou doen. Zou ze hem zeggen dat er niets gebeurd was, maar dat ze met een andere agent hand in hand had gezeten gedurende – hoe lang was het al? Het leek al heel lang. Pegeen herinnerde zich dat ze in haar vroege tienerjaren met een jongen naar de bioscoop ging en dat ze de hele film zijn hand op haar been voelde. Ze was zo verrast en zenuwachtig en opgewonden geweest, dat ze de hele film zo stil had gezeten als een standbeeld en hij van zijn kant had ook geen centimeter bewogen. Pas toen de lichten weer aangingen en de hand nog steeds niet bewoog, had Pegeen gekeken en gezien dat ze al die tijd haar been tegen de armsteun had gedrukt.

Ze wierp een snelle blik op de klok in het dashboard. Bij aankomst had ze naar de tijd gekeken om die op te nemen in haar rapport van de reis. Ze had niet meer dan een minuut zijn hand vastgehouden. Of hield hij haar hand vast? Ze was het vergeten.

Tenslotte draaide hij zich naar haar toe en deze keer was er echte warmte in zijn glimlach. Hij kneep in haar hand en liet hem toen los.

'Dank je,' zei hij.

Pegeen voelde haar oren gloeien. Ze wist dat ze vuurrood zouden zijn, maar hij scheen het niet te merken.

'Wil je dat ik met je meega, of zal ik in de auto wachten?'

'Ben je ooit in zoiets binnen geweest?' vroeg hij.

'Een gevangenis?'

'Een kooi,' corrigeerde hij.

'Ik ben in een hoop gevangenissen geweest.'

'Dit is geen gevangenis. Een gevangenis is maar een bewaarplaats, daar is nog steeds hoop eruit te komen. Dit is een kooi. Dat is anders.'

Als onderdeel van onze opleiding hebben ze ons laten zien –'

'Ik bedoel geen rondleiding,' zei Becker. 'Ben je er ooit in een geweest nadat de cipier was weggegaan? Wanneer de dieren hongerig zijn en opgewonden raken van elkaar?'

'Nee, mijnheer. Dat niet. U wel?'

'Weet je wat het ergste is van een plaats als dit?'

'Nee, mijnheer. Dat weet ik niet,' zei ze. Het leek nu dwaas om hem mijnheer te blijven noemen, maar ze wist niet hoe ze ermee moest ophouden. Ook wist ze niet of hij dat wilde. Het is of er niets gebeurd is, hield ze zichzelf voor, alsof er tussen hen echt niets gepasseerd was. Dat kneepje in haar hand ten afscheid was een daad van kameraadschap geweest, niets meer. Het was zelfs enigszins neerbuigend, alsof zíj troost en bemoediging nodig had. Zij had hèm die bemoedigende kneep moeten geven.

Ze had gezwegen in de verwachting dat hij verder zou gaan. Toen hij dat niet deed, vroeg ze: 'Wat is het ergste van een plaats als dit?'

'De stank,' zei hij.

'De stank?'

'Als je ooit de kans krijgt, snuif die dan op. Heel diep. En kijk dan of je weet wat het is. Het leert je iets over wat we in deze kooien vasthouden. En waarom.'

Hij deed het portier open en koele lucht stroomde de auto binnen. Het was niet tot Pegeen doorgedrongen hoe warm het binnen was geworden.

'Wilt u dat ik met u meega?'

Hij draaide zich om en leunde op het open portier.

'Herinner je je waarmee je een weerwolf doodt?' vroeg hij.

'Een spies door zijn hart?'

'Dat is een vampier,' zei Becker grinnikend. 'We hebben het nu over weerwolven.'

'Dat ben ik vergeten,' zei ze.

'Dat is niet erg,' zei hij. 'Het komt niet zo vaak voor – maar als het voorkomt helpt het om het te weten. Je doodt een weerwolf met een zilveren kogel.'

Hij bleef grinniken maar Pegeen kon geen humor in zijn ogen zien.

'Als ik dus naar buiten kom,' vervolgde hij, 'en jij merkt dat er plukjes haar op mijn handen en gezicht groeien, ga dan direct naar huis en smelt al het zilver dat je grootmoeder je heeft gegeven.'

Hij streek met de top van zijn vinger heel licht over haar wang alsof hij een stofje wegveegde, draaide zich om en liep de gevangenis binnen. Bij Pegeen brandde de plek waar hij haar aangeraakt had alsof zijn vinger een lucifer was. Ze voelde aan haar oren. Als ovens, twee vuurrode verraders.

Pegeen herinnerde zich alles wat er tussen hen gebeurd was sinds Becker uit het vliegtuig kwam. Ze had het allemaal zonder moeite opgenomen, onbewust, zoals ze dat met iedere gedachtenwisseling deed, vooral met een man. Ze haalde het nu weer voor de geest en onderzocht het, toetste het op zijn betekenis, draaide ieder woord en iedere blik in haar geest om, om facetten naar voren te halen die aanwijzingen zouden kunnen inhouden voor wat het echt te betekenen had. Dat was makkelijk genoeg, ze herinnerde zich hun gesprekken woord voor woord. Na een ogenblik bracht ze haar hand nog een keer naar haar wang en bedekte zacht de plek waar zijn vinger langs gestreken was. Tot haar verbazing, kon ze de warmte nog voelen. Ze hield haar hand ertegen om het niet kwijt te raken.

18

Een bewaker leidde Becker naar de spreekkamer en liet hem daar achter terwijl hij de gevangene op ging halen. De kamer was niet veel groter dan een cel en had dezelfde muren van B-2 blokken, dezelfde bleekgroene verf. In plaats van een bed stonden er een kleine tafel en twee stoelen. Er was geen raam, alleen op ooghoogte een kleine opening in de deur. De lamp aan het plafond werd met een schakelaar buiten de kamer bediend. Becker kon alleen maar gissen waar de kamer gewoonlijk voor werd gebruikt. Zeker niet voor gewone gesprekken, die onder strikt toezicht werden gehouden, met bewakingscamera's, bewakers op gehoorsafstand en kogelvrij glas tussen de gevangene en zijn bezoeker. Becker zou met zijn gevangene alleen zijn, vrij te doen wat hij wilde. Hatcher had daar natuurlijk voor gezorgd. Er zou ook iemand van zijn niveau voor vereist zijn om zo'n privacy te regelen. Becker vroeg zich af wat Hatcher dacht dat hij met die gevangene ging doen, dat er zoveel afzondering nodig was. Maar hij besteedde niet veel tijd aan die gedachte. Hij wilde zijn energie niet verspillen aan de manier waarop Hatchers geest werkte.

Hij stond achter de stoel met zijn gezicht naar de deur en probeerde eerst te vermijden dat de claustrofobische angst van de gevangenis hem aangreep, daarna gaf hij zich eraan over, zoals hij zich overgaf aan de golfslag van de oceaan of de stilte van de nacht. Het had geen zin ertegen te vechten, het was te veelomvattend. De kunst was het te overleven.

Zoals steeds gebeurde als hij in een gevangenis was, overspoelde hem een golf van afkeer van zichzelf. De gevangenislucht bracht zijn schuldgevoel naar boven, dat nooit diep onder het oppervlak lag, en de claustrofobie zoog het te voorschijn als een kompres. Ik hoor hier thuis, dacht hij. Ik zou in een kooi moeten zitten, net als de anderen. Alleen mijn gunstige omstandigheden houden me er uit. Mijn drijfveren zijn dezelfde, mijn behoeften zijn dezelfde als van degenen die ik hierin heb gebracht. Alleen omdat ik nuttig voor hen ben, gooien ze mij er ook niet in. Ik heb dingen gedaan, en mij zijn eervolle vermeldingen toegekend, voor dingen waarvoor anderen in de dodencel zouden komen. Alleen mijn positie als een agent van het Bureau heeft mij hier uit gehouden en in vrijheid gelaten.

Zijn gepeins werd verstoord toen de bewaker terugkwam met een gevangene. De bewaker trok zich terug en liet Becker met de gevangene alleen. Deze stond net binnen de deur. Hij keek snel naar Becker en toen door de kamer alsof hij een mogelijkheid tot ontsnappen zocht.

'Hallo,' zei Becker.

De man knikte onzeker en bleef zenuwachtig de kamer rondkijken. Becker realiseerde zich dat de man half verwachtte dat hij boven op hem zou springen. Het was een kleine man, zijn lange haar hing tot op zijn schouders zoals bij een vrouw, zijn gevangenis werkoverhemd stond tot aan zijn borstbeen open. Een of ander soort mascara en oogschaduw was bij zijn ogen aangebracht.

'Becker,' zei Becker. Hij wees naar de andere stoel. 'Ik heb je brief gekregen.'

'U bent Becker?' De man leek echt verbaasd.

'Ik weet het, ik zie er niet naar uit.'

'Nee, nee, het is... Nee, u heeft gelijk, u bent niet wat ik verwacht had.'

'Waar hoopte je op? Dick Tracy?'

'Ze zeiden dat u... Ik dacht dat u... Ik weet het niet. Groter zou zijn.'

'Nee, dit is gewoon mijn ware grootte. Sorry.'

'Ik dacht dat u helemaal niet zou komen. Ik ben Swann.'

'Dat weet ik.'

Swann begon zijn hand uit te steken maar trok hem weer snel terug en ging in de stoel tegenover Becker zitten. Hij keek naar Becker vanonder omlaaggetrokken wenkbrauwen. Dat was of verleidelijk bedoeld of een parodie op verlegenheid, dacht Becker.

'Ik dacht echt niet dat u zou komen.'

'Ik zou hebben gezegd dat je erop rekende.'

'Ik hoopte het... nou, ik bedoel, ik hoopte... Ik bad. Ik bad veel.'

Becker glimlachte met spottend medelijden. 'Ik ben niet het antwoord op iemands gebeden, geloof me.'

Het gezicht van Swann verduisterde. 'Ik geloof in het gebed, mijnheer Becker. Ik geloof er echt in. Het is het enige dat me geestelijk gezond houdt.'

'Waarom mij?' vroeg Becker. 'Waarom heb je niet gewoon contact gezocht met de FBI en hen gezegd dat je enige informatie voor hen had?'

'Ik kon niet gewoon met iemand contact zoeken. Onze post wordt gecensureerd, dat moet u weten. En zelfs al was dat niet zo, kon ik toch het risico niet nemen dat iemand erachter kwam wat ik aan het doen was. Weet u wat ze hier met verklikkers doen...? Zelfs nu, bij een ontmoeting als deze, wat ze doen als ze erachter komen?'

'De bewaker denkt dat ik een advocaat ben die jouw zaak opnieuw bekijkt op schending van burgerrechten. Ik weet niet wat de cipier is verteld. Als iemand erachter komt waar wij over praten, is het omdat jij ze dat hebt verteld.'

'Ik? Ik zou vermoord worden.'

'Waarom mij, Swann? Waarom mij speciaal?'

'Ik heb over u gehoord.'

'Wat gehoord?'

'Ze praten hier over u. Veel van hen lijken u te kennen of over u gehoord te hebben. U hebt een reputatie.'

'Dat zal wel.'

'Ik hoor dat u klimt, u beklimt bergen. U bent toch een bergbeklimmer?'

Becker zei niets. Swann glimlachte naar hem. Hij wist dat zijn informatie correct was.

'U zou verbaasd zijn over hoeveel ze van u weten.'

'Ben jij een bergbeklimmer, Swann?'

'Nou... niet echt. Ik werkte een beetje met touwen. Ik weet wat dat inhoudt. Het is eng werk.'

'Niet zo eng als je weet hoe je het veilig moet doen. Heb je het ooit geprobeerd?'

'Ik geloof in de zwaartekracht. Als dat aangeeft dat ik naar beneden moet, dan ga ik naar beneden. Ik was er alleen in geïnteresseerd dat ze dat over u zeiden. Iemand die dat doet, neemt dat soort risico zonder reden. Dat is ongewoon. Ik begrijp het niet echt.'

'Je bent hier omgeven door risiconemers.'

Swann huiverde. 'Ik begrijp hen ook niet. Gooi me alsjeblieft niet met hen op een hoop.'

'De rechter heeft dat al gedaan. Je bekende drie tenlasteleggingen voor doodslag en ernstige geweldpleging.'

'Mijn advocaat zei me dat ik dat moest doen. Mijn hospita viel mij aan, ze werd gek en kwam gewoon op me af. Ik verdedigde mezelf...'

'Je begrijpt me niet, Swann. Ik zei dat de bewaker denkt dat ik een advocaat ben, jij niet. Spaar me die onzin.'

'Mijn onschuld is voor mij geen onzin, mijnheer Becker.'

'Uh-huh. Nou, onschuld is betrekkelijk. Je hebt toch de strot van je hospita opengesneden. Of je hebt, toen je schuld bekende, tenminste gezegd dat je dat deed.'

'Het was verschrikkelijk. Ze kwam op me af, ik vocht met haar, ze probeerde me neer te steken – u weet het niet, u weet het gewoon niet. Hoe kunt u begrijpen hoe dat was?'

'Je zou verbaasd zijn over mijn voorstellingsvermogen,' zei Becker. 'Waarom mij, Swann. Ik kan me niet voorstellen dat ik een hoop fans heb hier.'

'Oh, ze haten u niet, is dat niet vreemd? Ze denken dat ze u kennen. Het is als – ik weet het niet precies – als wolven van verschillende troepen die elkaar soms willen doden. Ze mogen elkaar misschien niet, ze moeten hun territorium verdedigen, maar ze begrijpen elkaar. Ze begrijpen elkaar beter dan ze de schapen begrijpen.'

Becker trok het open pakje sigaretten uit zijn zak en snoof weer de geur van de tabak op. Swanns vergelijking die een verband legde tussen hem en de mensen die hij vervolgde door een wederkerig begrip voor elkaar, was te dicht bij de werkelijkheid. Het was alsof de gevangene zijn gedachten van enkele ogenblikken geleden had gelezen. Becker tikte een sigaret uit het pakje en deed dat met grote aandacht, ondertussen proberend zijn gedachten te ordenen.

Swann nam de sigaret dankbaar aan en Becker schoof het hele pakje over de tafel naar hem toe. Swann legde er zijn hand overheen en plotseling was het weg.

'Ze zeggen dat u eerlijk bent,' zei Swann, en Becker dacht er heel even aan dat Pegeen dat woord eerder ook had gebruikt. 'Ze zeggen dat u de mensen eerlijk behandelt als ze tegenover u oprecht zijn.'

Becker lachte. 'Niemand die hier zit heeft jou ooit verteld dat ik eerlijk ben. Maar misschien hebben ze je verteld dat ik een idioot ben, die alles wat je zou zeggen zou geloven.'

Swann wreef zich vlak voor hem in zijn handen en bestudeerde hem een ogenblik met getuite lippen.

'Ze zeggen dat u het kunt zeggen.' Hij zei, met een diepere stem, oprechter: 'Ze zeggen dat u naar iemand kunt kijken en dan weet of hij de waarheid spreekt. Ze zeggen dat u het in zijn ogen kunt zien.'

Becker snoof verachtelijk. 'Wie denk je wel dat ik ben, een waarheidsfee? Je kunt niets te weten komen door in iemands ogen te kijken. Elke goede leugenaar kan zijn ogen onder controle houden. Ik kijk naar zijn handen.'

Becker grinnikte toen Swann, zoals te voorzien was, zijn handen stil hield en ze voor hem op de tafel legde. Becker wist dat hij ze de rest van het gesprek geen natuurlijke houding meer kon geven. Het waren sterke handen, ongewoon groot voor een man van het postuur van Swann, met dikke polsen. In werkelijkheid, besteedde Becker ook nooit veel aandacht aan iemands handen, maar hij wilde dat de gevangene zich niet op zijn gemak voelde. Je kwam nooit iets waardevols te weten als je gesprekspartner zich te veel op zijn gemak voelde.

'Trouwens, mannen kijken elkaar niet recht in de ogen, wist je dat niet, Swann? Daardoor voelen ze zich niet op hun gemak. Het is onnatuurlijk. We kijken vrouwen recht in de ogen, geen andere mannen. Jij moet dat hier vast en zeker geleerd hebben. Als een man, wanneer hij je iets vertelt, je recht in de ogen kijkt, betekent dat een van twee dingen. Of hij liegt tegen je of hij wil met je neuken.'

Swann draaide ongemakkelijk op zijn stoel.

'Daar weet ik van,' zei hij.

'Dat kan ik me voorstellen,' zei Becker.

'Daarom heb ik u geschreven.'

'Oké.'

'Ik wil wraak nemen op een beest.'

'Ik dacht niet dat dat je burgerplicht was.'

'Ik ben een man,' siste Swann. 'Een man. Hij noemde mij zijn vriendje. Hij noemde mij zijn vrouw – en hij gebruikte mij als zijn hoer. Hij vermoordde mij bijna. Vaak. Heel vaak. Hij dreigde mijn hoofd eraf te rukken, en hij zou het hebben gedaan, overal elders zou hij het hebben gedaan. Hij zou er geen spijt van hebben. Hij zou er zelfs niet aan denken... Nee, dat is niet waar. Hij denkt aan hen, aan hen allemaal. Hij houdt ervan aan hen te denken, om over hen op te scheppen, steeds maar herhalend hoe hij het deed en waar hij het deed en wie ze waren. Hij maakte ze steeds weer af, iedere nacht. Waarschijnlijk zelfs in zijn slaap. En hij zal het blijven doen, daar is geen twijfel over. Ik kon maar van twee van de moorden een vermelding vinden, maar hij sprak van een heleboel. Ik vond de twee meisjes in de kolenmijn in de krant. Ik werk in de bibliotheek. Ik zocht naar alles wat ik kon vinden, maar de meesten zullen niet in de krant hebben gestaan. Hij vermoordde zwervers en randfiguren, die komen niet in de *Times*, en dat is de enige krant die we hebben waar archiefexemplaren van zijn...'

'Heeft hij gemoord terwijl hij hier zat?'

'Nee. Maar hij is weg, hij is vrij. Hij kwam drie weken geleden vrij.'

'Waarom heb je ons niets over hem gezegd toen hij nog hier zat?'

'Dat heb ik gedaan. Kijk maar naar de datums op de brieven. Hij was hier nog... Hij was nog bij me. Leefde met mij. Sprak over hen. Gebruikte mij... En zij moedigden hem aan, wist u dat, mijnheer Becker? De andere gevangenen moedigden hem aan alsof het een sport was. Ik voelde me als een christen – ik ben een christen – die voor de leeuwen werd geworpen en iedereen moedigde de leeuw aan.'

'Wraak is geen erg christelijk gevoel,' zei Becker.

Swann had zich, over de tafel leunend, dichter naar Becker toegeschoven, voortgedreven door zijn bewogenheid. Nu zuchtte hij hoorbaar en leunde achterover in zijn stoel.

'Daar heb ik aan gedacht,' zei Swann. 'Ik wilde dat mijn hart vrij was van haat. Daar heb ik voor gebeden... Maar het is me niet gegeven.'

'Je kunt altijd blijven bidden,' zei Becker.

'Dat doe ik altijd, mijnheer Becker. Ik bid altijd. Ik denk dat Jezus me begrijpt. Ik weet dat Hij dat doet.'

'Je bent niet zo moeilijk te begrijpen. Zelfs ik kan dat.'

'Maar Jezus begrijpt niet alleen, Hij vergeeft ook.'

'Vergeeft Hij ook de man die je aangeeft? Vergeeft Hij al die moorden?'

'Híj zou het kunnen,' zei Swann. 'Ik niet.'

'Hoe heet hij?'

Swann keek nog een keer zenuwachtig de kamer rond. Hij deed zijn mond open om het te zeggen, veranderde toen van gedachten en schudde zijn hoofd.

'Dat lijkt me niet te veel gevraagd,' zei Becker.

'U begrijpt niet hoe gevaarlijk het hier is,' zei Swann. 'Zelfs als zij het niet weten, zal ìk het toch weten als ik u een naam noem. Als iemand aan mij vraagt of ik iemand heb verraden en ik weet dat ik u zijn naam heb gegeven – ik ben zo'n slechte leugenaar, ik word zo bang – kunnen ze dat aan je ruiken. Ik zweer dat sommigen van hen kunnen ruiken of je liegt, of je bang bent. En misschien heeft hij nog steeds vrienden hier. Ik denk het niet. Ik denk dat hij geen andere vrienden had dan mij, maar je kunt er niet zeker van zijn. Is er geen andere manier? U kunt het uitzoeken, u kunt in de gevangenisdossiers kijken – als u mij kunt vinden kunt u zeker uitzoeken wie hij is. Laat mij alleen niet zijn naam noemen. Ik moet in staat zijn te zeggen dat ik niemands naam tegen u heb genoemd, en het zelf geloven.'

'Dus wat geef je me dan? Waarvoor ben ik hier?'

'Hem. Ik geef je hem. Die lijken in de krant, de meisjes in de kolenmijn. Hij vermoordde ze. Dat heeft hij mij toegegeven. Hij schepte erover op. Hij is er nooit voor berecht. Er zijn nog een heleboel anderen. Hij zal ze allemaal bekennen. Ik denk dat hij ze tegenover iedereen zou bekennen, wanneer dan ook, omdat hij trots is op al die moorden. Hij denkt dat ze een man van hem maken. Maar niemand heeft er ooit naar gevraagd. De politie wist nooit iets over hem omdat hij gewoon rondzwalkte. Hij deed dingen in staten die zelfs niet wisten dat hij bestond. Ik kan je zeggen wat je hem moet vragen.'

'Ben je bereid tegen hem te getuigen? Ik dacht dat je ons zelfs zijn naam niet wilde noemen.'

'Als ik veilig ben, doe ik wat u wilt. U kunt niet van me vragen mijn leven te riskeren door te getuigen zolang ik nog hier zit.'

'Ik heb jou niets gevraagd, Swann, jij hebt mij uitgezocht. Ik was juist zo gelukkig dat ik hier niets van wist.'

'U wilt hier niets over weten? Hij is een moordenaar, een seriemoordenaar, een massamoordenaar. Ik dacht dat u dat zou willen weten. Wat voor soort agent bent u eigenlijk?'

'Een ex.'

'Waarom bent u dan hier?'

'Waarom ik hier ben? Ik ben hier omdat een of andere dronken kleine veroordeelde het zat is iedere nacht geneukt te worden door de aap die bij hem in zijn kooi zit en dacht dat hij heel slim was door kleine geheime berichtjes in code naar mij te sturen. Alsof ik daar een moer om geef. Alsof ik niets beters te doen heb dan betrokken te worden bij een liefdesruzietje. Wat denk je dat ik ben, je getrainde hond, die je kunt ophitsen tegen iedereen die je maar wilt?'

'Liefdesruzietje? Hij is een moordenaar!'

'Het land zit vol moordenaars. Er zijn er meer buiten de muren dan er binnen – denk je dat ik die allemaal op wil sporen? Er zijn veertienjarige moordenaars in iedere bende in elke woonwijk van het land. Er zijn mensen die hun ouders vermoorden en er zijn ouders die hun baby's uit het raam gooien. Er zijn kerels die langsrijden met Uzi's en een groep uit elkaar laten stuiven, en gekken die bommen op zichzelf vastbinden en de plaatselijke McDonald wegvagen. Er zijn klootzakken die mensen wegmaaien in verkeersopstoppingen. Er staan verdomme moorden op de sportpagina. En nu heb ik het nog niet eens over degenen die moorden om te neuken. Wat kan het mij schelen dat de kerel die jou neukt je een beetje op je donder geeft. Hij is jouw probleem, niet het mijne. Jij werkt in de bibliotheek? Pak dan de schaar die je gebruikt hebt om die pientere kleine code voor mij te prikken en steek hem de volgende keer dat hij zich over je buigt in zijn ingewanden. Zo doen ze dat hier, ben je daar nog niet achter? Zorg voor jezelf, jij kleine klootzak, en probeer niet het mij te laten doen. Ik ben je grote broer niet.'

Swann zakte ontmoedigd op zijn stoel in elkaar.

'U gelooft niet wat ik over hem zei?'

'Wat is er te geloven? Er zit een kerel in de gevangenis die iemand vermoord heeft? Ik heb er geen moeite mee dat te geloven. Ik geef er alleen geen moer om.'

'U gaat me verraden, hè?' zei Swann met een plotseling angstig gezicht. 'U gaat me aan hen uitleveren, u gaat hun vertellen wat ik heb gezegd.'

'Wie heb je het verteld?' vroeg Becker.

'Wat verteld?'

'Wie vertelde je over je slimme systeempje om mij te pakken te krijgen? Hoeveel mensen heb je dat verteld?'

'Ik heb het tegen niemand verteld – denkt u dat ik gek ben?'

Becker ging staan. Hij trok de voorpoot van Swanns stoel met zijn voet van de grond, maar hield de leuning van de stoel tegen, zodat hij niet viel, maar waardoor Swann achterover zat, uit zijn evenwicht en halverwege de vloer.

'Wie nam je in vertrouwen, wie hielp je, wie heb je hierover iets toegefluisterd, Swann?'

'Niemand. Het was helemaal mijn idee.'

'Jij bent niet slim genoeg.'

'Wat denkt u nou?'

'Je bent een halve gare die gepakt werd toen hij zijn hospita aan plakjes sneed. Hoe slim kun je dan zijn?'

'Slimmer dan u denkt.'

'Dat is niet voldoende bewijs. Wie heeft je de binaire code geleerd?'

'Niemand. Ik leerde het in de bibliotheek.'

'Doe dan eens iets.'

'Wat?'

Becker zette de stoel weer recht en drukte Swann tegen de tafel zodat hij met zijn borst tegen de tafel geklemd zat. Becker gooide een pen voor Swann neer.

'Laat me de binaire code voor 99 zien.'

'Nu?'

'Nee, stuur het maar op, kleine klootzak. Natuurlijk nu. Doe het daar, doe het op de tafel, precies zoals je het naar mij hebt gestuurd.'

'U denkt dat ik dat niet kan?'

'Doe het.'

'Ik zei u al, gooi mij niet op een hoop met de rest van die lui hier. Ik ben anders.'

'Uh-huh. Maak de code.'

Swann zweeg een ogenblik, met zijn handen gevouwen voor zich.

'Doe het,' zei Becker.

'Ik bid,' zei Swann. 'Ik bid dat Jezus u van gedachten verandert.'

'Bid maar dat Hij je heel snel de binaire code leert.'

'Daar hoef ik niet voor te bidden, mijnheer Becker. Die code ken ik al. U wilt 99?'

Snel en zeker tekende Swann een serie puntjes op de tafel:

. .   . .
. . . .

'Weet u, het is niet echt een mysterie,' zei Swann. 'Ieder die iets van computers afweet kan het. Bewijst dat dat ik de berichten zelf schreef?'

Becker was weer tegenover Swann gaan zitten.

'Ik ga je heel rustig iets vertellen,' zei Becker, 'omdat ik wil dat je de bijzonderheden hoort van wat ik je heb te zeggen en niet alleen de bewogenheid waarmee ik het zeg. Maar als je maar de helft van het verstand hebt van wat je zelf denkt te hebben en als je ook maar iets gelooft van de verhalen die je over mij hebt gehoord, zul je beseffen dat ik precies meen wat ik zeg. Begrepen?'

'Natuurlijk.'

'Ik wil nooit meer van je horen. Ik wil geen enkel contact meer in wat voor vorm dan ook. Verder, als ik van iemand anders hier een bericht ontvang, neem ik aan dat het van jou komt. Is dat duidelijk?'

'Dat is niet eerlijk. U kunt mij niet verantwoordelijk houden voor...'

'Rot op met je eerlijk. Is het duidelijk?'

'Ja.'

'Goed. Als je stom genoeg bent om te negeren wat ik net heb gezegd, als ik ooit je naam weer hoor, zal ik je persoonlijk uitleveren aan die brullende troep hier met hun enorme stijven en zal ik hen vertellen wat je hebt gedaan. Is dat duidelijk?'

'Ze zullen me vermoorden.'

'Is het duidelijk?'

'Ja.'

'Goed.'

Becker stond op en schoof zijn stoel netjes onder de tafel.

'Is dat alles?' vroeg Swann.

'Dat is alles wat ik wilde zeggen.'

'En wat ik u verteld heb? Gaat u er iets aan doen?'

'Wat is eraan te doen? Hij is vrij, hij is weg.'

'U kunt hem vinden. Ik kan u helpen hem te vinden.'

'Hoe?'

'Ik weet waar hij zei dat hij heenging. Ik weet waar hij nu is.'

'Hoe?'

Swann keek nog eens de kamer rond en rekte zijn nek om te zien of het venster in de deur leeg was.

'Ik moet veilig zijn. Ik moet veilig zijn voor ik vrij kan praten. Kunt u beloven dat ik veilig zal zijn, mijnheer Becker?'

'Ik?' Ik heb mijn belofte aan jou net gedaan. Het lijkt of je het niet leuk vindt.'

'Hij is een moordende maniak. Hij vermoordt mensen, hij martelt ze en doodt ze. Ik kan hem aan u uitleveren. Is dat niet iets waard?'

'Dat zou kunnen, voor sommige mensen. Wat is het jou waard?'

Swann sloot zijn ogen en vouwde zijn handen weer voor zich.

'Wilt u mij alstublieft helpen, mijnheer Becker?' vroeg hij, met zijn ogen nog dicht. 'Ik ga hier dood. Ik verdien het niet te sterven. Christus heeft mij mijn zonden vergeven. Ik heb drie jaar uitgediend... Als niemand mij helpt zal ik het nooit overleven tot mijn voorwaardelijke vrijlating. Ben ik zo walgelijk dat ik het verdien om hier te sterven?' Hij viel voor Becker op zijn knieën. 'Weet je hoe het hier is? De monsters zijn opdringerig tegenover mij. Ze worden handtastelijk. Je haat het, je walgt ervan – en dan voel je dat je zelf opgewonden raakt. Je haat jezelf er om, maar ze willen niet dat je het gewoon ondergaat, ze willen dat je meedoet, ze willen dat je meewerkt. Ze willen dat je dingen verzint, dingen waardoor ze zich lekker voelen. En weet je wat je dan doet? Je herinnert je wat je zelf lekker vond, je herinnert je wat je fijn vond van de dingen die je vriendin bij je deed en dat doe je dan bij hen. Je herinnert je hoe het bij jezelf voelde en je raakt opgewonden als zij opgewonden raken. Ze geven niet om je, ze weten zelfs niet eens wie je bent, maar ze laten je toch doen of je het fijn vindt... en dat gebeurt nog ook.'

Swann legde zijn handen op Beckers knieën. Becker verstijfde en deed een stap terug.

'Wat wil je, Swann?'

'Wilt u tenminste iemand van de FBI zeggen wat ik heb te bieden? Wilt u hen zeggen dat ik met u heb gesproken en dat u weet dat ik waardevolle informatie heb?' Hij strekte zijn handen weer uit naar Beckers knie en Becker deed weer een stap terug.

Voor alles wilde Becker nu weg. Hij voelde de beklemming van de gevangenis als een film aan zijn huid kleven. Hij wilde uit die kamer rennen en zich in het zonlicht en het water storten, onder een waterval staan en de schunnigheid van de gevangenis van zijn lijf schrobben en spoelen. Swanns smeekbeden hielden hem zo sterk tegen, alsof de man aan zijn been vastgeplakt zat.

'Goed dan,' zei hij.

'God zegene u!' riep Swann. Hij wilde Becker een hand geven. Becker liep om hem heen en bonsde op de deur om de bewaker.

'Geloofd zij Jezus,' zei Swann, en stond op.

Swann stond naast Becker bij de deur, met zijn lichaam bijna tegen hem aan. Becker kon de warmte van de nabijheid van de andere man voelen. Hij draaide zijn hoofd weg.

'U hebt mij gered,' zei Swann. 'U hebt mijn leven gered.'

Swann raakte Beckers arm aan en Becker trok hem terug, maar Swann hield zijn shirt vast. 'Ik kan u niet genoeg bedanken, ik kan u nooit genoeg bedanken.'

'Blijf op afstand,' zei Becker. Hij voelde de nabijheid van de man als een groot gewicht op hem drukken.

Swann gleed met zijn handen langs Beckers arm tot hij Beckers pols greep. Becker probeerde hem terug te trekken toen Swann zijn hand omhoog bracht om hem te kussen. Swanns greep was verrassend sterk en Becker kon zijn hand niet loswringen toen Swann zijn lippen erop drukte.

'Nee,' zei Becker. Swann mompelde iets tegen Beckers huid, en dat klonk weer als een gebed, maar Becker was er niet zeker van of de man tot Jezus bad of tot hem.

'Laat me verdomme los.'

Swann kuste Beckers hand en bestrooide hem met vluchtige kusjes over de hele lengte van zijn hand en zijn vingers. Zijn lippen raakten een vingertop, gingen van elkaar en namen een van Beckers vingers in zijn mond. Hij sloeg zijn ogen op om Becker in zijn gezicht te kijken.

Met een schreeuw van walging trok Becker zijn hand terug en tegelijk liet Swann zijn pols los. Zijn knokkels schoten omhoog en troffen Swann op zijn mond en zijn neus.

'Ik wilde u alleen maar bedanken,' zei Swann verwijtend.

Becker keek hem niet aan toen hij nog eens op de deur bonsde.

Ondanks de klap in zijn gezicht, was Swann nog niet achteruit gegaan. Hij stond te dichtbij, zodat Becker een hand tegen zijn borst legde en hem terugdrukte. Swanns vingers raakten Beckers hand weer voor hij hem terugtrok.

'Blijf met je handen van me af,' zei Becker.

'U had me niet moeten slaan,' zei Swann.

'Sorry,' mompelde Becker. Hij keek bezorgd door het venster in de deur, uitkijkend naar de bewaker. Hij was natuurlijk hier niet opgesloten. Hij hoefde hier niet langer met die man te blijven. Toch leek de lucht zwaarder, alsof ze op hem drukte. De muren leken onverdraaglijk dichtbij.

'Ik bedankte u alleen maar.'

'Maar blijf op afstand,' zei Becker.

'Bent u bang van mij?' vroeg Swann zacht. Er was iets honends in zijn stem. Het eerste teken van iemand die altijd het slachtoffer is en zich plotseling realiseert dat hij in het voordeel is. 'U lijkt bang. Dat hoeft niet.' Zijn stem werd zachter, vriendelijker, bij iedere zin waarbij zijn gevoel van overwicht groeide. 'Ik ben uw vriend, weet u. Ik wil uw vriend zijn.'

Becker draaide zich om en keek hem voor het eerst sinds hij hem had geslagen aan. Swanns gezicht was nat van tranen en bloed sijpelde uit zijn neus op zijn lippen. Hij had het nadat Becker hem had geslagen niet afgeveegd. Toen hij Becker aankeek, deed hij zijn lippen van elkaar en glimlachte. Zijn tanden waren rood van het bloed en zijn ogen twinkelden in een gevoel van overwinning.

Pegeen stond bij de controlekamer van de bewaking, net buiten het cellenblok van de begane grond, en terwijl ze probeerde de bewakers niet te laten merken wat ze deed, snoof ze diep de lucht op. In het begin merkte ze alleen de lucht van schoonmaakmiddelen, sterk vermengd met citroengeur, maar toen haar neus daaraan gewend was, begon Pegeen de diepere, doordringende geur, de echte typische gevangenislucht te ruiken. Het leek aan de andere kant van de controlekamer te hangen als een hittekolom in een oven, opstijgend van de grond tot aan het cellenblok op de derde etage. Het hield zichzelf binnen de eigen vage grenzen van die heksenketel en gaf zijn aanwezigheid slechts bij vlagen prijs, net zoals de hitte buiten een oven maar een zwakke verwijzing is naar het hellevuur dat binnenin raast.

De stank was van seks, oude seks. Opgedroogde en tot korst geworden seks, die op de lijven zat, maar met nog iets anders, met een trilling van emotie, een vermenging van oud zweet en nieuwe transpiratie, allebei niet veroorzaakt door inspanning of hitte, maar door angst. De gevangenis rook naar seks en angst. De geur was verkrachting.

Pegeen wachtte bij de auto tot Becker terugkwam. Nadat ze de gevangenis had verlaten, had ze een collega in Nashville gebeld en gevraagd wat hij wist over John Becker, een vroegere agent, die nu met onbepaald ziekteverlof was. De collega, die al vijftien jaar meeliep, had om haar naïviteit gelachen, maar bleek graag bereid haar over Beckers carrière, zoals hij die had begrepen, in te lichten. Hij vermeldde de hoogtepunten, waarvan de meeste tot de legenden van het Bureau leken te horen.

'Een verschrikkelijke kerel,' was hij opgewekt geëindigd, blatend als een schaap. 'En jij zegt dat je bij hem bent?'

'Ik ben bij hem,' zei ze.

'Wat ben je aan het doen? Houd je zijn hand vast?'

'Zoiets,' had Pegeen gezegd, en ze voelde dat ze bloosde.

'Nou, als je je hand terugkrijgt, kijk hem dan na of er bloed aan zit,' had hij lachend gezegd. 'Becker komt nooit uit een zaak zonder bloed aan zijn handen.' Toen werd zijn stem erg serieus: 'Maar zonder gekheid, Pegeen, dit is het grote werk, oké?'

'Oké.'

'Wees voorzichtig, wees heel voorzichtig...'

'Ik ben alleen maar zijn chauffeuse.'

'Goed zo. Laten we hopen dat het daarbij blijft. Wat ik bedoel te zeggen, kindje, is op de eerste plaats, vergeet de verhalen, die man is de beste. Ik bedoel de beste, niemand komt bij hem in de buurt. Maar bij hem gebeuren dingen op een bepaalde manier. Ik zeg niet dat dat zijn schuld is – of misschien juist wel, dat weet ik niet. Houd alleen je ogen open en je verstand bij elkaar.'

'Hij lijkt echt aardig.'

'Ik zei toch niet dat hij niet aardig was? Hij is aardig.' Ze hoorde zwak zijn neerbuigend gegnuif, alsof hij het probeerde te verbergen, maar daar niet zo erg zijn best voor deed. 'Aardig. Jezus, Pegeen, wat ben je er voor eentje.'

'Daar geef ik geen antwoord op.'

'Nou, je hoeft niet kwaad te worden. Ik bedoel het niet als een belediging...'

'Dank je wel. Dat is het niet.'

'Het is juist dat "aardig" dat je een vrouw maakt, door op die manier over mensen te denken, door zoiets aan te nemen.'

Pegeen begon er spijt van te krijgen dat ze gebeld had. 'Ik denk niet dat jij zo aardig bent,' zei ze. 'Dat zegt toch wel iets.'

'Maar ik ben echt wel aardig.'

'Dan moet ik de definitie herzien.'

'Het punt is dat je net een klein kind bent dat naar iedere hond die het ziet wil toe lopen en die wil aanhalen. Nou, sommige kun je aanhalen en sommige bijten... En sommige zijn niet eens honden. Ze kunnen je arm bij de schouder afbijten. Ze kunnen je keel uit elkaar scheuren als je vooroverbuigt.'

Pegeen hing op. Wat had Becker zichzelf genoemd? Een weerwolf. Niet de man die het nodig had haar hand vast te houden voor hij de gevangenis binnenging. Dat was geen gevaarlijke man, het was een zachte, verontruste, gevoelige man. Wat, vroeg ze zich af, zou hij zijn als hij naar buiten kwam? Tot haar verrassing, voelde ze een huivering van verwachting.

Terug in de auto was Becker geagiteerd en afwezig en beantwoordde hij Pegeens vragen alleen met gegrom. Toen ze op de snelweg terugkwamen, hield hij zijn ogen op de weg, op zoek naar iets.

'Daar,' zei hij tenslotte. 'Stop daar eens.'

'Waar?'

'Het motel.'

'Waarom gaan we naar een motel?' vroeg Pegeen, plichtsgetrouw het terrein van het motel oprijdend.

Becker gaf geen antwoord maar schoot uit de auto het kantoor in. Hij kwam vlug terug met een sleutel in zijn hand, holde naar een motelkamer en ging naar binnen. Pegeen volgde aarzelend, onzeker. Gedurende haar opleiding was er niet over agenten gesproken, die midden op de dag motelkamers binnenschieten.

De deur van de kamer stond op een kier, maar Pegeen klopte eerst. Wat moest ze doen als hij naakt op het bed lag? Wat als hij... Ze hield ermee op te proberen het zich voor te stellen en erkende dat ze er geen idee van had. Ze klopte nog een keer, riep zijn naam, en duwde de deur langzaam open.

Ze zag zijn schoenen en zijn sokken die hij buiten de badkamer had uitgetrokken. De deur van de badkamer stond open en ze hoorde het geluid van de stromende douche.

Ze zei: 'Hallo?' Ze voelde zich dwaas. Ze wachtte een paar minuten. Ze was er niet zeker van wat hij aan het doen was en hoe zij daarop moest reageren. Tenslotte ging ze op de rand van het bed zitten en wachtte. Zou hij de badkamer uitkomen met hoektanden en de vacht van een weerwolf uit de film, vroeg ze zich af? Zou hij eruitkomen met een handdoek om? Zonder handdoek? Zou ze in de auto gaan wachten? Er kwamen golven stoom onder de badkamerdeur door. Ze besloot gewoon te blijven zitten en te zien wat er verder gebeurde. Of hij die 'verschrikkelijke kerel' was waar ze voor was gewaarschuwd voorzichtig te zijn of niet, hij was een verdomde hoop interessanter en minder voorspelbaar dan elke andere agent van het bureau. Of, in dat opzicht, dan elke andere man die ze kende. De stoom vulde de hele motelkamer. Pegeen trok haar voeten op het bed en ging gemakkelijk tegen het kussen zitten. De plek op haar wang waar hij haar aangeraakt had, brandde nog steeds, maar ze wist dat dat maar verbeelding was.

19

In de gespikkelde schaduw van een kwijnende spar, zat Cooper op zijn hurken en keek naar het restaurant aan de overkant van de snelweg. De boom was een slachtoffer van de zure regen. De helft van zijn naalden waren bruin en dor geworden en bespikkelden de plek eronder met zere plekken als een hond met schurft. Cooper keek naar het restaurant en speelde doelloos met de dode naalden die rond hem op de grond lagen en harkte ze op kleine hoopjes, terwijl zijn geest druk aan het werk was in een poging zijn situatie te doorgronden. Ze hadden hem weer een formulier gegeven, zelfs toen Cooper gezegd had dat hij er al een in die andere stad had ingevuld, zelfs nu hij het gestreepte uniformjasje droeg van de restaurantketen om te bewijzen dat hij daar had gewerkt. Ze wilden toch een nieuw sollicitatieformulier, alsof ze hem niet geloofden, alsof ze probeerden hem beet te nemen of hem dom te laten lijken. Cooper had naar het sollicitatieformulier gekeken en toen naar de manager die het hem had gegeven. Zijn naambordje vermeldde dat hij Ted heette. Cooper dacht erover te zeggen, hier Ted, hier is je hoofd, en dan de nek van dat ambtenaartje voor hem te breken en het sollicitatieformulier in het gat te stoppen.

Inplaats daarvan had hij het formulier meegenomen naar de overkant van de straat waar hij in de schaduw kon zitten en overdenken wat hij moest doen. De laatste keer had hij natuurlijk dat meisje het formulier voor hem laten invullen. Cooper was vergeten hoe hij het haar precies had laten doen, maar hij herinnerde zich dat het had gewerkt, want hij had de baan gekregen. Hij herinnerde zich ook nog andere dingen van het meisje. Hij herinnerde zich hoe ze hem in haar auto had laten rijden en hoe ze hem had verrast terwijl hij reed en daarna hoe ze hem had meegenomen het bos in en hem nog meer had verrast. Ze had hem wel gemogen, dat wist hij. Ze had hem dat verteld en ze handelde daar ook zeker na, of tenminste alsof ze een deel van hem wel mocht. Ze had hem gezegd dat ze hield van de manier waarop hij brulde.

'De meeste mannen zeggen niets, ze maken helemaal geen geluid, nog geen piepje. Jij gooit gewoon je hoofd achterover en schreeuwt als een Indiaan op oorlogspad. Dat is aardig, Coop. Mannen zijn er meestal niet erg goed in zich te vermaken.'

Hij herinnerde zich dat hij een hoop gebruld had in het bos, misschien zelfs een beetje overdreven ter wille van haar. Ze lachte elke keer als hij dat deed, maar geen gemene lach. Ze lachte hem niet uit.

Hij wilde dat hij haar nu kon ontmoeten. Hij zou haar ertoe brengen het formulier weer in te vullen en deze keer zou hij daarna, wanneer ze in haar wagen zaten, haar misschien verrassen.

Er was iets over haar dat hij vergeten was, iets belangrijks, dat wist hij. Hij nam een stapeltje dode naalden in zijn hand en liet ze als zandkorrels uit zijn hand lopen. Wanneer het zonlicht erop viel schitterden ze als stukjes koper, als een sprankelende, levende stroom koper, maar als ze eenmaal op de grond lagen, weer in de schaduw, waren ze zo dof en kleurloos als modder. Een paar naalden bleven in zijn hand steken, vastgekleefd door transpiratie. Cooper veegde ze af, droogde zijn handen aan zijn broek af en veegde toen het zweet van zijn voorhoofd, maar dat werd weer vochtig. Het was heel warm, zelfs in de schaduw.

Mayvis, zo heette ze. Cooper stond op, tevreden over zichzelf dat hij het zich herinnerde. Haar naam was Mayvis en ze had het voor hem opgeschreven zodat hij het kon onthouden. Cooper keek in zijn portefeuille. Hij herinnerde zich dat ze het papiertje met haar naam erop in zijn portefeuille had gestopt. Dat had hem eerst gestoord – hij hield er niet van als iemand aan zijn persoonlijke eigendommen kwam – maar ze bleef de hele tijd tegen hem praten en legde hem uit dat hij haar altijd kon bellen als hij weer eens plezier wilde hebben of wanneer hij iets nodig had.

'Je kunt me zelfs bellen als je gewoon maar wat wilt praten,' zei ze en lachte – hij wist niet zeker of hij dat speciale lachje wel mocht – 'maar ik denk dat je dat niet wilt. Verdomme, het kan me ook niet schelen, bel me maar gewoon als je in de hoorn wilt brullen. Natuurlijk ook, als je wilt dat ik je aan het brullen maak, dat is zelfs beter.'

'Uh-huh,' had Cooper gezegd.

'Zul je nog weleens aan me denken, Cooper?'

'Natuurlijk,' zei hij.

'Ik betwijfel het. Als je het doet, zul je een van de eersten zijn. In ieder geval hier,' en ze had het papiertje met haar naam erop in zijn portefeuille gestopt en de portefeuille weer in zijn zak laten glijden en daar lang genoeg getalmd om hem een kneepje te geven.

'Ooohhh,' zei ze en deed net of hem alleen aanraken haar al deed huiveren.

Cooper vond het papiertje in het kleine plastic hoesje waar sommige mensen foto's in stoppen. Mayvis Tway stond erop, en daaronder een telefoonnummer. Cooper kwam uit de schaduw en stak de weg over naar het restaurant om te bellen.

'Verdomme,' zei ze. 'Natuurlijk herinner ik me jou. Hoewel ik nooit gedacht had nog iets van je te horen.'

'Je zei dat ik je kon bellen,' zei Cooper.

'Dat weet ik lieverd, maar niet iedereen schenkt zoveel aandacht aan wat ik zeg als jij. De meesten zijn klootzakken.'

'Uh-huh,' zei Cooper. 'Klootzakken.'

'Dit wordt een wat eenzijdige conversatie, niet?' vroeg ze en Cooper gaf geen antwoord, omdat hij niet zeker wist wat ze bedoelde.

'Nou, waar ben je verdomme?' vroeg ze. Haar stem twinkelde in zijn oor. Ze was blij iets van hem te horen net zoals ze gezegd had dat ze zou zijn. Cooper besloot dat hij haar aardig vond.

'Ik ben in het restaurant,' zei hij.

'In welk...? Het restaurant waar ik je ontmoet heb?'

'Ja. Maar daar niet.'

'Wat betekent dat?'

'Ik ben in een restaurant in...' Hij worstelde om zich de naam te herinneren van de stad die de dominee hem had gezegd. 'Wycliffe.' zei hij tenslotte.

'Schat, dat is negentig kilometer hier vandaan. Hoe kom je in Wycliffe?'

'Ik ben erheen gelopen,' zei hij.

'Gelopen? Je kunt niet de hele weg naar Wycliffe hebben gelopen.'

Cooper gaf geen antwoord.

'Nou, wat geeft het ook,' zei ze. 'Wat wil je?'

'Je zei dat ik je kon bellen,' zei Cooper.

'Nou, dat is aardig van je.'

Ze klonk alsof ze ging ophangen. Cooper haatte de telefoon.

'Ze hebben me weer een papier gegeven,' zei Cooper.

'Wat bedoel je, lieverd?'

Hij worstelde om het goed te zeggen.

'Laten we wat plezier maken,' zei hij.

Ze lachte weer en ze klonk hetzelfde als toen ze bij hem was. 'Nou, waarom zei je dat niet? Wil je dat ik naar je toe kom?'

'Uh-huh,' zei hij.

'In Wycliffe?'

'Uh-huh.'

'Daar heb ik wel een uur voor nodig, weet je. Denk je dat je zo lang op Mayvis kunt wachten?'

'Uh-huh.'

'Ik wil niet dat je denkt dat dit betekent dat ik nu niet een actief sociaal leven heb,' zei ze. 'Ik zou niet willen dat het allemaal vanzelfsprekend is.' Ze lachte weer, zo vrolijk dat Cooper ook lachte.

'Nou, zeg me nog eens, hoe heet je ook weer?'

'Cooper.'

'Dat is zo,' zei ze. 'En Cooper... welke? Degene die brult?'

Cooper brulde in de hoorn. Ze lachte nog steeds toen ze ophing.

Het is niet dat ik zo nodig moet, zei Mayvis tot zichzelf, ik ben gewoon sentimenteel. Ze hield zichzelf een hoop van die onzin voor en vermaakte zich het grootse deel van de tijd ermee. Het had haar meer dan een uur gekost om in Wycliffe te komen, en ze was er niet zeker van dat Cooper daar nog zou zijn als ze eindelijk aankwam. Ze was er niet eens zeker van of hij daar wel geweest was, hij zou een streek met haar uit hebben kunnen halen. Ze deden dat dikwijls genoeg, maakten misbruik van haar goede aard en haar bereidheid om een man het plezier te doen hem halverwege tegemoet te komen. Cooper leek, als ze zich hem goed herinnerde, niet het type voor wrede grappen, maar bij een man kon je er nooit zeker van zijn, wreedheid zat altijd een paar streepjes onder het oppervlak. Ze herinnerde zich niet ooit eerder negentig kilometer voor een man gereden te hebben, tenminste niet voor een waarmee ze geen andere relatie had dan een tamelijk actieve en zweterige namiddag. Maar ze had dommere dingen gedaan voor seks, daar was geen twijfel over. Zelfs als Cooper er niet bleek te zijn, had ze zich in dwazere ondernemingen gestort en had ze zich aan grotere vernederingen blootgesteld dan alleen plat te gaan. Ze had dat probleempje dat ze het zo graag wilde. Heel graag wilde. Dikwijls. En met nieuwe partners, als partner het juiste woord was voor de manier waarop de meeste mannen ervoor gingen. Voor de meesten leek het een tamelijk eenzelvige bezigheid, iets dat ze voor zichzelf deden, waarbij Mayvis alleen toevallig goed van pas kwam.

Ze moest natuurlijk iets doen aan haar seksuele gewoonten, dat wist ze wel. Ze had beloofd dat ze het zou doen, beloofd aan haar vrienden, aan haar ouders en aan zichzelf. Ze zou weer naar die bijeenkomsten gaan. Maar eerlijk, wat nog niemand tot haar tevredenheid had uitgelegd was waarom het voor alle mannen wel was toegestaan alles wat ze maar konden te neuken en niemand tegen hen zei dat ze hulp nodig hadden, en waarom het voor haar niet was toegestaan hetzelfde te doen. Als het niet meer was, was het toch een interessante bezigheid. Je ontmoette op die manier allerlei soorten mensen. Als ze zich gereserveerd gedroeg en wachtte tot de mannen zich tot haar wendden, zouden vooral de verlegen mannen het niet doen, en daardoor zou ze alleen de agressieve ontmoeten, wat haar ervaring drastisch zou verminderen. Mayvis zag geen enkele reden zich te beperken tot maar een soort mannen. Ze had geprobeerd trouw te zijn aan een man, het echt een tijdje ernstig geprobeerd, maar het had bij haar niet gewerkt. Ze was te graag met anderen. Ze was te vriendelijk. Hij werd te saai. De waarheid was, dat het niet echt de seks was waar Mayvis op uit was, het was de aandacht. En op zoek naar aandacht was ze ook verslaafd geraakt aan de opwinding. Al die dingen waren haar uitgelegd in de groep waar haar ouders haar heen hadden gestuurd. Ze had helemaal geen echt plezier met al die mannen, hadden ze haar verteld. Ze zocht iets wat ze nooit bij vreemden kon vinden en intussen stelde ze zich aan grote gevaren bloot. Men hoefde geen genie te zijn om te weten wat die gevaren waren, maar Mayvis kreeg een kick van haar eigen gevaar, hadden ze uitgelegd. De mensen op die bijeenkomsten waren erg onderrichtend geweest, ze hadden graag dingen uitgelegd, ze kenden zoveel vaktaal dat het leek of ze zelfs niet hoefden na te denken over wat ze zeiden, ze herhaalden gewoon sleutelzinnen en verwachtten dat ze het met hen eens was. Na een poosje leek het gemakkelijker het met hen eens te zijn dan met hen te argumenteren.

Roger, een van de mannen in de groep, besteedde een gedeelte van iedere bijeenkomst aan het praten over hoe zijn seksuele fantasieën zijn leven hadden verwoest. Hij las pornografie, bekende hij. Hij ging buiten zijn vrouw om achter andere vrouwen aan. Hij masturbeerde dagelijks. Hoewel hij zijn tekortkomingen op de voorgeschreven wijze naar voren bracht, zijn ongeluk betreurde en zijn hogere krachten prees die hem in staat stelden om de bijeenkomsten bij te wonen en zijn leven in de hand te houden, kwam hij bij Mayvis altijd een beetje overdreven over. Roger klonk alsof hij vastbesloten was zijn seksuele overfunctioneren een beetje groter te maken dan die van iemand anders. Op de laatste bijeenkomst die ze had bijgewoond had Mayvis hem daarover aangesproken.

'Als dat aftrekken je zo ongelukkig maakt, waarom houd je er dan niet mee op?' had ze gevraagd.

Hij had zelfgenoegzaam naar haar geglimlacht met een superioriteitsgevoel dat voortkwam uit het idee dat hij echt begreep waar het om ging. 'En waarom houd jij er niet mee op om met kerels te vrijen die je in openbare gelegenheden oppikt?' vroeg hij.

'Omdat mij dat niet ongelukkig maakt,' zei ze. 'Ik vind het leuk.'

'Je ontkent je situatie,' zei hij. Ze zeiden dat altijd tegen iemand die het niet met hen eens was.

'Misschien wel,' had Mayvis geantwoord. 'Maar ik trek mij niet af op het toilet van een benzinestation.'

Hij slaagde erin tegelijk gekweld en zelfvoldaan te kijken. Na de bijeenkomst, toen Mayvis zich verontschuldigde voor haar opmerkingen, vroeg Roger of ze met hem naar bed wilde om te zien wat ze had gemist. Sindsdien was ze niet meer naar de bijeenkomsten gegaan.

Ze was er niet zeker van dat ze hem zou herkennen – er waren een heleboel gezichten om te onthouden – maar toen ze hem buiten het restaurant zag staan, als een krachtige boom, herkende ze hem, zonder twijfel. Hij stond daar met een stuk papier in zijn enorme hand. Hij droeg een uniformjasje met zuurstokstrepen, dat eruitzag of er weken in was geslapen. Zijn gezicht en armen zaten onder het stof en waren gestreept door zweetsporen. Hij zag er voor Mayvis uit alsof hij echt die negentig kilometer vanaf Hazard had gelopen.

Zover ben ik nou gekomen, dacht ze. Ik pik sufkoppen op. Ik ga naar bed met halve garen. Misschien moet ik toch maar teruggaan naar die bijeenkomsten. Ik zou met die rukker Roger kunnen slapen, die wel niet erg aardig is, maar die een keer in de week schone kleren aantrekt.

Toen zag Cooper haar en hij glimlachte breed en ze herinnerde zich dat hij op zijn manier echt lief was, op de manier van een mammoet, zoals een beer lief kan zijn.

Mayvis troostte zich met de gedachte dat ze heel goed de gekken, de echt gevaarlijken, op anderhalve kilometer afstand kon ontdekken. Cooper zag er bedreigend uit vanwege zijn omvang – zijn reusachtige gestalte was ook een deel van zijn aantrekkingskracht – maar ze wist uit ervaring dat hij zo kneedbaar was als klei. Ze wist hoe ze met hem om moest gaan.

Cooper zei niet uit zichzelf waarom hij uit Hazard was weggegaan en negentig kilometer had gelopen om weer dezelfde baan te vinden, en Mayvis vroeg er niet naar. In alle eerlijkheid, het kon haar niets schelen. Ze was niet van plan die grote kerel te adopteren. Ze twijfelde er erg aan of ze hem na vandaag nog ooit terug zou zien, of dat ze dat ook maar zou willen. Het had haar gewoon getroffen dat hij had gebeld. Mannen in Hazard belden haar zelden. Alleen vreemdelingen deden dat. Mannen die haar naam hadden doorgekregen of die ergens op een muur gekrabbeld hadden gelezen, die belden. Ze wist natuurlijk waarom die belden. Soms, als ze daar zin in had, ging ze met hen uit, maar ze liet hen haar eerst altijd ergens mee naar toe nemen, uit eten of naar de film, ergens waar ze met haar zouden worden gezien. Dat was de prijs die ze moesten betalen voor het bellen. Als zij ze uitzocht was dat anders – geen betaling en de voorbank van de auto was goed genoeg.

Ze was er echter niet op uit dat Cooper haar mee uit eten zou nemen, vooropgesteld dat hij het kon betalen. Ze wilde niet speciaal met hem worden gezien, zelfs niet in een stad waar niemand haar kende. Ze was ook niet van plan iets met hem te doen, zelfs niet in haar auto, voordat hij zich had opgeknapt.

'Nou, let op deze keer,' zei ze, terwijl ze het sollicitatieformulier invulde. 'De volgende keer kun je het zelf.'
'Jij doet het,' zei Cooper.
'Ik doe het, maar ik ga niet overal voor jou naar toe.'
'Ik bel je dan,' zei Cooper.
'Luister, schat, ik ben niet jouw reizende secretaresse. Let maar goed op en leer ervan.'
'Laat mij maar rijden,' zei Cooper. Mayvis zat nog steeds achter het stuur met het formulier op de knop van de claxon.
'Wacht even.'
'Laat mij maar,' zei Cooper.
Hij reikte over de bank, lichtte haar op en sleurde haar naar de passagierskant. Toen glipte hij zelf achter het stuur. Mayvis schrok van de snelheid en het gemak waarmee hij dat deed. Ze was nog nooit met zo'n kracht beetgepakt.
'Hé, luister. Je gaat naar dat waslokaal en je knapt je eerst op.'
'Nee.'
'Ik meen het. Als jij je niet opknapt, dan is het over. Dan ga ik naar huis.' Ze richtte haar aandacht weer op het formulier en keek hem expres niet aan. Als je deed alsof je verwachtte dat ze zich gedroegen, kreeg je gewoonlijk je zin, had ze uitgevonden. Als ze hitsig waren, deden ze alles wat je zei. Alleen naderhand deden ze dan moeilijk. Ze kon voelen dat hij haar aanstaarde, maar ze hield haar ogen op het papier.
'Ga nou, lieverd, terwijl ik dit voor je afmaak. Daarna mag jij rijden, oké?' Ze klopte bemoedigend op zijn been, maar hield haar ogen afgewend.
Cooper pakte haar pols. Ze draaide zich naar hem toe om hem voor het eerst aan te kijken. Zijn ogen stonden dof en uitdrukkingsloos. Groot en bruin, maar er stond niets in te lezen. Als de ogen in een masker. Het drong plotseling tot Mayvis door dat ze bang was.
Ze probeerde heel zacht haar hand weg te trekken. Ze wilde niet dat het uitliep op een strijd wie de sterkste was.
'Hoe eerder je gaat, des te eerder kun je rijden,' zei ze. Hij bleef haar aankijken, zonder uitdrukking op zijn gezicht. Mayvis glimlachte zo vriendelijk als ze nog kon, terwijl haar ogen snel om zich heen keken. Ze waren op de parkeerplaats van een hamburgertent, notabene. Er waren overal mensen. Hier kon niets gebeuren, dacht ze. Ontspan je, ontspan je en praat tegen hem. 'Je wilt toch dat ik je formulier invul, lieverd? Ik kan dat niet met één hand.'
Ze wachtte, en keek naar een glimp van herkenning in zijn ogen. Ze leken twee knopen op het gezicht van een pop genaaid. Voor de eerste keer realiseerde ze zich hoe dom de man was. Ze had gedacht dat hij zwijgzaam was, zoals de meeste mannen die ze kende, niet

erg mededeelzaam en duidelijk een beetje langzaam, maar niet echt dom. Ze had verondersteld dat hij een leesprobleem had en daardoor moeite met het formulier had, niet dat hij te dom was om de woorden te begrijpen.

'Coop?' zei ze zacht.

'Wat?'

'Waarom laat je mijn arm nu niet los?'

Cooper keek omlaag naar haar arm alsof hij die voor de eerste keer zag, alsof hij verbaasd was dat die in zijn hand geklemd zat. Hij keek er een ogenblik aandachtig naar.

'Wil je hem loslaten, lieverd?' vroeg Mayvis.

Cooper liet haar los en ze trok haar arm langzaam terug, zo kalm als ze kon.

'Ging je je nu niet wassen, Coop?'

'Huh?'

'Weet je nog, je zei dat je naar het waslokaal daar ging en je ging opknappen zodat we samen een ritje konden gaan maken. Met jou aan het stuur. En hier, schat, je kunt ze ook het formulier geven. Alles is goed ingevuld zodat je die baan weer krijgt.'

'Goed,' zei Cooper. Hij ging de auto uit en Mayvis haalde diep adem van opluchting, maar toen stak hij zijn hand weer naar binnen en trok de sleutels uit het contactslot.

Ze zag hem over de parkeerplaats lopen, de sleutels bengelend aan zijn massieve hand. Haar instinct zei haar te vluchten, de auto in de steek te laten en op te geven en de veiligheid tegemoet te rennen, waar dat ook mocht zijn. Ze kon haar angst niet ontkennen, ze had daar een minuut in doodsangst gezeten en als een man maakt dat je je zo voelt, loop dan als de bliksem voor hem weg.

Toen kreeg haar verstand de overhand. Ten eerste: er was nog niets gebeurd, zei ze tegen zichzelf. Ze had hem in feite kunnen hanteren, hem erg makkelijk onder controle kunnen houden, toen ze zich eenmaal de situatie realiseerde. Hij was dom, niet gevaarlijk. Ten tweede: ze was niet van plan haar auto op te geven. Waarvoor? Het was niet de eerste keer dat een man te lang te vasthoudend was. Ze vertrouwde hem heel wat meer als ze hem kon zien en onder controle kon houden, dan als hij alleen in haar wagen rondreed. Als het niet anders kon, dan moest het. Was ze zo bang dat ze een man een bezit dat duizenden dollars waard was, weggaf, en dan gewoon wegliep? Niets kon haar zoveel angst aanjagen. Het idee om de politie te bellen kwam bij haar op, maar werd binnen een seconde weer verworpen. Ze wist hoe de politie haar zou behandelen. Met haar reputatie zouden ze altijd het ergste veronderstellen. Het was alsof een hoer riep dat ze werd verkracht. Wie zou haar geloven? En waar ging het om? Hij hield mijn pols vast? Ik was bang? Wat zou een politieman voor mij doen? Heb je die man al niet eens geneukt, Mayvis? zouden ze vragen. Kan hij nu je arm niet aanraken? Het zou niet veel beter zijn als je een gestolen auto bij hen aangaf. Het zou hun alleen gelegenheid geven tot alle smerige commentaren die ze maar konden bedenken. Het zou nog erger zijn als ze weer thuis was in Hazard. Ze had met twee van de agenten van het politiekorps daar geslapen en drie anderen waren kwaad op haar omdat ze het niet ook met hèn had gedaan. Ze zag zich die agenten al te hulp roepen.

Cooper keerde bij de auto terug en ze reden weg. De voorkant van zijn gezicht was met water natgemaakt, maar Mayvis kon nog steeds het vuil in zijn nek en in zijn oren zien zitten. Zijn polsen waren gespikkeld als een stoffig stukje grond na een kort buitje.

'Ik ga hard,' zei hij toen ze de snelweg opreden.

'Nou, wat langzamer,' zei ze.

Hij draaide zich naar haar toe en keek helemaal niet meer op de weg.

'Kom op,' zei hij. 'Ik ga hard.'

Toen Mayvis niet in beweging kwam, greep hij haar bij haar haren en trok haar gezicht in zijn schoot. Toen snapte ze het.

Cooper brulde en reed de auto de weg af een pad op, dat niet veel breder was dan de auto. Dennetakken zwiepten tegen de voorruit en achter hen vormde zich een rood-bruine stofwolk.

'Nu moet je je voet hier zetten,' zei Cooper.

'Wat?'

'Zet je voet hier en speel met jezelf zoals eerst,' zei hij. Hij greep haar been en legde die in zijn schoot. 'Doe je hand in je blouse,' zei hij.

'Coop, kunnen we een ogenblik rusten, goed?'

'Doe je hand in je blouse,' zei hij en reikte naar haar arm. Hij smakte haar hand tegen haar borst om haar eraan te herinneren wat ze moest doen. 'Zoals de vorige keer,' zei hij.

'Het hoeft toch niet precies als de vorige keer te zijn,' zei ze. 'Laat het spontaan zijn.'

'Doe het zoals de vorige keer,' zei Cooper.

Hij reed de auto het pad af in een rug van onkruid en laag kreupelhout.

Ze deed heel langzaam haar hand in haar blouse, en hield haar ogen op hem gericht.

'Nou, luister lieverd, ik denk dat je iets vergeet van de vorige keer dat anders was.'

'Nee,' zei hij.

'Ja, wel. Herinner je je niet wat de vorige keer anders was...? Ik zei je de vorige keer wat je moest doen. Weet je het nog? Omdat je er niet over hoefde te denken, had je er al het plezier van.'

'Toen gingen we naar buiten,' zei Cooper alsof hij haar niet had gehoord. Cooper greep de voet die in zijn kruis lag, ging de auto uit en sleepte Mayvis over de bank en liet haar opstaan. 'Daarin,' zei hij, naar de bosjes wijzend.

Hij hield haar bij de arm en liep de bosjes in. Mayvis zei tegen zichzelf kalm te blijven. Alles wat ze moest doen was de volgorde van de vorige keer aanhouden en alles zou in orde komen. Niets zou er met haar gebeuren wat niet eerder was gebeurd.

In een grotere opening tussen de struiken drukte Cooper haar omlaag en deed, terwijl hij over haar gebogen stond, zijn riem los.

'Net als de vorige keer,' zei hij.

'Schat, ik weet echt niet precies meer –'

'Nee,' zei Cooper, ongeduldig zijn hoofd schuddend. 'Zo niet.' Hij manoeuvreerde haar tot hij haar had waar hij haar wilde hebben en drong toen met een grauw bij haar binnen.

'Ik zou je kunnen vermoorden,' zei hij, sneller ademend.

'Nee, schat.'

'Ik kan je hoofd er zo aftrekken.'

Hij legde zijn hand om haar keel maar het was niet goed als ze hem aankeek. Hij hield er niet van als iemand hem aankeek, zelfs al had ze dat de vorige keer wel gedaan. Maar de vorige keer was anders, omdat het zo verrassend was. Deze keer kon hij het op zijn eigen manier doen. Cooper draaide haar om en trok haar omhoog om haar te nemen zoals hij zijn vriendje had genomen.

'Nee, schat,' zei ze. 'Niet zo. Dat doet pijn. Nee, schat.'

'Tijd voor je avonddingen,' zei hij.

Cooper trok haar krachtig tegen zich aan en drong bij haar binnen. Ze schreeuwde, en Cooper glimlachte. Hij verwachtte het aanmoedigende geroep van de andere gevangenen te horen, maar de enige geluiden werden door Mayvis gemaakt.

'Nee!' schreeuwde ze. Ze wrong zich in allerlei bochten in een poging los te komen en haar bewegingen wonden Cooper op. Hij legde zijn hand om haar hals en kneep.

'Ik kan je hoofd er zo aftrekken,' zei hij. 'Ik heb dat eerder gedaan.'

Ze bleef schreeuwen en Cooper verstevigde zijn greep totdat hij haar geschreeuw niet langer kon horen. Toen ze ophield begon hij het bos met zijn eigen kreten te vullen.

Hij dacht dat hij een instemmend koor door de bomen hoorde klinken, de veroordeelden die schreeuwden en gromden uit waardering voor de oude Coop. Het vriendje lag daar gewoon en Cooper gaf hem een duw met zijn voet om hem opzij te krijgen. Het vriendje kreunde, maar bewoog niet. Cooper dacht eraan hem lek te schoppen, gewoon voor de lol. Maar toen bewoog een eekhoorntje in een van de bomen en Cooper keek er een ogenblik naar, geboeid door de manier waarop het zich steeds rond de stam van de boom bewoog, steeds maar zo zenuwachtig en schichtig alsof het al die tijd over zijn schouder had meegekeken.

Na een tijdje drong het tot Cooper door dat hij iets miste en hij legde zijn arm om het middel van zijn vriendje en trok hem op zijn knieën.

'Laten we bidden,' zei Cooper. Het vriendje hing slap in zijn armen. Daarom mepte hij hem tegen zijn hoofd. 'Laten we bidden,' zei hij weer en hij bleef aandringen.

'Lieve Jezus...' fluisterde het vriendje.

Het haar van het vriendje was langer en de sproeten waren weg, en toen drong het tot Cooper door dat het de vrouw was en niet zijn vriendje, maar hij had dat allang geweten, natuurlijk had hij dat. Het was toch niet verkeerd te doen alsof, hield hij zichzelf voor.

Maar hij wilde wel dat het Swann was. Hij zou Cooper kunnen zeggen wat hij nu moest doen. Soms was Swann een kreng geweest, maar dan wel Coopers kreng en op het eind draaide hij altijd weer bij. En hij huilde zelden achteraf. Dit kreng kan beter ook niet huilen. Cooper haatte een huilende vrouw meer dan iets anders.

Cooper zat met zijn rug tegen een boom en trok Mayvis tegen zijn borst. Hij gleed met zijn vingers door haar haar.

'Zeg me dat je van me houdt,' zei hij.

'Ik houd van je,' zei Mayvis.

'Ik houd ook van jou, Swann,' zei Cooper. Maar het klonk niet goed en het voelde niet goed en Cooper voelde woede in zich opkomen. Hij wilde deze vrouw niet aan zijn borst. Hij wilde niet dat zij zei dat ze van hem hield.

Hij bleef met zijn vingers door haar haar strijken omdat het goed voelde, zelfs nu er een razernij in hem groeide en haar lichaam zich geleidelijk tegen het zijne ontspande. Cooper keek naar de eekhoorn en een blauwe vlaamse gaai die het beest uit leek te schelden. Toen de vogel eindelijk wegvloog, werd Cooper zich bewust van een geluid dichterbij. Heel zacht, alsof ze wist dat ze het niet moest doen, huilde de vrouw.

Ze kwam plotseling van zijn borst overeind en draaide haar gezicht naar hem toe.

'Je doet me pijn,' zei ze. Tranen liepen over haar wangen.

Coopers razernij was te groot om nog langer te kunnen beheersen. Hij voelde het uit zijn keel opstijgen naar zijn hoofd, zodat het hem helemaal vulde, zijn ogen, zijn oren, zijn hersenpan volgepropt met razernij. Ik ga haar afmaken, dacht Cooper. Er leek geen andere manier om zijn woede te koelen.

20

Toen Becker en Pegeen bij het vliegveld van Nashville terugkwamen, kwam iemand van de luchtvaartmaatschappij hen tegemoet, die hun vroeg haar te volgen. Ze leidde ze naar een deur waarop stond: Dienst, deed de deur open en liet hen binnen. Ze trok zich rustig terug en liet Becker en Pegeen alleen tegenover hun begroetings-comité. Hatcher stond het eerst op, een en al glimlach en hartelijkheid, alsof hij ze net toevallig had ontmoet.

'John, goed je weer te zien,' zei hij en dan was hij zo verstandig geen poging te doen handen te schudden, maar wendde zich inplaats daarvan tot Pegeen: 'Speciaal agent Haddad? Ik ben directeur Hatcher. Pegeen, is het niet? Leuk je te ontmoeten.'

Pegeen huiverde onwillekeurig bij het horen van Hatchers naam, of, meer nog, bij zijn titel, die hij met grote duidelijkheid uitsprak. Ze merkte wel de andere man en de boos kijkende vrouw achter Hatcher op, maar er was geen twijfel over dat hij de macht in de kamer vertegenwoordigde.

'Hoe gaat het met u, mijnheer,' slaagde ze erin aarzelend te zeggen, maar Hatcher had zich al van haar afgewend. Zijn interesse was niet meer dan een beleefdheid.

De andere man stond op uit zijn stoel achter de conferentietafel. Pegeen dacht dat hij er te zacht uitzag voor een agent. Ze had gelijk.

'Hallo, John,' zei de man.

'Gold.'

'Dat is lang geleden.'

'Dat was de bedoeling,' zei Becker. 'Het zo lang mogelijk uit te stellen.' Toen zei Becker tot Pegeen: 'Mijn psychiater. Of liever een van de psychiaters van het Bureau, degene die zich in mij heeft gespecialiseerd.'

Gold schudde Pegeen de hand en mompelde zijn naam zo beschroomd, dat Pegeen er niet zeker van was of het Murray was, of Maury, of Mary. Becker liep op de vrouw af en kuste haar. Ze leek de kus te accepteren zonder zich onbehaaglijk te voelen, maar ze nam niet de moeite uit haar stoel op te staan. Ze bleef naar Pegeen kijken, en Pegeen wist dat ze in moeilijkheden was.

'Dit is adjunct-directeur Crist,' legde Becker haar uit. 'Ik noem haar Karen, omdat ik met haar samenwoon.'

De vrouw knikte koeltjes naar Pegeen en Pegeen begreep de reden van de vijandigheid van de vrouw. Ze zette het lichte gevoel van verraad van zich af als ongerechtvaardigd en niet relevant. Hij had geen reden me te vertellen dat hij getrouwd was of dat hij met iemand samenleefde of wat dan ook, dacht ze. We waren gewoon aan het werk. Ik heb hem ook niet verteld of ik getrouwd ben. Maar ik had dan ook niets interessants te vermelden. Hij wel, maar hij gaf er zelfs geen aanwijzing voor. En wat betekende dat? Pegeen waarschuwde zichzelf aandacht te schenken aan de zaak die aan de orde was. Ze had natuurlijk van Karen Crist gehoord. Er waren maar weinig vrouwen bij het Bureau die hoger in rang waren, en niemand was zo snel, zo ver gekomen. Alle jongere vrouwen in de organisatie letten geboeid en geïnspireerd op iedere beweging van haar. Maar ze was niet alleen een uitblinker en een voorbeeld, realiseerde Pegeen zich. Ze was ook een jaloerse vrouw. Dat betekende een mogelijk gevaarlijke. Pegeen besloot heel omzichtig te werk te gaan.

'Ik dacht dat we de gelegenheid te baat moesten nemen om te zien hoe alles verloopt,' zei Hatcher.

'Wat voor gelegenheid is dat?' vroeg Becker. 'Het feit dat we hier allemaal toevallig op het vliegveld van Nashville zijn? Je hebt gelijk, dat is een behoorlijk goede gelegenheid.'

Hatcher leunde achterover in zijn stoel, zijn glimlach nog steeds op zijn gezicht. Hij was erop voorbereid anderen de bijeenkomst te laten leiden. Hij had hun daarvoor zijn instructies gegeven voor het geval Becker zich verzette tegen Hatchers methoden.

Karen boog licht naar voren. 'Wat gebeurde er in het gesprek met Swann, John?'

Becker tastte de drie aan de andere kant van de tafel zeer nauwkeurig af voordat hij begon te praten. Pegeen dacht dat hij de blik had van een opgejaagd dier, die overwoog welke van zijn achtervolgers hij het eerst aan zou vallen.

Hij begon met Gold.

'Wat is er aan de hand Gold?'

'Nou...' Gold keek Hatcher aan en toen Karen. Hij haalde zijn schouders op. 'Ik ben in principe hier om met je te praten voor het geval je... voor het geval je met mij wilt praten.'

'Ik wil niet met je praten.'

'Nou...'

'We luisterden naar dat gesprek, John,' zei Karen.

'Jullie hadden afluisterapparatuur in die gevangeniskamer?'

Hatcher bestudeerde, nog steeds glimlachend, zijn nagels.

'Dat besluit was genomen,' zei Karen.

'En ik vraag me af wie dat genomen heeft?' vroeg Becker. Hatcher keek niet op. 'Een nieuw dieptepunt, Hatcher.'

'Er zijn een paar dingen in dat gesprek waarvan we graag uitleg zouden willen hebben,' zei Karen.

Becker negeerde haar en richtte zich tot Hatcher: 'Niet omdat je me hebt afgetapt zonder dat ik het wist, maar omdat je mijn vrouw deze ondervraging laat leiden.'

'Ik wist niet dat je getrouwd was,' zei Hatcher. 'Gefeliciteerd.'

'We zijn niet...' zei Karen.

'Ik noem haar mijn vrouw,' zei Becker.

'Ik heb er geen moeite mee deze ondervraging te leiden,' zei Karen. 'Als jij je niet op je gemak voelt, John, dan –'

'Je richt je niet tot agent Becker als tot je man, hè? vroeg Hatcher doodleuk.

'Nee,' zei ze.

'Je ziet waardoor ik in de war werd gebracht,' zei Hatcher. Hij hief zijn handen een beetje op als om te laten zien dat ze brandschoon waren. 'Mijn verontschuldiging tegenover jullie.'

'Niet nodig, mijnheer,' zei Karen. Ze richtte zich tot Becker: 'We hadden een lijntje in die gespreksruimte in de gevangenis. We hadden geen camera. Sommige delen van dat gesprek leken tamelijk tweeslachtig en we dachten dat het het beste was enkele dubbelzinnigheden op te klaren.'

'Je klonk nogal vijandig tegenover die man,' bracht Gold naar voren. 'Gebeurde er iets dat we niet op de band konden krijgen?'

Becker keek Gold dreigend aan. Pegeen kon zien dat de psychiater onder die blik duidelijk de moed verloor.

'Misschien kunnen we dat beter onder vier ogen bespreken,' zei Gold.

'Was er bij je terugkomst uit Springville een vertraging?' vroeg Karen.

'Had je ook een stopwatch voor me?'

'Misschien kan agent Haddad ons hier helpen,' zei Hatcher, en zijn glimlach werd breder. Hij trok zijn wenkbrauwen op als een stille vraag.

'We, eh, maakten een niet voorziene stop, mijnheer.'

'Oh, werkelijk?'

Pegeen keek vlug naar Becker om een aanwijzing hoe ze verder moest gaan. Hij bleef zijn blikken in Hatcher boren. Van zijn kant was de man zich alleen maar bewust van Pegeen.

Je liegt niet tegen een directeur, dacht Pegeen. Wat je ook doet, zo stom moet je niet zijn. Dan gaat je carrière eraan.

'We stopten bij het Hi-Ho motel,' zei ze. Ze voelde zich of ze net de kamer binnengekomen was en in een koeievlaai was gestapt. Ze had nu hun aandacht.

'Het Hi-Ho motel,' herhaalde Karen toonloos.
'Dat is een – eh – snelweg hotelletje. Net buiten Springville.'
'Ik wilde een douche nemen,' zei Becker.
'Ik begrijp het,' zei Hatcher.
'Nee, dat doe je niet.'
'En wat deed jij terwijl agent Becker een douche nam?' vroeg Hatcher.
'Ik wachtte op hem, mijnheer.'
'Waar?' vroeg Karen.
Dat doet de deur dicht, dacht Pegeen.
'Pardon?'
'Ik denk wat adjunct-directeur Crist vraagt, is: "Waar wachtte je,"' opperde Hatcher ongevraagd.
'In de motelkamer, mijnheer... Dat leek het beste.' Ze voelde haar oren lichtjes rood worden. Weer verraden door haar eigen uiterlijk.
'Ik begrijp het,' zei Hatcher knikkend.
'Dat was mijn opdracht,' zei Pegeen, en ze realiseerde zich dat ze het hiermee nog erger maakte.
'Wat was dat?' vroeg Karen.
'Om agent Becker in het oog te houden.'
'Je opdracht was hem te rijden,' zei Karen.
'Er was mij ook gezegd hem te helpen bij alles wat hij nodig had,' zei Pegeen.
'Had je het gevoel dat hij hulp nodig had in de douche?' vroeg Hatcher. Hij heeft er plezier in, drong het tot Pegeen door. Hij vindt het leuk me te zien kronkelen. 'Niet speciaal in de douche, mijnheer, nee.'
'Ik had haar gezegd binnen te komen,' zei Becker. 'Laat haar met rust – zij heeft hier niets mee te maken.'
'Waarom dacht je dat hij hulp nodig had?' zei Gold. Zijn toon was oprecht meelevend en Pegeen vond hem meteen aardig. 'Was hij in de war?'
'Ja, ik was in de war,' zei Becker. 'Ze deed het precies goed. Ik was in de war en zij wilde er zeker van zijn dat het met mij in orde was.'
'Ik begrijp het,' zei Hatcher.
'Je hebt nog geen reden,' zei Becker.
'Waar was je door in de war?' vroeg Karen.
'Ik was in de war omdat ik werkte voor Hatcher,' zei Becker. 'Ik had bij mezelf gezworen dat nooit meer te doen, maar daar zat ik dan in de gevangenis met een ziek, klein, jong hondje dat mijn hand likte en ik voelde me zo vies dat ik het niet kon uithouden. Dus nam ik een douche. Nou, als je nu agent Haddad hier niet buiten houdt, Hatcher, zeg ik jou niet wat je wilt weten. Begrijp je dat?'

Hatcher wendde zich tot Pegeen, zo mogelijk nog huichelachtiger glimlachend dan tevoren.
'Ik denk dat dit alles is voor het ogenblik. En dank je wel.'
Pegeen voelde aller ogen in haar rug toen ze de kamer uitliep, maar ze dacht dat ze die van Karen Crist apart kon voelen. Dat waren de ogen met dolken aan het eind.

Gold schraapte zijn keel, maar het was Hatcher die sprak.
'Nu, John. Je hebt je zin. Je hebt wat je gevraagd hebt. Ik vraag me af of je ons nu kunt vertellen wat jij denkt dat ik wil weten.'
'Je hebt de banden afgeluisterd, wat denk je?'
'Ik was er niet bij, John. Ik heb de man niet gezien.'
'Waarom ga je er niet naartoe? Hij zal blij zijn je te zien. Ik denk niet dat hij genoeg bezoek krijgt.'
'Maar ik hoef niet te gaan, John. Jij hebt dat al gedaan. Jij bent de expert op dit speciale terrein, heb je me verteld. Zijn we de moordenaar van die meisjes in de kolenmijn op het spoor? Kan deze Swann ons helpen hem te vinden?'
'Als jij hem geeft wat hij vraagt, zal deze man Swann je helpen Jimmy Hoffa te vinden.'
'Jij adviseert dus dat we met hem samenwerken?'
'Ik adviseer dat jij met hem samenwerkt. Ik wil niets meer met hem te maken hebben.'
'Je lijkt een – onaangename – ervaring te hebben gehad. Dat spijt me. Ik had gehoopt dat je misschien terug had willen komen om full-time te werken.'
Voor Becker hem van repliek kon dienen, onderbrak Karen hem: 'We willen alleen jouw oordeel over Swann als bron, John. Dat is belangrijk.'
'Waarom?'
In de stilte die volgde keken Karen en Hatcher elkaar snel aan. Gold schoof ongemakkelijk op zijn stoel.
'Nou, sommigen van ons delen natuurlijk niet jouw zienswijze op moord die je tegenover mijnheer Swann tot uitdrukking bracht. Wat stelde dat voor? Iedereen vermoordt iedereen, dus wat maken een paar moorden meer uit? Dat is bij wijze van spreken, natuurlijk. Een heel merkwaardige houding voor een politieman die de wet moet handhaven, John, hoewel ik weet dat je me onmiddellijk zou zeggen dat je geen politieman meer bent. Niettemin, deze man, Cooper, lijkt heel wat mensen vermoord te hebben en misschien vermoordt hij er nog veel meer, en ben ik de eerste die hem graag zou willen tegenhouden.'
'Cooper is de celgenoot?'
'Darnell Cooper,' zei Karen. 'Hij zat vijf zware jaren, voor opzettelijke geweldpleging, vroeg nooit om voorwaardelijke invrij-

heidstelling, zou dat ook niet hebben gekregen, en werd drie weken geleden vrijgelaten. Hij dook nooit op voor een gesprek met de ambtenaar van de voorwaardelijke invrijheidstelling.'

'Verdwenen?'

'Zonder een spoor achter te laten, tot nu toe. Maar we hebben nog niet zo lang gezocht.'

'Alleen na mijn ontmoeting met Swann, of begon je er meteen mee?'

'Pas sinds je gesprek.'

Becker knikte. 'Nou, veel geluk dan.'

'Dank je John,' zei Hatcher. 'Je bent erg behulpzaam, op jouw eigen manier dan, zoals altijd. Ik heb nog andere dingen te doen, ik ga dus nu weg, maar ik ben er zeker van dat je nog het een en ander te bespreken hebt met dr. Gold en adjunct-directeur Crist... Wat ik nog zeggen wil, adjunct Crist, kun je een ogenblik met mij mee komen. Je hebt meer toegang tot agent Becker dan de rest van ons, en ik verwacht dat er een paar dingen zijn die je met hem wilt opklaren, maar als je nu even met mij mee wilt komen... Nou, prettig je weer ontmoet te hebben, John.'

Becker leunde voorover in zijn stoel en bestudeerde de vloer nadat Hatcher en Karen weg waren gegaan.

'Wat is er?' vroeg Gold.

'Ik kijk of hij echt een slijmspoor achterlaat.'

'Hij is mijn baas, John. Karen ook, wat er meer toe doet. Wat bereik je ermee hem op die manier te behandelen?'

'Dan komt er wat venijn uit. Dat willen jullie psychiaters toch van ons? Het venijn eruitgooien?'

'Het maakt Karens baan heel wat moeilijker. Als jij je niet wilt gedragen als zij in de kamer is –'

'Wanneer dan wel? Is dat de rest van je zin? Karen is een geweldige meid, Gold. Ze is veel beter in dat gekonkel bij dat alles dan jij of ik. En kun jij je voorstellen wat er zou gebeuren als ik aardig en volgzaam en, God sta me bij, beleefd tegen Hatcher zou zijn als zij in de buurt is? Weet je wat dat voor haar zou betekenen? Het zou maken dat Hatcher denkt dat ze mijn oppasser is. Hij zou elke keer als er iemand met mij zou praten haar erbij halen. Hij zou iedere beweging van mij door haar in de gaten laten houden. En als ik me zou verzetten, en we weten allebei dat dat niet lang zou duren, zou het haar mislukking lijken. Ze is heel wat beter af als ik Hatcher duidelijk maak dat zij mij ook niet in toom kan houden.'

'Dat is een interessante benadering. Je houdt je vrijheid. Karen houdt de hare. Ziet Karen dat ook zo?'

'Waarom ben je hier, Gold?'

'Mij werd meegedeeld te komen, John. Rechtstreeks door Hatcher.'

'Voor of nadat je de banden afluisterde?'
'Daarna.'
'Waarom? Wat is er zo belangrijk aan deze zaak?'
'Je weet dat ze mij dat niet verteld hebben – Ik ben maar een psychiater. Ik bemoei me niet met het werk aan een zaak. Ik ben alleen maar hier voor jou, vanwege onze relatie.'
'Wat betekent dat?'
'Voor het geval je het nodig vond met mij te praten. Je klonk nogal in de war op de band.'
'Hatcher liet je dus peilsnel naar Nashville komen om mijn geestesgesteldheid te controleren? Gewoon uit goedhartigheid?'
'Ik weet niets van zijn goedhartigheid. Je bent heel waardevol voor hem.'
'Wat een beangstigende gedachte.'
'Wil je erover praten, John? Over het gesprek?'
'Niet speciaal.'
'Maar je wilde nooit speciaal met mij praten, toch?'
Becker lachte. 'Heb je dat gemerkt?'
'Je hebt hier en daar een hint gegeven... Swann raakte je op een of andere manier, hè?'
'De plaats trof me. De situatie. Hem ook, misschien. Ik voelde – ik voelde alsof ik er niet weg kon.'
Gold knikte. 'Ik weet niet wat dat is, want ik ben nog nooit in een gevangenis ontboden.'
'Hou dat maar zo.'
'Ja, laten we hopen... Wat voor soort man is hij?'
'Klein.'
'Je weet wat ik bedoel.'
'Dat doe je niet. Luister, Gold. Vraag me niet iemand in de gevangenis te beoordelen. Al die tijd dat ze er zijn, spelen ze een rol, allemaal, iedereen. Ze durven nog geen seconde hun waakzaamheid op te geven of hun masker te laten vallen. Eén verkeerd woord, één verkeerde blik, en iemand ziet het, omdat, geloof me, iedereen je in de gaten houdt. Overal. Er zijn alleen maar ogen, overal om je heen. Je weet hoe aasgieren te werk gaan? Ze komen niet naar beneden om een gezond dier te zien lopen. Ze verspillen geen energie. Als je door een woestijn trekt, doet het er niet toe of je echt stervende bent. Als je kunt doen alsof je gezond bent, komen ze niet bij je in de buurt. Maar als je mank loopt of strompelt of je hoofd laat hangen, zien ze dat op kilometers afstand. Het belangrijkste in de gevangenis is om te zijn wat ze van je verwachten dat je bent. Je vindt je rol in de eerste week, en die kun je het beste volledig spelen, anders ga je eraan. Verwacht dus niet een goed beeld van een gevangene te krijgen. Hij speelt een rol.'
Gold zweeg een ogenblik. Niet voor de eerste keer vroeg hij zich

af waar zijn gezonde verstand zat dat hij koos te werken met mensen waarmee hij weinig affiniteit had, die werkten onder gevaren, die hem onbekend waren. Ieder van hen wist meer over gevaar en angst en overweldigende vrees dan hij ooit zou weten, hoe lang hij ook naar hen zou luisteren. En Becker kende uiteraard, al die tijd die ze samen doorgebracht hadden, de demonen en duivels en het schimmenrijk van de hel. Daar had Gold nog nooit van gedroomd en daar was hij dankbaar voor. En toch, zelfs nu ze niets gemeen leken te hebben, voelde Gold een genegenheid voor Becker die uitsteeg boven de relatie dokter-patiënt. Hij dacht dat Becker hem ook wel mocht.

'Kwam het weer bij je terug tijdens dat gesprek, John?'

'Wat kwam er terug?'

'Het... gevoel dat je soms hebt. Waar we aan gewerkt hebben.'

'Hebben we daaraan gewerkt, Gold? Dat oude gevoel?'

'Zo was het toch? Je wilde hem kwetsen, toch? Is het dat wat je in de war bracht? Moest je daarom onder de douche? Omdat hij dat gevoel weer bovenhaalde? Of liever, de gevangenis deed het, de omstandigheden, de claustrofobie...'

'Je hebt het op twee punten verkeerd, verder heb je gelijk.'

'Welke twee?'

'Ten eerste: het gesprek, de claustrofobie, of wat dan ook – bracht het gevoel niet terug, omdat dat gevoel nooit echt weg was, nooit weg is. Je zou meer twaalf-stappencursussen moeten volgen, Gold. Je moet weten dat oude gewoonten niet verdwijnen, ze kunnen alleen onder controle gehouden worden.'

'En verder?'

'Je hebt het mis op het tweede punt. Ik had niet het gevoel dat ik hem wilde kwetsen... Ik had het gevoel dat ik hem wilde afmaken... Maar dat weet je, toch?'

'Ja, dat weet ik,' zei Gold.

Becker vertrok spottend zijn mondhoeken. 'Wat aardig om begrepen te worden,' zei hij.

Karen hulde zich de halve vlucht naar New York in stilzwijgen, en besteedde haar aandacht aan dossiers en het typen van memo's op haar lap-topcomputer. Becker was dankbaar voor die vreedzame onderbreking. Hij wist dat hij te zijner tijd verantwoording moest afleggen voor zijn stop met Pegeen in het motel. Karen was niet achterdochtig. Hij had er haar ook nooit aanleiding toe gegeven, maar vertrouwen veranderde op een bepaald punt in onverschilligheid en hij wist dat Karen niet onverschillig tegenover hem stond. Ze had haar carrière gebaseerd op het beheersen van details, en ze zou al de bijzonderheden van dat bezoek aan het motel willen weten, zo gauw ze eraan toe was ernaar te vragen.

Becker deed alsof hij sliep en viel toen echt in slaap. Karen maakte hem wakker toen ze New York naderden.

'Je zult wel blij zijn te horen dat Hatcher je van de zaak heeft ontheven.'

'Oh?'

'Dat wilde je toch? Daarom heb je je bij Swann zo gedragen.'

'Hoe?'

'Door hem te slaan.'

'Ik sloeg hem niet.'

'Hij zei dat je het wel deed. Hij vroeg om medische hulp toen jij weg was.'

'De kleine klootzak.'

'Zonder twijfel. Maar hij denkt ook over een proces. Ik denk niet dat hij dat doorzet – Hatcher wil hem op een of andere manier sussen.'

'Waarom bemoeit hij er zich zo mee, Karen? Wat wil Hatcher met deze zaak? Zou het hem iets opleveren? Hij opereert op een veel te grote schaal om een man te grijpen.'

'Als je een en al ambitie bent zoals Hatcher, probeer je overal voordeel uit te halen, maar in dit geval was het niet moeilijk. Van een van de twee meisjes die in de kolenmijn werden gevonden was Quincy Beggs een oom.'

'Nooit van gehoord.'

'Niemand had nog van hem gehoord toen zijn nichtje verdween, hoeveel, tien jaar geleden? Hij stelde zich dus kandidaat voor een erg agressief platform voor recht en orde en werd tot Congreslid gekozen voor West Virginia.'

'Toch heb ik nooit van hem gehoord.'

'Maar Hatcher wel. Vierde termijn Congreslid Beggs is lid van het Comité van Toezicht, het comité van het Congres dat zich met ons budget bezighoudt en rechtstreeks met bepaalde benoemingen op het hoogste niveau. Daar heb je toch wel van gehoord?'

'Hatcher heeft dus een kans om Beggs de moordenaar van zijn nichtje te leveren. Geen wonder dat hij er zo bij betrokken is.'

'Ik dacht gewoon dat je blij zou zijn te horen dat je ervan ontheven bent,' zei Karen.

'En jij bent er nog steeds bij.'

Karen haalde haar schouders op.

'Dat spijt me echt,' zei hij.

'Ik red me wel.'

'Het spijt me dat het zo moet.'

Karen richtte haar aandacht weer op haar computer. Becker legde zijn hand op haar arm. 'Het was echt alleen maar een douche...'

'Dat geloof ik wel, echt.'

'Goed... Er gebeurde helemaal niets. Ze is gewoon een agent.'

Karen glimlachte geduldig. 'Het spijtige is dat je dat waarschijnlijk gelooft ook... Mannen...'

'Wat bedoel je daarmee?'

'Iets "gebeurde" er met haar, of jij dat nou gemerkt hebt of niet. Ik zag de manier waarop ze naar je keek. En zij weet dat ik dat gezien heb.'

'Er was niets bijzonders aan de manier waarop zij naar mij keek of aan de manier waarop ik naar haar keek of de manier waarop Hatcher naar jou keek of in welke combinatie dan ook,' zei Becker.

Karen schudde minzaam haar hoofd. 'John, je bent op je eigen manier een heel aardige man, maar je begrijpt niets van vrouwen.'

'Ik was erbij, Karen. Er gebeurde niets, er werd niets gezegd, er werd niets gesuggereerd. Ik deed niets om haar te verleiden, zij deed niets om mij te verleiden. Ik heb me tot het uiterste ingespannen om haar als iedere andere agent te behandelen. Ik zou ook een man niet in de auto hebben laten zitten –'

'Je begrijpt het ècht niet hè?'

'Er is niets te begrijpen.'

'Je hebt geen douche genomen omdat je een overdreven drang hebt voor schoon zijn. Je nam een douche omdat je je heel erg bevuild voelde door je ontmoeting met Swann, zo is het toch?'

'Ja.'

'En je liet dat aan haar merken. Je liet haar zien hoe kwetsbaar je bent onder dat uiterlijk van superagent. Dringt het niet tot je door hoe aantrekkelijk dat is, John? Als je je kwetsbaarheid deelt met een vrouw, vatten wij dat op als intimiteit. Voor haar hadden jullie een heel intiem moment samen. Niet omdat zij in de kamer ernaast was terwijl jij een douche nam, maar vooral omdat je haar liet merken dat je het nodig had.'

'Zo werkt het toch niet echt, hè?' vroeg Becker.

'Bij mij werkt het zo,' zei ze. Ze pakte zijn hand en hield die vast tot ze landden.

21

Nahir Patel was bij het vierde hoofdstuk van *De duivelsverzen* toen de afgebeulde Oldsmobile zijn benzinestation binnenreed. Nahir vond zichzelf niet zo'n heel erg goede moslim. Zijn moeder had hem tot midden in zijn tienerjaren naar de episcopale zondagsschool gesleept en kon zelf aardig rebelleren en zijn vader leek helemaal geen geloof te hebben, behalve een afkeer van varkensworst. Ze gingen als familie alleen naar een moskee – wat een reis naar Memphis vereiste – als ze familieleden op bezoek hadden. Nahir zelf was afgegleden naar een vaag geloof in een in wezen onverschillige Schepper tot wie men zich in noodsituaties om steun kon wenden, maar die men verder negeerde. Hij had ontdekt dat dàt, met lichte variaties, het Amerikaanse basisconcept was van God, voornamelijk gebaseerd op gewoonte, en zonder dat het om nadenken vroeg. Op zijn best was het een onderhoudsvrij geloof, kneedbaar genoeg om een grote verscheidenheid aan variaties te omvatten – hij kende een meisje dat dacht dat God zich in de dieren openbaarde – terwijl het absoluut niets van de gelovige vroeg. De islam daarentegen, stelde enkele strenge eisen, voor Patel was de moeilijkste daarvan nog het geloven.

Patel kon echter, hoewel hij een echte niet-moslim was, niet helpen dat hij een stiekeme, om niet te zeggen enigszins gevaarlijke, opwinding voelde onder het lezen van het werk van een man die door een groot deel van de islam wegens ketterij ter dood was veroordeeld. Het leek zoiets als vrijwillig onder een ladder doorlopen of een spiegel breken, gewoon om te bewijzen dat je niet bijgelovig was. Verstandelijk geredeneerd was er geen gevaar, toch nam men niet zulke onnodige risico's zonder het gevoel van een aanlokkelijke vergoeding.

Een man die groter leek dan de auto zelf kwam de Oldsmobile uit en stond even peinzend bij de benzinepomp te kijken. Nahir bekeek hem met een half oog en vroeg zich een ogenblik af of er tegenwoordig nog steeds mensen waren die niet begrepen dat je eerst moest betalen voor je benzine kreeg. De instructies waren met grote letters geschreven, maar op een of andere manier slaagden sommige mensen er nooit in ze op te merken. De grote man stak de slang in de tank van zijn auto en kneep, keek naar de pomp en kneep een beetje harder.

Nahir keerde naar zijn boek terug. Hij had nu zes maanden gewerkt van vijf uur tot middernacht en had in die tijd alle soorten domkoppen gezien. Uiteindelijk snapten ze het allemaal en kwamen naar hem, in zijn plexiglazen hok, toe. Hij had een microfoon tot zijn beschikking voor het geval hij de klant wilde helpen, maar hij besloot die niet te gebruiken. Zijn dienst zat er bijna op en hij wilde nog een stukje verder lezen. Thuis hield hij het boek uit het zicht. Hij wilde niet het risico lopen enige atavistische orthodoxie op te roepen bij een van zijn ouders. Hij dacht dat ze – voor ouders tenminste – modern waren, maar het leek niet nodig dat te benadrukken. Hij had tenslotte tijd genoeg om tijdens zijn werk te lezen.

De grote man had eindelijk Nahir in zijn hokje in de gaten gekregen.

'Ik wil benzine,' zei hij.

Zo, dacht Nahir. Het zal niet waar zijn. Hoewel hij thuis opgevoed was om beleefd te zijn, had hij gemerkt dat de geïsoleerdheid van het hokje tot een graad van brutaliteit leidde, die alleen maar ingegeven kon worden door absolute veiligheid. Niemand kon hem aanraken in zijn kleine hokje. Het glas was zelfs kogelvrij. Het leek niet nodig beleefd te zijn, als het ergste wat door zijn onbeschoftheid kon gebeuren, een kwaaie blik en een smerige opmerking was. Wat zouden ze kunnen doen, zonder benzine wegrijden? Een paar deden dat, maar als iemand van hen hem ooit bij de manager had aangegeven, dan had hij er nooit wat van gehoord.

'Je moet eerst betalen,' zei Nahir en hij deed geen poging zijn minachting te verbergen.

De man leek verbijsterd door die opmerking.

'Ik wil benzine,' zei de man en dan alsof hij iets moest verduidelijken: 'Voor mijn auto.'

Nahir deed opzichtig of hij de auto voor de eerste keer zag. 'Oh, voor je auto! Waarom zei je dat niet eerder?'

De man knikte: 'Benzine voor mijn auto.'

Ongelofelijk, wat een imbeciel, vond Nahir.

'Eerst betalen,' zei hij. Hij keerde terug naar zijn boek. Laat die sufkop het zelf maar uitzoeken, of niet.

De man keek hem nors aan. 'Daar houd ik niet van,' zei hij.

Nahir zuchtte diep en keek van zijn boek op. Hij liet de man merken hoe moe hij van het hele gesprek was. Hij zette de microfoon aan zodat zijn woorden de nacht inklonken.

'Waar houd je niet van? Van betalen? Sorry, meester, zo werkt het nu eenmaal. Eerst betalen, dan benzine.'

'Ik houd niet van de manier waarop je tegen me praat,' zei de man.

Nahir boog voorover, drukte zijn gezicht tegen het glas en grinnikte neerbuigend.

'Ik ben hier niet om met jou te praten. Ik ben hier om een schakelaar om te zetten waardoor jij benzine kunt tappen, nadat je ervoor betaald hebt. Begrepen? Te moeilijk? Jij. Geld. Aan mij geven. Ik. Benzine. Aan jou geven.'

'Ik zou je kunnen vermoorden,' zei de man.

Nahir meesmuilde.

'Oh,' zei hij. 'Oh.'

De man sloeg met zijn vuist tegen het plexiglas vlak voor Nahirs gezicht.

Nahir trok zich geschrokken terug en de man sloeg nog eens en nog eens tegen de glasruit. Hij trof het glas met de kracht van een knuppel.

'Hé,' schreeuwde Nahir. 'Hé, kalmeer een beetje.' Hij keek om hulp zoekend naar buiten de nacht in. Het benzinestation stond in het onechte licht van natriumlampen, maar buiten die oase was een woestijn van duisternis.

De man schopte tegen het metaal onder het glas van het hokje. Nahir hoorde de slagen alsof hij midden in een drum zat. Er was al eerder tegen het glas geslagen, maar niemand had nog het metaal aangevallen. Hij wist niet hoe sterk het was. Hij hoopte dat het sterk genoeg was. Ze zouden het zo toch niet gebouwd hebben als het niet sterk genoeg was?

De man smeet nu zijn hele lichaam tegen het hokje. Hij beukte met zijn rug en schouders en zette zijn hele gewicht achter de slagen. Het hokje trilde en schudde. Nahir dacht dat hij het geknars van meegevende bouten hoorde. Hij werd aangevallen door een orkaan van woede en die storm had zijn weg gebaand naar de deur van het hokje. De deur werd dicht gehouden door een grendel maar die was alleen vastgezet met schroeven. De deur bood weerstand, maar bezweek toen de man eerst aan de deurkruk rukte en zich er toen tegenaan smeet. Nahir zag hoe de schroeven wegsprongen en de reus het hokje binnenschoot.

'Ik geef je benzine,' schreeuwde Nahir. 'Hou alsjeblieft op! Ik geef je benzine. Doe je tank vol, doe je tank vol!'

Pas toen Nahir aan de microfoon dacht en zijn stem door de lege nacht van Chattanooga schalde, leek de man hem te horen.

'Gratis benzine!' riep Nahir, nu angstig schreeuwend. 'Gratis benzine!'

De reus hield op en knikte eens alsof hij dat redelijk vond, keerde toen naar zijn auto terug en zette de slang aan. Hij lette meer op de pomp dan op Nahir.

Toen de reus niet keek, draaide Nahir 911 en riep, over zijn toeren fluisterend, om hulp. De enorme imbeciel kwam naar het hokje terug en Nahir hing vlug op.

'Je hoeft niet te betalen, je hoeft niet te betalen,' zei Nahir, de man wegwuivend.

'Ik wil wat geld,' zei de man. Zijn stem was volkomen kalm, alsof het de meest gewone vraag was.

'Ja, mijnheer, hoeveel wilt u hebben?'

Oh, nee, ik breng hem in de war, dacht Nahir. De reus was echt aan het denken over hoeveel.

'Waarom geef ik u niet alles?' vroeg Nahir.

'Ja.' De man knikte.

Nahir maakte de geldla open en nam de helft van het geld eruit. Het schoot hem te binnen dat hij de rest in zijn zak kon stoppen en zeggen dat alles was gestolen. De reus was vast te dom om het verschil te merken. Nahir was trots op zichzelf dat hij zo snel zijn gedachten weer bij elkaar had, ondanks de ongelofelijke stress. Hij had een moeilijke situatie een positieve wending voor zichzelf gegeven.

Hij legde het gedeelte van het geld voor de reus in het draaivak en draaide het naar buiten.

'Dat is alles wat ik heb,' zei Nahir.

'Dat is goed. Dank je.'

'Nee, ik dank u.' Een ogenblik dacht Nahir dat zijn reactie te veel was, dat de imbeciel daarop zou reageren, maar hij liep naar zijn auto en startte die. 'Je komt nog wel terug hoor?' zei Nahir met de nasale klank van de streek in zijn stem.

Nahir wiebelde met zijn vingers in een parodie op gewuif, maar verstijfde toen het tot hem doordrong dat de man zijn auto in de achteruit had gezet en heel snel recht op het hokje af kwam.

Cooper dacht dat hij iets aan de Oldsmobile moest doen. De achterkant was lelijk beschadigd nadat hij over de verwaande bediende van het benzinestation was gereden en het klonk alsof er iets tegen de band schuurde. Hij kon er een pikken van iemand anders, maar niet zo laat op de avond, tenzij hij echt geluk had en net iemand in of uit zijn wagen zag stappen. Hij had nooit geleerd een auto te stelen zonder de sleutel. Iemand had het hem eens geprobeerd uit te leggen, maar Cooper vond het verwarrend en veel te veel moeite als alles wat je echt moest doen was iemands sleutel afpakken. Hij besloot tot de morgen te wachten wanneer een heleboel mensen in en uit hun auto gingen en daarna zou hij teruggaan naar die Dairy Queen, waar hij dat meisje had gezien. Het was een schattig meisje met leuk gevlochten haar. Ze leek helemaal niet op Mayvis, maar ze glimlachte als ze zijn bestelling aannam en ze leek echt behulpzaam. Hij vroeg zich af of hij haar zover kon krijgen dat zij hem hielp zoals Mayvis deed en misschien zou ze dan ook enkele van die andere dingen doen die Mayvis voor hem deed. Hij had al een goed plekje in het bos gevonden waar hij haar kon pakken.

22

De eerwaarde Tommy had zich meer dan gewoon geërgerd toen hij tenslotte naar zijn trailer terugkeerde na de steeds verder uitdijende bijeenkomst met fans en bekeerlingen, die na de eigenlijke reveil-bijeenkomst plaatsvond. Hij had Aural nooit de echte genezing moeten laten doen. Nu zij hem hielp bij het opleggen van de handen, konden de mensen niet genoeg van haar krijgen.

'Heb je haar vanavond gezien?' Rae hoefde hij niet te zeggen dat hij Aural bedoelde.

'Tijdens de show? Natuurlijk.'

'Nee, niet tijdens de show. Daarna – heb je haar daarna gezien?'

'Nee, schat. Ik heb me hierheen gehaast om me voor jou klaar te maken.' Rae droeg een nieuwe magenta teddy en hield die, in de hoop op een reactie, met beide handen op. Ze dacht niet dat het de beste kleur bij haar uiterlijk was, maar Aural had haar geholpen om er een te vinden die lang genoeg was om het dikste gedeelte van haar dijen te verbergen en die kon ze alleen in magenta krijgen.

'Nou, je zou niet geloven wat ze nu uithaalde,' zei hij, zonder aandacht te besteden aan haar lingerie.

'Wat dan?' vroeg Rae op haar hoede. Tommy verwachtte dat Rae zijn verontwaardiging over de steeds meer toenemende populariteit van Aural zou delen, maar Rae mocht Aural niet alleen, ze voelde zich ook steeds meer aan haar verplicht vanwege haar tips hoe ze Tommy tot haar seksslaaf kon maken. Zijn onderworpenheid was nog lang niet volledig, maar Rae voelde dat ze vorderingen maakte. Hij had de teddy nog niet opgemerkt, maar dat zou hij later wel doen als hij die bij haar uittrok.

'Ze stond op een kist,' zei Tommy. 'Kun je dat geloven? Een verdomde kist.'

'Stond ze op een kist?'

'Snap je het niet? De kist maakt haar groter, groter dan iedereen. Daar staat ze dan, met haar hoofd boven iedereen uit, haar verdomde snuitje stralend alsof ze een engel is. Ze gedraagt zich zo al genoeg òp het podium. Het laatste waar ik behoefte aan heb is dat ze met een kist rondsjouwt, zodat iedereen ook buiten het podium naar haar kan staren.'

'Denk je dat het haar kist was?'

'Natuurlijk was het háár kist, Rae. Zie je normaal na de show kisten buiten de tent? Kisten groeien niet gewoon uit de grond, ze zijn er niet ineens. Zij zette hem daar neer. Zij zette dat verdomde ding zo dat ze groter zou zijn dan ik.'

'Misschien heeft iemand hem voor haar meegebracht? Een van haar fans?'

'Niemand van míjn fans komt met een kist hierheen, Rae, is het wel? Dat soort dingen brengen de mensen niet mee als ze naar een show gaan. We verpakken hier geen sinaasappelen, weet je. Hoe komt het dat je haar kant kiest, hoe komt het dat je haar altijd verdedigt?'

'Ik verdedig haar niet, Tommy. Ze zou vast geen kist meegebracht hebben, dat is zeker.'

'Je staat aan haar kant, hè?'

'Natuurlijk niet...'

'Waarom niet? Iedereen staat aan de kant van de engel – ha-ha, grapje. Jij zou ook met haar kunnen samenspannen.'

'Ik sta aan jouw kant, schat.' Rae friemelde met een hand aan zijn riem terwijl ze hem met haar andere hand wreef.

'Hou in jezusnaam op, Rae. Zie je niet dat ik geërgerd ben? Ik ben te kwaad om te neuken.'

'Ik probeer je juist te troosten, Tommy.'

Rae ging verder met aan zijn riem te prutsen. Aural had haar verteld over het belang van discreet aanhouden. Volgens Aural kon elke gezonde man door zijn erectie-orgaan van al het andere in het leven afgeleid worden als een vrouw op de juiste manier te werk ging.

'Nou, ik heb een kleine verrassing voor ons lieve engelengezichtje,' zei Tommy. Hij liet toe dat Rae zijn broek op zijn enkels trok. Hij merkte het nauwelijks. 'Ze krijgt heel gauw bezoek.'

'Van wie, schat?'

'Laten we zeggen dat het niet haar grootste fan is,' zei Tommy lachend. 'Je zou hem haar anti-fan kunnen noemen.'

Rae glipte, met een overtuigingskracht die Aural haar geleerd had, met haar hand aan de achterkant in de onderbroek van de eerwaarde Tommy. Dat was geen handeling waar ze ooit uit zichzelf opgekomen was. Ze wriemelde een paar keer met haar vinger en drong toen naar binnen. Dat trok Tommy's aandacht.

'Whoa!' riep hij, maar hij bedoelde niet stop. Als het erop aankwam, was Tommy toch niet te kwaad om te neuken.

De volgende morgen, toen de eerwaarde uit was gegaan en Rae en Aural koffie zaten te drinken in haar trailer, vertelde Rae wat Tommy over haar anti-fan gezegd had. Aural had haar schouders opgehaald.

'Wat zou dat moeten betekenen?'

'Hij zei het alsof het de antichrist was of zoiets,' legde Rae uit.

'Hij stookt de duivel tegen mij op, is dat het? De man heeft te lang gepreekt – hij begint er zelf in te geloven.'

'Het klonk niet goed, Aural,' zei Rae. 'Hij lachte toen hij het zei, maar hij maakte geen grapje. Ik denk dat hij iets in zijn schild voert. Je kunt het beste voorzichtig zijn.'

'Mijn ànti-fan? Schat, ik weet niet wat dat betekent, maar als het niet meerdere koppen heeft maak ik me niet al te bezorgd.' Aural klopte op haar laars en toen Rae niet-begrijpend haar wenkbrauwen optrok, liet Aural haar voor de eerste keer het mes zien. Ze trok het van het klitteband los en hield het in haar hand.

'Lieverd, waar is dat voor?' vroeg Rae, geschokt.

'Waar het voor nodig is,' zei Aural. 'Je kunt je dat voorstellen.'

'Nou, nee, dat kan ik niet.'

'In wat voor wereld leef jij?' vroeg Aural. 'Bedoel je te zeggen dat jij niets bij je hebt om je te verdedigen?'

'Verdedigen tegen wat?'

'Nou, de eerwaarde Tommy om te beginnen.'

'Lieverd, tussen de eerwaarde en mij gaat het dankzij jou heel goed.'

'Zeker – nu wel. Maar dat blijft nooit zo. Wat denk je te doen als hij het in zijn kop krijgt om je te slaan?'

Rae zweeg, en overwoog hoe loyaal ze in dezen moest zijn. Het was geen hevige strijd. 'Hij heeft dat al een paar keer gedaan. Maar alleen als hij geërgerd was.'

'Dat kan ik me indenken. En wat deed je daaraan?'

'Wat moest ik doen?'

'Er zijn heel wat mogelijkheden. Wat deed je, Rae?'

'Niets.'

'Niets? Je liet hem je gewoon slaan?'

'Ik vroeg hem op te houden.'

'Rae, naar mijn mening is niets doen geen mogelijkheid.' Ze hief het mes omhoog. 'Dìt is een mogelijkheid.'

'Ik zou het niet kunnen.'

'Dat hoeft hij niet te weten. Laat hem vreemd opkijken. Je weet maar nooit, dat kan er net een beetje smaak aan geven.'

'Hij is zoveel sterker...'

'Hij moet toch ook af en toe slapen? Herinner hem maar aan de vrouw die de piemel van haar man afsneed en in de berm gooide.'

'Nee, toch!'

'Lieve hemel, ze deed het echt. Het stond in alle kranten en het was op de TV. Heb je het niet gezien? Het kikkerde uiteraard iedere vrouw die ik kende op. Ik zal je eens wat zeggen: de goede eerwaarde heeft erover gehoord, zelfs als jij dat niet hebt. Je kunt erom wedden dat in het hele land de oude makkers tegen elkaar fluisteren: "Pas op je piemel 's nachts – en maak ze in godsnaam niet kwaad!"'

Rae giechelde. 'Aural, je hebt beslist een heel eigen kijk op het leven.'

'Ik ken de mannen,' zei Aural. Ze deed het mes weer in haar laars en sloot het klitteband eroverheen. 'Laat die anti-fan maar opkomen. Als hij ballen heeft, weet ik hoe ik met hem moet afrekenen.'

23

Cooper werd wakker van geblaf. Een woest uitziende hond, deels dobermann, deels bastaard, stond vlak naast het autoportier. Zijn poten stonden stevig op de grond om op volle kracht te kunnen blaffen, alsof hij zo voorkwam dat hij door zijn schelle blaffen, als een losstaand kanon, achteruit zou schieten. De hond deed een stap terug toen het hoofd van Cooper achter het raam verscheen, maar hield opnieuw stand en liet een nieuw blafsalvo horen.

Het kostte Cooper een ogenblik om zich te realiseren waar hij was en wat er aan de hand was. Gisteravond had hij de auto op de parkeerplaats achter de Dairy Queen geparkeerd, zodat hij daar zou zijn zo gauw het meisje opdook. De hond had hem gevonden en had zich aan zijn aanwezigheid geërgerd – zoals ze altijd deden. Cooper vertrouwde dieren niet en dat was geheel wederzijds, bijzonder bij honden. Ze gromden naar hem alsof hij een binnenvallende wolf was, die uit was op de schapen, die aan hun zorg waren toevertrouwd. Ze volgden hem op straat, grommend en blaffend, en soms deden ze een uitval naar zijn been. Cooper had andere mensen vreemde honden met een enkel woord zien kalmeren. Hij had verbaasd toegekeken hoe ze voor die happende beesten neerknielden en hun hand aanboden om eraan te ruiken en hen dan kalm klopjes gaven alsof de voorafgaande razende aversie alleen maar poppenkast was. Cooper kon dat niet geloven. Het was alsof ze tegen de honden iets magisch te zeggen hadden dat Cooper nooit kon horen. Men had hem gezegd dat honden dingen konden horen die mensen niet hoorden en hij vroeg zich af of sommige mensen wisten hoe ze die taal moesten spreken. Wat het kunstje ook was, Cooper kende het niet en de honden wisten dat hij het niet kende. Hij schreeuwde tegen ze hem met rust te laten als ze te dichtbij kwamen en als dat niet werkte, schopte hij ze. Soms, als de honden groot en buitengewoon opdringerig waren, ging hij voor ze op de loop, maar dat werkte nooit, omdat ze daardoor juist woedender op hem werden.

Cooper had honger en hij wilde een ontbijt, maar hij was bang om uit de auto te komen zolang de hond er was. Hij ging plat op de bank liggen om zich te verbergen, maar het beest bleef blaffen en blaffen. Het duurde een hele tijd voor Cooper in de gaten kreeg dat hij gewoon weg kon rijden.

Laat op de middag keerde Cooper terug naar de Dairy Queen en parkeerde op dezelfde plaats als waar hij de nacht had doorgebracht. De hond begon te blaffen zo gauw hij de auto uitkwam, maar deze keer klonk het geluid van een afstand en het drong tot Cooper door dat hij op een naburig terrein opgesloten zat.

Het meisje werkte achter de toonbank. Cooper wachtte bij de videospellen en deed alsof hij speelde tot ze met haar klant klaar was. Twee levendige figuren op het scherm schopten en sloegen elkaar en hoewel ze neervielen, leek geen van beiden gewond. Dat kwam niet overeen met Coopers ervaring van geweld. Als hij iemand sloeg raakte die gewond en sprong niet meer overeind. Die bleef liggen en smeekte hem op te houden en soms huilde hij. De figuurtjes in het videospelletje droegen kleurige doeken om hun hoofd zoals een hoop makkers in Springville deden, maar die figuurtjes waren geen makkers. Cooper kon er maar niet achter komen wat zij wel voor moesten stellen.

Toen het meisje vrij was, liep Cooper naar de toonbank.

Ze glimlachte naar hem, een echt vriendelijke glimlach, je kon haar tanden zien.

'Kan ik u helpen?' vroeg ze.

'Ik heb hulp nodig,' zei Cooper. Hij wist dat ze alleen naar zijn bestelling vroeg, maar hij hoopte dat ze hem toch kon helpen.

'Ja, mijnheer?'

Hij stond daar een ogenblik, onzeker over wat hij haar wilde zeggen.

'Ik heb een auto,' zei hij uiteindelijk.

Ze knipperde even, maar ze bleef glimlachen.

'Kan ik uw bestelling opnemen, mijnheer?'

'Ik wil dat je in mijn auto komt,' zei Cooper.

'Pardon?'

'Kom in mijn auto.'

Het meisje keek hem vreemd aan en hield haar hoofd schuin als een vogeltje. 'Mijnheer, ik ben aan het werk. Wilt u een bestelling opgeven?'

Cooper wist niet hoe hij moest uitleggen wat hij nodig had. Hij wist dat hij het verkeerd deed, maar hij kon geen betere manier bedenken.

'Ik wil je iets laten zien,' zei hij. 'In de auto.'

Het meisje draaide zich om en zocht iemand. 'Dwayne? Kun je even komen? Deze mijnheer heeft wat hulp nodig.'

Cooper schudde zijn hoofd. Nu begreep ze het helemaal verkeerd.

Hij had niets nodig van iemand die Dwayne heette. Hij had hulp van haar nodig. Hij had háár nodig.

'Kom maar mee,' zei hij. Hij reikte over de toonbank en pakte haar arm. Toen ze begon te protesteren, greep hij ook haar andere arm en tilde haar over de toonbank.

'Dwayne! Hèlp!'

Dwayne kwam uit de keuken rennen, wierp een blik op de omvang van de man die Sybil vasthield en hield gelijk in. Hij liet ze de deur uitgaan voor hij de politie belde.

Maar de politie was er al. Een agent stond naast Mayvis' Oldsmobile en keek naar binnen. Hij richtte zich op toen hij Cooper met een meisje, half dragend half slepend, naar zich toe zag komen.

'Is dit uw auto, mijnheer?' vroeg de agent, die er intussen probeerde achter te komen wat er tussen de man en het meisje gaande was. Hij hield er nooit van bij huiselijke twisten betrokken te worden, maar deze leek wel heel erg van een kant te komen.

De man bleef recht op hem afkomen. Hij hield zijn pas helemaal niet in. Hij hield het meisje nu maar met een arm beet.

'U kunt niet rond blijven rijden met zo'n achterkant,' zei de agent, maar op hetzelfde moment wist hij dat hij te laat was om zich te redden.

Cooper greep de agent bij zijn nek en sloeg zijn hoofd tegen de zijkant van de auto. Hij deed dat nog twee keer, tot de agent slap werd, en toen hij viel schopte hij hem voor de zekerheid nog een keer.

Het meisje knielde bij de gevallen politieman en maakte jammerende geluiden. Cooper kroop in de auto en reed bijna weg, toen hij zich herinnerde waarvoor hij eigenlijk was gekomen. Hij greep het meisje, sleurde haar in de auto en reed weg.

Pegeen belde in de hoop dat adjunct Crist niet op haar plaats zou zijn, te druk bezig voor een telefoongesprek, niet gestoord mocht worden, of hoe dan ook er niet zou zijn, zodat Pegeen niet rechtstreeks met haar hoefde te praten. Als zij er niet was, kon Pegeen de informatie faxen. Dan was ze er van af. Ze herinnerde zich de onheilspellende blik die Karen haar bij hun recente ontmoeting had toegeworpen en ze had geen illusies dat die andere vrouw vergeten was wie ze was. Zij was het uilskuiken dat in de slaapkamer van het motel had gezeten terwijl de man van de adjunct-directeur een niet geplande, spontane, en pover verklaarde douche nam in de badkamer ernaast. Niemand geloofde in de onschuld van het gebeuren. Pegeen nam hen dat niet kwalijk, maar de mannen die ervan wisten namen aan dat Becker de schuld was. Karen Crist echter, gaf Pegeen de schuld en dat deed ze omdat zij schuld in Pegeens ogen had gezien. Je kon dat voor een andere vrouw niet verbergen, hoewel mannen, God weet, in die dingen zo stom als het achtereind van een varken zijn. Het is niet dat ik echt iets deed, dacht Pegeen tot haar verdediging, het is niet dat er echt iets gebeurde. Ik droogde hem zelfs niet af. Hij kwam geheel gekleed de badkamer uit en we gingen weg. Maar de feiten waren voor Karen Crist natuurlijk niet van belang – het was wat Pegeen voor John Becker voelde dat telde. Pegeen wist dat. En was het ermee eens. Ze was naar haar overtuiging even schuldig als ze was in de visie van Crist. Het verschil was dat naar haar overtuiging schuld hebben haar nog niet slecht maakte.

Tot haar ontzetting verbond het Bureau in New York haar direct door.

'Directeur Crist, hier is speciaal agent Pegeen Haddad van het bureau in Nashville.'

'Ja.'

Ze herinnert zich mij heel goed, dacht Pegeen. Godzijdank kan ze mijn gezicht niet zien. 'Er is een ontwikkeling in de zaak Darnell Cooper en wij hebben opdracht u persoonlijk op de hoogte te houden...'

'Ja.'

Het leek of ze rechtstreeks tegen een gletsjer praatte. Alles wat terugkwam was een vlaag koude lucht.

'We hebben bericht van een gestolen auto. De verdachte werkte bij een hamburgerrestaurant onder de naam Darnell Cooper. Hij wordt ook gezocht in verband met een onderzoek naar een tasjesroof, die drie dagen eerder op de snelweg plaatsvond. Hij wordt tevens verdacht van beroving en een aanslag met een motorvoertuig op een benzinestation.'

'Ja.'

'We nemen ook aan dat hij betrokken is bij een aanslag op een politieagent en de ontvoering van een jonge vrouw net buiten Chattanooga.'

'Hij wist niet nauwkeurig zijn sporen uit. Waar is hij nu?'

'De plaatselijke en staatspolitie achtervolgen hem, maar hij is hen tot nu toe ontschoten.' Pegeen kon zich niet herinneren dat ze ooit 'ontschoten' hardop had gezegd. Doe nog wat stijver en je wordt geschift, kindje.

'Ontvoering is een federale misdaad,' zei Pegeen. Ze kon nauwelijks geloven dat ze dat zei. 'Dat valt onder uw jurisdictie.'

Dat wist ze waarschijnlijk niet, Pegeen, jij halve gare. Goed van je om haar op de hoogte te brengen, dat zal ze vast waarderen.

'Ik begrijp het,' zei Karen.

'We dragen de zaak dus rechtstreeks over,' vervolgde Pegeen. Ze kon golven van vijandschap rechtstreeks door de telefoon in haar oor voelen stromen.

'Goed. Verder nog iets?'

'Nou...' Als ik nu een spijker door mijn hoofd sla, zou dat je gelukkig maken? dacht Pegeen. 'Nee.'

Pegeen voelde dat ze nog wat meer moest zeggen, maar ze wist niet wat. Het leek haar echter dat een agent in haar positie niet degene was die een conversatie met een adjunct-directeur zou moeten beëindigen. Dat voorrecht kwam zeker toe aan de hoger geplaatste. Karen kwam haar echter niet tegemoet en de stilte tussen hen groeide en breidde zich onaangenaam uit. Hoe langer het duurde, des te meer leek die gevuld te worden met het onuitgesprokene. Becker. Pegeen had al eens eerder zwijgend met een stomme telefoon aan haar oor gezeten, maar alleen met jongens, alleen om romantische redenen, wanneer de stilte was gevuld met een onuitsprekelijk verlangen, maar nog nooit met een andere vrouw. Een FBI-agent, haar bazin, een harde, op carrière beluste federale functionaris. Dat gaf haar de kriebels.

Pegeen schraapte discreet haar keel.

'Nog een ding,' zei Karen.

'Ja?'

'Pas op je hachje.'

De telefoonlijn werd dood en Pegeen legde de hoorn neer alsof het iets vies was. Pas op je hachje? Betekende dat: wees voorzichtig bij de jacht op Cooper? Of betekende het: blijf bij mijn man uit de buurt of ik voer je ingewanden aan de katten? Was dit de manier waarop een adjunct-directeur gewoonlijk tegen andere agenten sprak? Op mijn hachje passen? Dat zal niet nodig zijn, dacht Pegeen. Zij zal daar wel voor mij op passen.

Pas later, toen ze naar Chattanooga reed en voor de honderdste keer het gesprek in haar hoofd afdraaide, was het dat haar eigen idee om een spijker door haar hoofd te slaan haar herinnerde aan Beckers opmerking hoe je een weerwolf kon doden. Waarom had hij dat op zichzelf betrokken? Dacht hij echt op die manier over zichzelf? Waarom beschouwde hij zich als een slechterik, terwijl Pegeen toch zo duidelijk kon zien dat hij dat niet was? De man had hulp nodig en begrip en het was duidelijk dat hij die niet van Crist, de ijskoningin, kreeg. Sommige mannen waren te redden en sommige niet. Ze was nu heel goed tot de conclusie gekomen dat Eddie, de man waarmee ze min of meer omging, in de categorie van onherstelbaar afval viel. Na zes maanden bleek hij net zo ontvankelijk voor verbetering als een huisje van nat karton. Er was eenvoudig heel weinig om de constructie te verbeteren. Dus, had Eddy al twee keer met haar gebroken. Ze was er zelfs niet zeker van of op dit moment de verhouding niet was verbroken. Met Eddy, zo onattent als hij in zijn beste ogenblikken was, was dat moeilijk te zeggen.

Het kon weleens tijd worden Eddie op te geven, dacht ze. Er waren tijden dat een meisje zich vrij wilde voelen om andere mogelijkheden te onderzoeken. Karen Crist kon haar niet zo erg haten, zonder dat er èrgens een goede reden voor was.

Het meisje was compleet waardeloos voor hem. Iedere keer dat hij zijn hand van haar mond nam begon ze weer te huilen en het gehuil werd algauw gejammer, hoe vaak hij haar ook zei haar bek te houden. Als Cooper haar vroeg hem te helpen, was alles wat ze deed nog meer jammeren. Hij sloeg haar dan omdat hij niet wist wat hij anders moest doen. Hij bezeerde zijn knokkels aan haar hoofd, een flinke wond, en hij moest rijden met een hand tegen zijn lippen geperst, terwijl zij bleef huilen en ze er nu ook nog bij kreunde. Het maakte hem gek.

Ze maakte zoveel geluid dat hij de politiesirenes niet zo gauw hoorde als anders en hij kon ook bijna niet op tijd het bos indraaien. De politie schoot voorbij het toegangspad en Cooper reed zo snel als hij kon het hobbelige pad af tot het vanzelf op leek te houden aan de voet van een heuvel waar twee stroompjes samenkwamen. Cooper kon in de verte de sirenes hooren loeien toen de politiewagen het nauwe pad op hobbelde. Hij greep het meisje met zijn linkerhand omdat een knokkel op zijn rechter nu erg gezwollen en heel pijnlijk was. Ze klampte zich brullend aan het stuur vast en Cooper moest haar keel dichtknijpen tot ze losliet. Hierna was ze stil. Hij gooide haar over zijn schouder en begon de heuvel op te lopen. Haar zwijgen was een hele opluchting.

De heuvel was steil en Coopers knokkel klopte pijnlijk bij iedere stap. Aan de andere kant naar beneden was het zelfs nog erger. Iedere stap gaf een scheut in zijn benen die te voelen was tot in zijn armen. Aan de andere kant van de heuvel veranderde het terrein en de droge bodem van het bos maakte plaats voor zanderig leem, dat met iedere stap natter werd. Hij had pas een paar honderd meter gelopen toen zijn schoenen tot zijn enkels in de modder zakten. Iedere stap vooruit ging gepaard met een luid zuigend geluid.

Cooper was al een heel eind in het moeras voor het tot hem doordrong dat hij geen sirenes meer achter zich hoorde. Hij stond stil en luisterde of hij achtervolgd werd, maar het kostte hem enige tijd voor hij iets boven zijn geforceerde ademhaling uit kon horen. Na een tijdje kon hij stemmen onderscheiden van verschillende mensen die naar elkaar riepen, maar ze waren te ver verwijderd om te verstaan wat ze zeiden.

Hij ging weer verder en gebruikte de stemmen om zijn richting te bepalen. Hij liep bij hen vandaan. Verder was er geen enkele aanwijzing, niets dat hem de weg kon wijzen. Alleen rare bomen en vreemd gras dat er stevig uitzag maar het niet was. Soms zakten zijn benen tot aan zijn kuiten weg, soms kwamen ze nauwelijks onder de oppervlakte en je kon beslist niet zeggen wat het de volgende keer zou zijn. Onder het voortploeteren zoog hij op zijn knokkel en probeerde zich te herinneren wat iemand hem ooit had verteld over het aangeven van de richting door de zon. Goed, hij kon de zon vinden, maar hij begreep niet wat die hem zou moeten vertellen. Hij besloot dat het het beste was er gewoon recht op af te gaan. Hij veranderde van koers, richtte zich naar de zon en merkte dat hij recht op de schaduwen af liep. Ze waren lijnrecht, als pijlen die hem de weg wezen. Cooper wist nu dat hij het geheim had ontdekt. Hij hoefde maar eenvoudig de schaduwen te volgen en de zon zou hem van zijn achtervolgers weg, de vrijheid tegemoet, leiden.

Zijn schoenen waren allang door de modder van zijn voeten gezogen en toen hij zijn knokkel naar zijn mond bracht, merkte hij dat zijn hele rechterhand tweemaal zo dik was geworden. Overal waar hij hem aanraakte deed het pijn en het deed zelfs zeer als hij hem, om zijn evenwicht te bewaren, de lucht in zwaaide. Hij strompelde door een vijvertje, en viel op een knie. Het lichaam van het meisje gleed van zijn schouder in het water. Cooper was verbaasd haar te zien. Hij was haar vergeten, het extra gewicht op zijn schouder was hij totaal vergeten. Hij keek aandachtig naar haar en probeerde zich te herinneren waarom hij haar had meegenomen. Hij had gewild dat zij hem hielp, maar hij zag niet in hoe ze hem nu kon helpen.

Ze was nu niet zo mooi meer, met haar gezicht en haar haren nat en onder de modder, en met een grote, donkere, blauwe plek aan de zijkant van haar voorhoofd. Een oog was opgezwollen en zat dicht. Dat was een bult die Cooper aan zijn eigen hand deed denken. Zij was de oorzaak dat hij zich had verwond, drong het met plotselinge woede tot hem door. Het was haar schuld dat hij zijn hand niet kon gebruiken. Het was haar schuld dat de politie achter hem aan joeg. Hij moest haar afmaken, hij moest haar hoofd eraf trekken. Hij moest haar onder water duwen en haar daar achterlaten, haar hoofd naar beneden duwen in de modder met haar voeten als een paal van een hek de lucht in.

Hij reikte al met beide handen naar haar keel voor het tot hem doordrong wat hij aan het doen was. De pijn in zijn rechterhand was zo groot dat hij weer op zijn knieën viel. Hij legde zijn slechte hand tegen zijn borst en schommelde kreunend heen en weer. In de verte, maar dichterbij dan eerst, hoorde hij de stemmen naar elkaar roepen. Cooper strompelde overeind en liep in de richting die de schaduwen aanwezen.

De schaduwen waren erg lang geworden toen Cooper aan de voet van een boom in elkaar zakte. Hij was uitgeput door het gevecht van de hele dag tegen de modder en hij had erge honger. Hij probeerde zich te herinneren wanneer hij voor het laatst had gegeten, maar hij wist het niet. De zwelling van zijn hand was nog toegenomen en de huid zag er zo strak uit dat hij bang was dat die uit zichzelf open zou springen. Elke beweging van zijn arm brandde nu als vuur en hij moest bij het lopen met zijn linkerhand zijn rechterarm tegen zijn lijf geklemd houden, alsof hij zichzelf bij elkaar moest houden. Daardoor kon hij moeilijk zijn evenwicht bewaren en viel hij vaak. Hij zat onder de modder en zijn lijf jeukte van boven tot onder.

Hij was er nu beroerd aan toe, maar hij was sinds hij uit de gevangenis was gekomen nog niet gelukkig geweest. Hij miste zijn vriendje, die voor hem zorgde als hij zich bezeerd had of zich niet goed voelde. Het vriendje was net zo goed als een verpleegster. Hij scharrelde rond en voelde Coopers voorhoofd of hij koorts had en masseerde hem en zorgde ervoor dat hij het warm genoeg had. Hij vertelde hem verhaaltjes en praatte uren tegen hem, wat geen enkele verpleegster ooit zou doen. Hij hoefde zich in de gevangenis ook nooit zorgen te maken over zijn maaltijden. Hij wist wanneer die waren en als ze er moesten zijn, waren ze er ook altijd. De serveerders zorgden er ook altijd voor dat de Oude Coop een extra grote portie kreeg. Iedereen in de gevangenis zorgde op een of andere manier voor hem en iedereen kende hem. Het drong tot Cooper door dat hij het haatte om eruit te zijn. Het was geen thuis, het was niet zoals thuis. Het enige goede dat hij zich kon herinneren sinds hij uit de gevangenis was, was de tijd in de auto met het meisje, maar toen verdween zij zelfs en verknoeide het de tweede keer door te doen alsof ze niet wist wat ze moest doen. Het vriendje wist altijd wat hij moest doen en hij deed het altijd goed, anders schopte Cooper hem voor zijn reet. De mensen in de buitenwereld leken nooit iets goed te doen, of hij ze nu voor hun reet schopte of niet.

Hij dacht weer aan zijn vriendje. Swann, zo heette hij. Het vriendje zou blij zijn dat Cooper zich hem herinnerde. Als ze hem naar Springville terug zouden sturen, dan zou hij het vriendje weer in zijn cel bij zich willen hebben. Die dingen konden geregeld worden. Cooper wist hoe hij dat moest doen. Als iemand anders met Swann samenleefde, zou Cooper hem voor zijn reet schoppen, totdat hij het vriendje weer aan Cooper terug zou geven. Het vriendje hoorde bij Cooper. Hij zou blij zijn Cooper terug te zien, daar was geen twijfel over, en zij zouden na Coopers bezoek aan de buitenwereld elkaar een heleboel te vertellen hebben.

Hij kon niet sneller lopen dan hij nu deed, maar hoe snel hij ook liep, de stemmen leken dichterbij te komen. Hij dacht dat hij in de verte drogere grond zag. Misschien betekende dat dat hij uit dit moeras kon komen en weer vaste grond kon bereiken. Dan kon hij een auto stelen en op die manier aan hen ontsnappen. Hij begreep niet waarom zij zoveel sneller konden lopen dan hij, maar hij dacht niet dat ze sneller konden rijden.

Toen hij dichterbij kwam, kon hij zien dat het echt een heuvel was en het zag er zo droog uit als hij maar had kunnen hopen. Cooper joeg zichzelf op sneller te gaan totdat elke ademhaling raspte en zijn longen aan stukken scheurde. Net aan de voet van de heuvel struikelde hij. Zijn voeten waren niet meer gewend aan vaste grond. Instinctief stak hij zijn armen uit om zijn val te breken, maar de gevolgen voor zijn zere hand waren zo pijnlijk, dat hij zich niet kon weerhouden te schreeuwen. Hij voelde in zijn hand bot tegen bot knarsen en hij hoorde het ook. Het was dat geluid waardoor hij buiten bewustzijn raakte.

Toen hij weer bijkwam hoorde hij stemmen dichterbij komen. Dan hoorde hij een vrouwenstem naar de anderen roepen. Haar stem was heel dichtbij, zo dichtbij dat hij als hij zijn hand uitstrekte haar aan kon raken. Cooper hield zijn ogen stijf dicht en dacht dat hij misschien niet gezien zou worden als hij gewoon bleef liggen waar hij lag.

'Beweeg je niet, jij klootzak,' zei de vrouwenstem. Ze klonk echt kwaad en ook angstig. 'Ik blaas je verdomme aan flarden als je een beweging maakt, Cooper.'

Hij was zo verbaasd dat hij zijn naam hoorde, dat hij zijn ogen open deed. Er stond een jonge vrouw met vreemd rood haar tegenover hem die met twee handen een pistool op hem gericht hield. Ze droeg een jack met in grote letters FBI erop. Een portofoon aan haar riem kraakte en een angstige stem zei: 'Hou hem alleen daar, Haddad. Probeer verder niets, hou hem gewoon op zijn plaats.'

'Ik wil Swann,' zei Cooper. Hij begon zijn gewicht te verschuiven zodat hij rechtop kon zitten en merkte dat de vrouw handboeien om zijn enkels had gedaan.

De vrouw schopte tegen zijn gewonde hand en hij schreeuwde het weer uit en zakte weer achterover.

'Belazer me niet,' zei Pegeen. 'Waar is het meisje?'

Cooper wist niet wat ze bedoelde en zei dus niets.

Ze stootte weer tegen zijn hand en hij jankte als een hond.

'Ik vroeg je waar het meisje was. Als je niet wilt dat ik op die klauw van je ga staan dansen, dan moet je zeggen waar ze is.'

Ze zag er niet gemeen uit, dacht Cooper. Ze zag eruit als een kind dat deed of ze groter was dan ze echt was, maar ze deed wel gemeen.

'Ik tel tot drie,' zei Pegeen, 'daarna ga ik op je hand staan. Begrijp je me, Cooper?'

'Ja,' zei Cooper.

'Waar is het meisje?'

'Welk meisje?'

'Sybil Benish. Het kind dat je meenam het moeras in, klootzak.'

'Ze is weggegaan,' zei Cooper.

'Wat heb je met haar gedaan? Heb je haar pijn gedaan...? Geef antwoord! Heb je haar pijn gedaan?'

Cooper staarde Pegeen niet begrijpend aan. Had hij het meisje pijn gedaan? Hij dacht van niet. Hij kon zich niet herinneren dat hij haar pijn had gedaan. Hij was degene die pijn gedaan was.

'Een.'

'Als ik het je vertel, kan ik dan weer bij Swann zijn?'

'Twee.'

Ze lichtte een voet op en hield die boven zijn zere hand. Cooper probeerde hem weg te trekken, maar het was een dood gewicht aan het eind van zijn arm. Zijn hele arm leek niet meer te werken. Hij hield zijn goede hand boven zijn gewonde hand om die te beschermen.

'Waar is ze?'

'Ze viel van me af. Ik liet haar achter waar ik was,' zei Cooper.

'Drie,' zei ze.

'Ik heb het je toch gezegd,' pleitte Cooper, maar ze stampte toch met haar voet op zijn hand.

Toen Cooper weer bijkwam, kwam er een zwerm mannen in FBI-jacks over de heuvel naar hem toe rennen. De vrouw hing nog steeds over hem heen. Ze keek woedend en zat klaar om hem nog meer pijn te doen.

Toen de mannen om hem heen drongen, schreeuwde Cooper: 'Haal haar bij me weg,' en hij probeerde op zijn achterste de helling op te komen.

24

Hatcher ontmoette Quincy Beggs bij het Congreslid thuis, waar de politicus voor twaalf zogeheten campagne donateurs een informeel diner gaf. Tien mannen met hoogrode gezichten en twee hevig opgemaakte vrouwen begroetten Hatcher beleefd. Allemaal beweerden ze verheugd te zijn zo'n hooggeplaatste FBI-agent te ontmoeten, en op een paar na deden ze alsof ze geïnteresseerd waren. Hatchers bezoek was onaangekondigd – een uitnodiging voor zo'n gebeurtenis zou zowel sociaal als ethisch ongepast zijn – en nadat de beleefdheidsvormen in acht waren genomen, begeleidde Beggs Hatcher direct naar zijn studeerkamer.

'Ik zou wel tot kantoortijd hebben gewacht,' zei Hatcher, 'maar ik dacht dat je het wel op prijs zou stellen het direct te horen.'

Hij had Beggs in feite zijn nieuws eenvoudig over de telefoon kunnen zeggen, maar Hatcher kende het belang van op het goede moment persoonlijk aanwezig te zijn. Goed nieuws dat over de telefoon werd meegedeeld, leek uit het niets te komen. Goed nieuws dat persoonlijk werd meegedeeld kwam van degene die het nieuws bracht. Hatcher wilde erbij zijn om in de triomf te delen. Hatcher wilde erbij zijn om op bescheiden wijze zijn verdienste te bagatelliseren. Hatcher wilde erkend worden als de bron van de zegenrijke boodschap, niet de telefoon, niet de onpersoonlijke machinerie van het Bureau.

'Ik weet zeker dat je het bij het rechte eind hebt,' zei Beggs. 'Er zijn alleen een paar van mijn kiezers. Het doet hen goed te zien dat ik ook nog werk voor de kost.' Beggs lachte. Hatcher glimlachte zwakjes.

Beggs stak een sigaar met de lengte van een potlood in zijn mond en hij schoof hem heen en weer met zijn tong. Hij rookte ze niet meer, maar gebruikte ze nog steeds voor de show. Het Congreslid vond dat ze hem een mannelijk voorkomen gaven.

'Nou, waar gaat het om?'

Hatcher gebaarde naar een stoel. 'Mag ik?'

'Goeie hemel, natuurlijk man, ga zitten! Ik weet niet waar mijn manieren zijn gebleven.'

Hatcher ging behoedzaam zitten, legde zijn ene been over het andere en lette op de vouw in zijn broek. Goed nieuws brengen was een kunst, het vereiste wat tijd en voorbereiding. Net zoals je het niet over de telefoon deed zo kon je het er ook niet uitflappen en dan klaar er mee. Als je zat, maakte je deel uit van het gebeuren. De toehoorders konden een man die zat niet met een snelle handdruk en een klopje op zijn schouder wegsturen, zoals ze een staande koerier kwijt konden raken, voor ze zich weer snel aan hun dierbaren konden wijden. De hoffelijkheid vereiste dat iemand die zat met overleg en aandacht werd behandeld. Een man die stond was een boodschapper. Een man die zat was een gelijke.

Beggs rolde ongeduldig met zijn sigaar. Hij mocht Hatcher niet, hij kende ook niemand die dat wel deed, maar dit was Washington en persoonlijke voorkeuren waren àltijd ondergeschikt aan andere overwegingen. In de gaten gehouden werd wat het opleverde, hoe weinig persoonlijk respect er ook met een transactie gepaard ging. Zonder het compromis als betaalmiddel zou het politieke bedrijf bankroet zijn. Wat voor tactloze speler Hatcher ook was, hoe doorzichtig zijn motieven ook waren, het moest worden toegegeven dat hij de juiste passen danste, de rituelen in acht nam, en het spel volgens de algemeen erkende regels speelde. Vooruitgang boeken was een zaak van gunsten opstapelen die men aan je te danken had en ze dan inwisselen. Charme en subtiliteit waren uiteindelijk niets meer dan franje. Wat telde, was of je al of niet de goederen kon leveren, en een onmiskenbare vijand met zijn armen vol gaven was meer welkom dan een vriend met lege handen. Niet dat Hatcher een vijand van Beggs was, natuurlijk. Zoveel gaf Beggs ook weer niet om hem.

'Je zult je herinneren dat we een poosje geleden een gesprek hadden over een mogelijke aanwijzing in een zaak die jou persoonlijk aanging?' begon Hatcher.

'Ja, dat is zo.'

'En ik verplichtte me dat onderzoek – eh – persoonlijk ter hand te nemen.'

'Dat waardeer ik zeer, kan ik je zeggen.'

'Ik ben blij te helpen waar ik kan,' zei Hatcher.

Wat een pluimstrijker, dacht Beggs. Kruiperig en zelfvoldaan tegelijk. Hij brengt het nog ver.

Hatcher vervolgde: 'Ik kon natuurlijk niet mijn andere plichten verwaarlozen, maar ik bemoeide me zoveel mogelijk zelf met de zaak. Ik vloog bijvoorbeeld naar Nashville om de agenten persoonlijk te instrueren.'

'Ik apprecieer je inspanningen beslist,' zei Beggs.

'Het is aardig te denken dat je een rol speelt, maar alle verdiensten gaan natuurlijk naar het Bureau zelf. Een heleboel toegewijde mannen en vrouwen, die allemaal hun steentje bijdragen.'

Je bent duidelijk genoeg – ik sta bij je in het krijt! wilde Beggs uitbulderen. *Schiet verdomme op.* In plaats daarvan nam hij zijn sigaar uit zijn mond en keek aandachtig naar de punt alsof die echt brandde.

'Fantastische organisatie,' zei Beggs.

'Degenen van ons die de verantwoordelijkheid hebben doen erg hun best dat zo te houden,' zei Hatcher. Hij keek ook aandachtig naar Beggs sigaar alsof hij het mysterie van de niet bestaande as kon zien.

'We zijn je allemaal dankbaarheid schuldig,' zei Beggs. 'En ik ben een man die zijn schulden inlost.'

Nu is het hardop gezegd, kom er nu maar mee voor de dag.

Hatcher bracht een zwak glimlachje te voorschijn en sloeg zijn ogen neer, te bescheiden om het te zeggen. Voor het moment tenminste.

Beggs schraapte zijn keel en stak zijn sigaar weer in zijn mond, om aan te geven dat de inleiding voorbij was.

'Ik ben blij in de gelegenheid te zijn om wat goed nieuws mee te delen,' antwoordde Hatcher na die hint. 'Uitstekend nieuws, buitengewoon goed.'

'Wat?' zei Beggs kortaf. De man was nog langer van stof dan een senator uit Alabama.

'We hebben de man gegrepen die je nichtje ontvoerd heeft.'

'Grote God! Heb je hem gepakt?'

'Ja, mijnheer.'

'Na al die jaren, heb je hem ècht gepakt?'

'Ja, mijnheer, ik ben blij dat ik in staat ben te zeggen dat hij gevangen zit.'

'Jezus, dat is wonderbaarlijk! Weet je hoeveel stemmen dat waard is?'

'Ik wist dat het je genoegen zou doen.'

'Genoegen zou doen, verdomme. Ik ben zo goed als herkozen, man! Kan ik het bekendmaken? Ik bedoel is het allemaal afgerond?'

'Ik dacht misschien een gezamenlijke bekendmaking. Jij en ik samen...'

'Natuurlijk, natuurlijk – maar ik bedoel, is de zaak rond? Je hebt hem nu in hechtenis, maar kun je hem in hechtenis hóuden? We krijgen niet te maken met een of andere civiele, vrijheidsgezinde advocaat die hem op een formeel punt vrij krijgt?'

'Natuurlijk zal hij voor de rechtbank moeten verschijnen...'

'Ik ga niet drie jaar wachten op een verdomde uitspraak en hem dan vrijuit laten gaan op grond van ontoerekeningsvatbaarheid of dergelijke onzin. Hatcher, ik vraag het je, is deze zaak rond? Kan ik het openbaar maken? Kunnen wij... kunnen wíj het openbaar maken?'

'Ja, mijnheer,' zei Hatcher. 'We hebben de dader niet alleen in hechtenis, de man heeft bekend.'

'Prachtig,' zei Beggs.

'Wilt u de ouders van het meisje inlichten of zullen wij dat doen?'

'De ouders van het meisje?'

'De ouders van de overledene,' zei Hatcher. 'Je nichtje.'

Het dode meisje was de dochter van de broer van Beggs vrouw. Een werkeloze mijnwerker, die het meisje en haar moeder in de steek had gelaten toen het meisje zes jaar oud was. Beggs had zijn familierelatie tijdens haar verdwijning benadrukt omdat hem dat sympathie en verontwaardiging bij het publiek gaf, die hij zijn hele verkiezing gebruikte. Hij had al jaren niets meer van de moeder van het meisje gehoord. De broer van zijn vrouw bleef regelmatig om ondersteuning vragen.

'Doe jij dat maar,' zei Beggs. 'Jou komt de eer toe.'

Hatcher begon een nieuwe reeks bescheiden tegenwerpingen, maar geen van beide mannen schonk daar veel aandacht aan. Beiden zagen uit naar de persconferentie, en wat daarna kwam.

25

Becker had een cassoulet klaargemaakt, een Franse kasserolschotel, waarvoor nodig waren: bonen, tomaten, uien, selderij, wijn, gezouten varkensvlees, eendevet, mager varkensvlees, lam, knoflook of Poolse worst en gebraden eend of gans uit blik. Improviserend in overeenstemming met de inhoud van zijn provisiekast, liet Becker het gezouten varkensvlees weg en ook het eendevet, het varkensvlees, het lamsvlees, en de eend of gans en verving dat door hete Italiaanse worst. Dan verdubbelde hij de hoeveelheid bonen en deed er een pak spinazie bij omdat hem dat nodig leek. Nadat hij dat mengsel een paar uur had laten koken, proefde hij het net toen Jack de keuken in kwam.

'Voetbalnoppen buiten de deur, voor de honderdduizendste keer,' zei Becker en wees met de houten lepel, de damp eraf blazend, voorzichtig in zijn richting.

'Sorry, ik vergat het,' zei Jack. De jongen ging zitten, deed zijn voetbalschoenen uit en liet ze midden voor de keukendeur staan. Dat was een talent dat Becker eerder had opgemerkt. Schooltas, schoenen, kleren, alles viel zo gemakkelijk van Jacks lijf alsof het een droge schil was, maar om de een of andere reden gebeurde dat volgens een bepaald patroon. Die dingen lagen niet gewoon waar ze vielen. Met een onontkoombaarheid waarachter je een plan vermoedde, belandde elk voorwerp waar het absoluut zeker in de weg lag. Schoenen stonden nooit in een hoek, de schooltas nooit achter een stoel. Elk ding werd regelrecht midden in de drukste doorgang neergelegd, gesmeten of afgeschud. Deuropeningen leken favoriet, maar de gangen kregen ook hun deel van de puinhoop. Wanneer Jack thuis was, was het onmogelijk rechtstreeks ergens naar toe te lopen.

Becker vond dat de bonen ermee door konden als je ze alleen proefde, maar beter smaakten als de eter honger had. Hij hoopte dat Karen uitgehongerd was.

'Wat eten we? Ik sterf van de honger,' verkondigde Jack.

'Jack, ouwe jongen, je hebt geluk. Ik heb precies het goede maaltje voor jou.'

'Wat is het?' vroeg Jack achterdochtig.

'Vraag me niet wat het is. Vraag me liever wat het niet is.' Becker maakte een grote show van het opsnuiven van de geuren uit de pot. Hij wist dat het beste wat hij kon doen was Jack over te halen het te proeven. Als de jongen het niet meteen lekker vond, kon geen enkele vleierij of dreiging hem ertoe brengen er nog van te eten. Becker kookte voor Karen en zichzelf. Jack leek te leven op kale spaghetti en boterhammen met pindakaas, maar had toch de energie van tien man en groeide als een puppy.

'Wat is het niet?'

'Het recept schrijft eendekeutels voor,' zei Becker.

'Gadver!'

'Nou, het is Frans.'

'Afschuwelijk.'

'Het probleem was dat ik geen eendekeutels kon vinden. Je hebt zeker geen zin om naar Scribners park te lopen en er wat te halen?'

'Dat is walgelijk... Waar is Scribners park?'

'Dat is de officiële naam voor de stadsvijver waar je elke zomer zwemt.'

Becker en Jack deden hun mond en hun ogen zo wijd mogelijk open, keken elkaar een seconde aan en schreeuwden. Het was een goed ingestudeerd nummer, dat Karen gek maakte maar wat die twee wel leuk vonden.

'Ik moest dus creatief zijn,' vervolgde Becker. 'Omdat ik geen eendekeutels had ging ik naar Emily.' Emily was Jacks konijn. 'Konijnekeutels zijn een heel goed vervangingsmiddel. Wil je ze eens proberen, Jack?'

Becker kwam met de lepel naar de jongen toe.

Karen kwam met Gold binnen net toen Becker en haar zoon tegen elkaar schreeuwden.

'Zo doen ze nou,' legde ze Gold uit.

'Vaak?'

'Te vaak,' zei ze. Tegen Becker zei ze: 'Kijk eens wie ik voor je heb meegebracht.'

'Ah,' zei Becker. Karen dacht dat hij de lepel plotseling vasthield alsof het een wapen was.

'Jack, zeg dr. Gold eens goedendag,' zei ze en Jack stak plichtsgetrouw zijn hand uit om die te laten schudden en mompelde: 'Hallo.'

De jongen wachtte verlegen zolang Gold zich druk over hem maakte, over zijn lengte, zijn leeftijd, dat hij er zo goed uitzag, maar toen de volwassenen hun aandacht niet meer op hem richtten, glipte hij weg.

'Je ziet er goed uit, John,' zei Gold.

Becker keek vragend naar Karen.

'Ik heb hem alleen maar meegebracht,' zei Karen. 'Ik heb geen commentaar, ik heb er verder niets mee te maken. Ik laat jullie alleen,' zei Karen en liep omzichtig de deur uit.

'Oh, nee,' zei Becker. 'Jij hebt hem meegebracht. Jij moet je ook maar met hem bezighouden.'

'Dat kan ik niet,' zei Karen. 'Als je niet met hem wilt praten, goed, maar dan moet je hem wel zelf naar het station brengen. Ik ben moe.'

'Ik kan niet echt praten als Karen erbij is,' zei Gold.

'Waarom niet? Ze is in dienst bij het Bureau. Ze heeft meer toegang tot vertrouwelijke zaken dan ik – àls ik die nog heb. Ik heb geen geheimen voor haar.'

'Nee, maar ik wel,' zei Gold.

Uitvoerig buigend, trok Karen zich terug.

'Ik denk dat het het beste is als Karen op dit punt niet bij dit gesprek wordt betrokken,' zei Gold. 'Het is het beste voor haar, zo.'

'Probeer je me te verleiden met mysteries, Gold? Ik moet bonen koken.'

'Ik houd van bonen.'

'Waarom belde je niet gewoon als je een advies nodig hebt?'

'Omdat er wat materiaal is waarvan ik wil dat je ernaar kijkt... En dit is een gesprek waarvan ik niet wil dat iemand het hoort. Daarom wilde ik ook niet dat er post tussen ons heen en weer ging, waarop iemand kon inloggen. Dit is voor iedereen gewoon een bezoek van een vriend. Ook voor Karen. Ik vroeg haar alleen om een lift.'

'Maar we zijn niet echt vrienden, toch?'

'Zie je het liever als een bezoek van de dokter aan zijn patiënt?'

'Maak je ook visites aan huis tegenwoordig?'

'Onder bepaalde omstandigheden.'

'Waarom stapte je niet gewoon in je auto en reed je hierheen. Waarom heb je Karen hierbij betrokken?'

'Ten eerste. Ik heb geen auto. Ik woon in New York – wie heeft daar een auto nodig?'

'Probeer het nog eens.'

'Ik hoopte dat, als ik met Karen meekwam, je tenminste zou willen luisteren.'

'Nou, daar heb ik je eindelijk. Biechten is goed voor de ziel toch, dok?'

'Ik doe zo stiekem omdat, als Hatcher ervan wist, ik op mijn sodemieter krijg. Als hij wist waar ik mee bezig ben, zou hij dat waarschijnlijk hoogst trouweloos vinden.'

'Ik realiseer me dat ik beetgenomen word – maar ik ben een en al oor,' zei Becker. 'Iedereen die ontrouw is aan Hatcher verdient mijn aandacht.'

'Dat weet ik,' zei Gold. 'Maar daarom zei ik het niet.'

Gold zette een zakbandrecorder op tafel en legde er twee minicassettes naast.

'Je weet dat ze die Cooper gepakt hebben, die celgenoot van die gevangene die naar jou geschreven heeft en die je op hem attent heeft gemaakt.'

'Ja.'

'De mensen van de afdeling Gedragswetenschappen hadden met hem een buitenkansje. Hij heeft hen over moorden van jaren geleden verteld. De plaatselijke politie gaat overal hun gegevens na. De nationale misdaadstatistieken van het Bureau gaan omlaag. Ik bedoel, deze man is een eenpersoons misdaadgolf. Hij heeft lichamen in duikers gestopt en uit rijdende auto's gesmeten en links en rechts voor dood achtergelaten. Het waren meestal marginale typen, seizoenarbeiders, zwervers, het soort mensen dat aan hun eind komt op de parkeerplaats van een of andere kroeg langs de weg in Tennessee, en waar nooit intensief onderzoek naar wordt gedaan.'

'Dus je hebt hem – wat is nu het probleem?'

'Wat de mensen van Gedragswetenschappen betreft is er geen enkel probleem. Zij vinden het een genot om met hem te praten en hun beeld van een seriemoordenaar bij te stellen. En natuurlijk is directeur Hatcher nu in staat de kerel te leveren die het nichtje van Congreslid Beggs heeft ontvoerd en gedood. Cooper is een soort gouden jongen onder de schurken geworden.'

'Zolang Hatcher tevreden is.'

'Iedereen is tevreden. Cooper praat als een gast in de "Oprah Winfrey" show. Hij kan niet genoeg slechts over zichzelf zeggen. Soms is hij een beetje vaag over de details, maar hij is zo gewillig als wat. Als je een beetje aandringt, kan hij zich het meeste wel herinneren, tenminste genoeg om tientallen keren tot de elektrische stoel veroordeeld te worden.'

'Ben jij bij de ondervraging geweest?'

'John, iederéén is bij de ondervraging geweest. Dit is een prijsstier. Ze leiden hem in de ring rond, zodat iedereen kan kijken. Ik bedoel, het geeft je aanzien als je erbij betrokken wordt. Als je de kans krijgt erbij te zijn, dan pak je die. Cooper is zoiets als kaartjes voor de Super Bowl. Je kunt het niet laten schieten ook al houd je niet van football. Ik werd uitgenodigd een ondervraging bij te wonen. Iemand dacht dat het mijn begrip zou vergroten, veronderstel ik, dat het me meer inzicht zou geven in waar onze agenten mee te maken hebben, of zoiets. Ik was al tevreden dat iemand vond dat ik belangrijk genoeg was om uitgenodigd te worden.'

'Hij bekende de twee meisjes in de kolenmijn?'

'Beslist. Hij vertelde waar hij ze opgepikt had en wanneer en hoe hij ze met sigaretten en lucifers gefolterd had tot ze ten slotte stierven. Dat was een openbaring op zichzelf. Men vond alleen overblijfselen van het skelet van de meisjes, maar geen aanwijzingen hoe ze waren gestorven. Men vond een hoop sigarettepeuken en kaarsvet op die plek, maar veronderstelde dat die alleen door de meisjes, of door iemand anders, waren gebruikt om te kunnen zien. Hij gaf een heleboel van dergelijke details, feiten die alleen de moordenaar kon weten.'

'Hatcher krijgt dus een gemakkelijke veroordeling, krijgt over het hele land koppen in de krant – en je weet dat het hoe dan ook zíjn krantekoppen zullen zijn – en krijgt tegelijkertijd een steviger band met het hoofd van het Comité van Toezicht. Goeie genade, ik ben blij dat je me op komt zoeken, Gold. Dat is net wat ik wilde horen.'

'John, ik sta niet aan de kant van de ordehandhavers, dat weet je. Ik breng mijn tijd door met te proberen jullie agenten te helpen aanpassen aan hetgeen waarmee jullie te maken krijgen. Af en toe lever ik een bijdrage aan het profiel van een of andere onbekende misdadiger. Jij zegt me dan dat ik daar meestal fout mee zit.

'Alleen in belangrijke details.'

'Dank je. Ik ben dus geen expert op het gebied van de criminele geest, toegegeven. Maar ik ben ook geen idioot. Ik herken een zeer gewelddadige, gevaarlijke man als ik er een zie en Cooper is een zeer gewelddadige, gevaarlijke man. Een heel domme man ook. Bovendien heeft hij een waardeoordeel dat hij opgepikt heeft doordat hij vanaf zijn vijftiende geregeld in strafinstellingen verbleef. Hij laat mijn bloed stollen. Hij gebruikt zijn kracht – en de kerel is zo groot als een gorilla – om zijn zin te krijgen. Hij heeft een remmingsdrempel van praktisch nul. Zet hem een voet dwars en hij gooit je door het raam, omdat hij niets beters kan bedenken. Van al de kerels waarvan ik in al de jaren dat ik bij het Bureau ben heb gehoord, staat deze bovenaan de lijst van mensen waarmee ik niet in een doodlopende steeg opgescheept zou willen zijn. Zijn geweldquotiënt is enorm. Hij dróómt er zelfs van het hoofd van mensen eraf te trekken. Ik bedoel letterlijk hun kop van hun schouders te rukken.'

Becker zat stil en luisterde aandachtig terwijl hij intussen zijn ogen op de bandrecorder gericht hield. Hij wist dat Gold nog niet tot de kern van de zaak was doorgedrongen. Hij wist ook dat als hij dat deed, Becker het niet leuk zou vinden.

'Er zijn trouwens een hoop akelige mannetjes die ik niet op die donkere straatjes lijst zou zetten. Dyce, die mensen mee naar huis nam en daar hun bloed aftapte omdat hij ervan hield naar lijken te kijken...'

'Ik herinner me Dyce,' zei Becker bijna onhoorbaar. Hij had Dyce zelf gepakt en was bijna door hem gedood. Beckers terughoudendheid was voor Gold een teken van verbetering. Becker was daar veel minder zeker van.

'Natuurlijk herinner je je hem. Sorry voor deze pijnlijke zinspeling, maar wat ik bedoel is dat ik met Dyce niet bang zou zijn in een donker steegje. Ik zou me niet op mijn gemak voelen, let wel, maar ik zou me niet in direct gevaar voelen, omdat Dyce niet uit willekeur gewelddadig was. Hij was in wezen een erg onderdanige man. Als hij zijn verschrikkelijke fantasieën uitleefde, deed hij dat doelbewust. Hij viel niet de eerste de beste man aan. Hij had iets heel specifieks in gedachten. Zoals alle seriemoordenaars... Heb ik daar gelijk in?'

Becker knikte langzaam.

'Als je Dyce op straat zag, zou je hem niet eens opmerken. Als je Cooper op je af zag komen, zou je, geloof me, een stapje opzij doen om hem uit de weg te gaan.'

'Speel maar gewoon de band af,' zei Becker.

'Goed. Op jacht.'

'Met alle respect, Gold, ik heb geen behoefte aan een inleiding over seriemoordenaars.'

'Sorry. Ik had er behoefte aan mezelf te overtuigen, denk ik. Het helpt als ik mijn argumenten hardop hoor. Niet dat het argumenten zijn. Ik begrijp het gewoon niet helemaal.'

'Speel maar af.'

'Goed. Oké. Dit is het relevante gedeelte van de zitting die ik bijwoonde. Hij had ons al verteld van de meisjes in de kolenmijn, wat en wanneer en waar en met veel bijzonderheden zoals ik al zei. De stem die je herkent is de mijne. Ik stel maar een vraag. Ze leken nogal geërgerd dat ik sowieso mijn mond opendeed.'

Becker knikte en Gold startte de recorder. Er kwam een lage stem uit het apparaat. Zelfs in deze vorm en ondanks het mannelijk timbre, was er een gehalte aan kinderlijkheid in de spreker dat je duidelijk kon merken.

'Ik nam haar de grot mee in, zodat we alleen konden zijn,' zei Cooper.

'Waarom wilde je met haar alleen zijn, Darnell?' Becker herkende de stem van de vraagsteller niet.

'Dan kon ik haar pijn doen,' zei Cooper.

'Je kon haar overal pijn doen. Waarom nam je haar mee de grot in?'

'Dan kon ik haar heel lang pijn doen,' zei Cooper.

Er viel een stilte, en toen herkende Becker de stem van Gold.

'Hoe voelde het toen ze dood ging?'

'Hoe voelde het?' Becker kon bijna het schouderophalen zien dat in Coopers intonatie besloten lag. 'Ik gaf er niet om. Ze betekende niets voor mij.'

'Vind je het fijn om mensen pijn te doen, Darnell?' vroeg de andere stem.

'Ja,' zei Cooper.
'Windt het je op andere mensen pijn te doen?'
'Soms.'
'Vertel eens hoe het voelt als je iemand pijn doet.'
'Dat voelt goed.'
'Voel je je beter als je mannen pijn doet of vrouwen?'
'Ja,' zei Cooper.
Er viel een verwarrende stilte.
'Vind je het fijner mannen pijn te doen dan vrouwen pijn te doen?'
'Ik vind het allemaal fijn,' zei Cooper. 'Ik vind het fijn hun hoofd eraf te trekken.'
'Waarom vind je het fijn hun hoofd eraf te trekken, Darnell?'
'Noem me niet Darnell.'
'Hoe wil je dan dat ik je noem?'
'Noem me Coop.'
'Goed, Coop. Waarom vind je het fijn hun hoofd eraf te trekken?'
'Je kunt me ouwe Coop noemen. Dat vind ik leuk.'
'Vertel ons eens wat over hun hoofd eraf trekken.'
'Zo sterk ben ik.'
Becker zette het apparaat af. Gold liet hem een poosje in stilte zitten.
'Wat deed hij toen hij vrij was?' vroeg Becker tenslotte.
'Hij verkrachtte een jonge vrouw en stal haar auto. Hij probeerde met de auto over een bediende van een benzinestation te rijden, ontvoerde een andere jonge vrouw, hakte nogal in op een plaatselijke politieagent, sloeg de jonge vrouw een paar keer tegen haar hoofd, probeerde haar te wurgen en liet haar achter in een moeras.'
'Doodde hij een van de vrouwen?'
'Nee, maar hij denkt van wel. Laten we zo zeggen: hij liet ze voor dood achter.'
'Wat zeiden ze? Waren ze bewusteloos of bij kennis toen hij hen achterliet?'
'De eerste, waarvan hij de auto stal, zei dat ze zich dood hield en toen had hij geen belangstelling meer voor haar. De tweede was echt buiten bewustzijn. Ze had ernstige blauwe plekken op haar keel en wat beschadigingen aan haar nek. Het leek erop of hij echt geprobeerd had haar hoofd eraf te trekken.'
Becker stond op en draaide het vuur onder de pot bonen uit.
'Wat wil je nu van mij?' vroeg hij.
'Ik begrijp de tegenstrijdigheid niet... Je hoorde het toch, hè?'
'Laat me Karen roepen,' zei Becker. 'Ik heb er geen zin in er twee keer doorheen te moeten.'
'Weet je zeker dat je haar hierbij wilt betrekken?'
'Wat anders? Denk je dat ik een Einzelgänger ben, dat ik het

alleen ga doen? Ik heb geen bevoegdheid om iets in mijn eentje te doen, zelfs als ik dat zou willen, wat nadrukkelijk niet zo is.'

Becker riep Jack en Karen en de volwassenen aten bonen terwijl Jack spaghetti met boter en broccoli at. Jack mocht van tafel en Becker serveerde koffie.

'We zouden naar de kamer kunnen gaan,' zei Karen.

'We blijven hier,' zei Becker en deed de deur van de keuken dicht. 'Ik wil niet dat Jack hier iets van hoort.'

'Betekent dat dat ik toegelaten word tot het grote geheim?' vroeg Karen.

'Wees daar maar niet al te blij mee,' zei Becker. 'Je zult het niet leuk vinden.'

'Dat dacht ik al. Oké, laat maar horen.'

Becker keek naar Gold en bood hem de kans als eerste iets te zeggen.

'Ik ben geen expert,' zei Gold verdedigend. 'Ik dacht alleen dat ik iets geks opgemerkt had en ik kwam om advies. Ik heb zelf nog geen conclusie getrokken.'

'De bal ligt bij mij, hè?' vroeg Becker.

'Ik ben alleen maar toeschouwer hier,' zei Gold.

'Kunnen we die sporttermen achterwege laten?' vroeg Karen. 'John, zeg het maar.'

'Gold vertelde me dat deze Cooper bekend heeft verantwoordelijk te zijn voor de helft van de nationale misdaadstatistiek. Is er al iets nagecheckt?'

'Iets,' zei Karen voorzichtig. 'Er zijn een paar onopgeloste sterfgevallen van seizoenarbeiders van zo'n tien jaar geleden, die tamelijk goed met zijn verhaal overeenkomen. Er was enkele jaren geleden een wrede aanslag op een homo in Spartanburg, die als een poging tot moord werd geregistreerd. De man stierf niet echt, maar we begrijpen wel waarom Cooper dat dacht – dat komt met zijn verhaal overeen. Er waren ook de twee meisjes in de kolenmijn. Hier waren zijn feiten absoluut juist.'

'Verder nog iets?'

'We zijn bezig het na te trekken. De meeste waren nogal een tijd geleden. De laatste vijf jaar zat hij in de gevangenis. Waarom? Denk je dat er nog meer zijn?'

'Hoe stierven die seizoenarbeiders?'

'Een van hen werd neergestoken. Hij werd volgens het rapport, van zijn ingewanden ontdaan. Van de ander werd volgens het autopsierapport, zijn hoofd ingeslagen met een stomp voorwerp, waarschijnlijk een steen.'

'En de homo, die niet gedood werd? Wat gebeurde er met hem?' vroeg John.

'Hij werd geslagen – geschopt en geslagen met handen en voeten, krijg ik de indruk. Hij was niet erg scheutig met informatie, zei dat hij zich niet herinnerde wat er gebeurd was.'

'En waar gebeurde het, met die seizoenarbeiders en die homo?'

'Waar het gebeurde?'

'In een mijn, in een kelder, een toilet, een verlaten pakhuis?'

Karen was even stil. 'Nee,' zei ze op haar hoede. 'De homo was op een parkeerplaats achter een bar. Een van de seizoenarbeiders werd duidelijk in een boomgaard gedood, maar daarna naar een duiker gesleept. De andere werd in het open veld gevonden. In het rapport werd niet vermeld dat hij verplaatst was.'

'En wat was de aanklacht? Waar zat hij voor?'

'Gewapende overval, opzettelijke geweldpleging. Zijn daden in het verleden waren allemaal, gewelddadig, als je dat bedoelt. Dat is het toch, niet?'

'Lijkt dat niet vreemd, Karen?' vroeg John haar.

'Waarom zou een man wiens verleden alleen maar openlijke geweldpleging kent, twee meisjes meenemen naar een kolenmijn en hen daar doodmartelen. Is dat de bedoeling van dit hele gedoe? Dat is ons ook opgevallen, weet je. We zijn niet stekeblind alleen omdat we actief betrokken zijn bij de handhaving van de wet,' zei ze.

'Die tegenstrijdigheid zat niemand dwars?'

'Dwarszitten? Nee. We merkten het op. Het is ongewoon voor een seriemoordenaar om ook impulsief gewelddadig te zijn – maar het is niet onbekend. Harris Breitbart doodde drie politieagenten in New Jersey.'

'Pas toen ze hem kwamen arresteren. Nadat hij ontdekt was.'

'Nou en? Hij past niet precies in het patroon. We zijn steeds bezig het profiel aan te passen, dat weet je.'

'Wat is de gemiddelde intelligentie van een seriemoordenaar?'

Karen keek talmend naar Gold.

'Gewoonlijk meer dan gemiddeld,' zei Gold.

'Dat moet wel anders zouden ze niet lang genoeg leven om herhaaldelijk te kunnen moorden. Als ze iemand doden en worden gepakt, zijn ze een moordenaar. Als ze slim genoeg zijn om in vrijheid te blijven en het herhaaldelijk doen, dan zijn ze seriemoordenaars. Dus, ze zijn slimmer. Dat nemen we tenminste aan. Is dat correct?' zei Becker.

'Dat is correct,' zei Karen. 'En Cooper is stom. Maar je hoeft geen genie te zijn om als je in West Virginia bent, een verlaten mijn in te gaan. Er zijn er massa's van. Als je daar een lijk achterlaat, kan het lang duren voor het wordt gevonden, of je dat nu had gepland of dat het stom geluk was. Het is niet zo dat hij iets slim deed, hij deed het alleen op de goede plek.'

'Dus tot zover is hij inconsequent en heeft hij geluk.'

'Blijkbaar. Waar wil je naartoe, John? Denk je dat hij dat niet allebei kan zijn?'

'Iemand zou het wel kunnen. Maar ik ben er niet zeker van of Cooper het zou kunnen.'

'Kijk, we hebben hier niet met theorie te maken. Als dat wel zo was, dan zou ik het ermee eens zijn, goed. Het is niet waarschijnlijk dat een man die auto's steelt, er verschillende dagen in rondrijdt en agenten aanvalt en bij vechtpartijen in bars betrokken raakt, ook met jonge vrouwen wegglipt het donker in en hen daar een week lang martelt. In theorie. Maar we wéten dat hij een auto stal, een vrouw verkrachtte, een ander op klaarlichte dag en met verschillende getuigen erbij wegsnaaide, probeerde de auto over een benzinestationbediende heen te rijden. We weten die dingen. Het zijn feiten, geen theorie,' zei Karen.

'Die kant van hem trek ik niet in twijfel – die domme gewelddadige kant is er zijn hele leven geweest.'

'Je twijfelt niet aan de meisjes in de mijn? Dat is het sterkste gedeelte van zijn verhaal. Hij herinnert zich dat beter dan een van de andere dingen die hij deed. Deze kunnen we heel wat concreter nagaan dan de seizoenarbeiders of de homo of een van zijn andere beweringen. Hij heeft details gegeven die hij alleen kon weten.'

'Behalve een.'

Karen zuchtte. 'Ga verder.'

'Hij wist wat hij deed, wanneer hij het deed en hoe hij het deed –'

'En hij wist waaròm hij het deed,' onderbrak Karen hem. 'Hij houdt ervan mensen pijn te doen. Dat accepteer je toch, hè?'

'Ja, hij wist zelfs waarom hij het deed. Wat hij niet wist was hoe het voelde.'

'Fout,' zei Karen. 'Ik heb de transcriptie gezien. Hij zei dat het goed voelde. De meisjes pijn doen maakte dat hij zich goed voelde. Dat is niet erg duidelijk uitgedrukt, dat geef ik toe, maar voor mij is dat goed genoeg. Je moet ook kijken naar wie het zegt.'

'Ik realiseer me dat het voor jou goed genoeg is,' zei John. 'Het is voor praktisch iedereen genoeg, veronderstel ik. Je hebt genoeg over Cooper om hem voor welke rechtbank in het land dan ook veroordeeld te krijgen... Maar Gold heeft een band voor me afgespeeld van Coopers bekentenis... Ik denk niet dat hij de meisjes heeft gedaan.'

'Waarom doe je dat, John?' Ze wendde zich tot Gold: 'Kwam je hiervoor? Wat is er met jullie twee aan de hand? Je denkt dat hij een Von Münchhausen is, is dat het? Je denkt dat hij beweert meer mensen te hebben vermoord dan hij deed? We weten dat dat mogelijk is. We zullen dat uitzoeken en misschien vermoordde hij maar de helft van wat hij beweert, misschien een derde, of misschien maar twee. Maar we weten welke twee hij vermoordde. We wéten het.'

'Je "weet het" omdat hij het je verteld heeft,' zei Gold.
'Hij verzon die bekentenis niet,' zei Karen woedend.
'Nee, dat niet. Akkoord. Maar het is niet waar ook.'
'Waarom niet? Zeg me verdomme maar waarom niet! Wat hebben jullie twee genieën ontdekt dat niemand anders heeft gezien?'
Gold stak zijn handen in de lucht alsof hij zich overgaf. 'Ik heb niets ontdekt. Ik begreep gewoon iets niet goed.'
'Wat? Wàt begrijp je niet?'
'Gold stelde Cooper één vraag,' zei Becker. 'Hij vroeg hem wat hij voelde toen de meisjes stierven. Cooper zei dat hij er niet om gaf.'
'Dat deed hij blijkbaar niet.'
'Nee,' zei Becker. Zijn stem werd somber. 'Cooper beantwoordde die vraag zo eerlijk als hij maar kon. Hij geeft er niet om als hij iemand doodt – omdat het hem niet daarom gaat. Mensen die zo gewelddadig zijn maken zich geen zorgen over de dood van hun slachtoffer. Ze willen alleen van hen af omdat ze hen op een of andere manier in de weg zitten. Cooper nam zelfs bij de helft van zijn lijken niet de moeite na te gaan of ze wel dood waren. Hij beweerde dat de homo en de vrouw die hij verkrachtte en het meisje dat hij in het moeras achterliet, allemaal dood waren. En geen van allen was dat. Hij bekommerde zich niet om hun dood, hij wilde er alleen vanaf.'
'En zo reageerde hij ook precies op de meisjes in de kolenmijn.'
'Ja. Maar dat is niet de reactie van een man die ze daar naartoe heeft gesleept en ze dagen en dagen heeft gemarteld. Dat vereiste planning. Hij moest licht hebben en voedsel en water. Hij moest de goede kleding hebben omdat het zo ver onder de grond koud is. Hij moest een of ander dwangmiddel hebben om de meisjes daar te houden als hij sliep... Hij moest sigaretten hebben. Ik bedoel te zeggen dat hij het voorbereidde, dat hij er dagen mee bezig was, omdat, zoals hij zei, hij het leuk vond. Het maakte dat hij zich goed voelde. Maar het beste deel van de hele onderneming voor iemand die bezeten genoeg is om zoiets te doen, is niet de marteling... dat is de dood. Het feitelijke doodgaan is de uiteindelijke climax, het grootste orgasme van allemaal. "Ik gaf er niet om" is een onmogelijk antwoord.'
Karen keek naar Gold of hij ermee instemde, maar de psychiater hield zijn ogen op de tafel gericht. Ze vroeg Becker niet verder over zijn opvatting. Er waren dingen die hij begreep die maar weinig andere mensen konden bevatten en zij wilde niet de achtergrond van dat begrip weten. Ze had er een glimp van opgevangen en zich ervan afgekeerd.
'Cooper loog niet,' vervolgde Becker. 'Hij beantwoordde de vraag

zo goed hij kon. Maar hij had geen beter antwoord omdat hij die ervaring niet had.'

'Misschien vond hij het niet zo geweldig. Misschien had hij gedacht van wel, maar was het dat toch niet,' zei Karen.

'Hij zei dat hij het twee keer deed,' zei Becker.

'Je bedoelt toch niet dat hij het allemaal verzonnen heeft.'

'Hij verzint het niet,' zei Becker. 'Ik vermoed dat hij gelooft dat hij het echt deed.'

'Hij gelooft het... maar hij deed het niet?'

'Dat denk ik.'

'Waarom zou hij in godsnaam gelóven dat hij het deed?'

Becker schonk zich nog een kop koffie in.

'Daar zit ik net aan te denken.'

'In tegenstelling tot wat je tot nu toe hebt gedaan? John, met alle respect, je luisterde naar de band met de bekentenis – en je weet dat dit niet toegestaan is, zelfs het in bezit hebben van zo'n band niet, is het niet zo dr. Gold? – je luisterde naar een band, je dacht erover na, hoeveel, vijf minuten? En dan wil je de beste arrestatie sinds Ted Bundy tenietdoen omdat... nou omdat het voor jou niet goed klinkt.'

'Ik wil die arrestatie niet tenietdoen. Je kunt Cooper voor de rest van zijn leven opsluiten voor wat je hebt. Maar je hebt niet de kerel die de meisjes in de kolenmijn vermoordde... Maar ik denk dat we hem wel kunnen vinden.'

'Waar? Als het Cooper niet is, wie is het dan verdomme wel?' vroeg Karen.

'Cooper kreeg zijn verhaal van iemand. We weten dat hij er niet over heeft gelezen. Dat betekent dat iemand het hem heeft verteld. Iemand die de details kende.'

'Wie?'

'De kerel naar wie hij de laatste drie jaar luisterde, zou ik denken. Zijn celgenoot. Mijn vriendelijke briefschrijver, Swann.'

'Je bedoelt dat Swann het aan Cooper vertelde en dat Cooper dacht dat híj het deed?'

'Ik denk dat het iets gecompliceerder was, maar zoiets, ja. Laat eens horen, Gold. Kan zoiets gebeuren?'

'Ik weet niet zeker wat... heb je het nu over hypnose of zoiets?' vroeg Gold.

'Hypnose, hersenspoeling, ik weet niet hoe je het moet noemen. Twee mannen zitten drie jaar samen in een cel. Kan de een de herinneringen van de ander overnemen?'

'In die mate dat hij gelooft dat die herinneringen van hem zelf zijn?' Gold aarzelde, keek afwisselend van Karen naar Becker. Ten slotte haalde hij zijn schouders op. 'Ik weet het niet. Als iemand er op uit is dat dat gebeurt, als de ander beïnvloedbaar genoeg is, als de omstandigheden gunstig zijn... Ik weet het niet. Waarom niet, natuurlijk, ja, mógelijk. Die dingen zijn gedaan in de krijgsgevangenkampen bij de Noord-Koreanen, de Vietnamezen, de Chinezen – geen veranderingen in het geheugen, voor zover ik weet, maar zeker belangrijke verschuivingen in waardesystemen, herschikking van de persoonlijkheid en dat soort dingen. Ik bedoel, het lijkt mij dat zoiets als wat jij suggereert kàn gebeuren, maar ik zeg niet dat het gebeurd ìs.'

'Fraai professioneel gezwets,' zei Becker. 'Toch is het voor mij goed genoeg.'

'Nou, voor mij is het helemaal niet goed genoeg!' zei Karen. Haar stem werd steeds woedender. 'Hatcher heeft deze Cooper al aan het Congreslid Beggs als een triomf van de vasthoudendheid en algehele voortreffelijkheid van de FBI gepresenteerd – en niet te vergeten van Hatchers eigen genialiteit, daar ben ik zeker van – en Beggs heeft dat bij zijn kiezers als een persoonlijke overwinning in zijn strijd tegen de misdaad aangeprezen. Jij wilt dat ik – ik neem aan dat dat de reden is waarom je mij bij jullie zelfbevredigingssessie uitgenodigd hebt – jij wilt dat ìk naar Hatcher huppel en zeg: "Sorry, maar je moet de hele zaak afblazen. Zeg maar tegen Congreslid Beggs dat je een fout gemaakt hebt – en dat niet alléén, dat niet alleen, maar zeg hem dat de reden waarom hij een fout gemaakt heeft is dat de voormalige agent John Becker, een van Hatchers favoriete mensen, vijf minuten geluisterd heeft naar een onofficiële band. Een band die blijkbaar door een psychiater van het Bureau stiekem opgenomen is. Of nog erger, een volledig illegale band die door de goede dokter zelf opgenomen is. En vraag me niet hoe dat kan, want ik ben nu niet in de stemming dat uit te zoeken. Hij bracht die band mee naar mijn huis, míjn huis, waar hij hem in het geheim voor Becker afspeelde. En die besloot dat Cooper, die al in detail had bekend de twee meisjes vermoord te hebben, niet echt liegt omdat hij gelooft dat hij het heeft gedaan, maar toch ook niet de waarheid zegt omdat hij het niet echt deed. Er was alleen door zijn celgenoot op hem ingepraat zodat hij denkt dat hij het deed. Zoiets gelooft John Becker min of meer." Is dat wat je van me wilt?'

'Dat is de essentie,' zei Becker.

'John, ik houd van mijn werk. Ik heb echt hard gewerkt om zo ver te komen als ik nu ben en ik begon net te denken dat ik uiteindelijk nog wel wat hoger kon komen, als ik het niet al te erg verpest. Jij hebt persoonlijke problemen met dat werk. Ik begrijp dat en ik respecteer dat, maar ik heb die niet. Ik wil mijn baan houden. Ik wil in staat blijven zo efficiënt mogelijk te functioneren. Ik heb een zoon te onderhouden en moet rekening houden met collegegelden –'

'Ik geef je de informatie voor wat het waard is, Karen. Wat je ermee doet, moet je zelf weten. De moraal van de hogere rangen van de bureaucratie ontgaat me, dat geef ik toe. Ik heb geen ervaring op dat niveau. Ik kijg hoofdpijn van...'

'Informatie? Informátie? Je hebt mij helemaal geen informatie gegeven, John. Je hebt mij bespiegelingen gegeven. Je hebt mij fantasieën gegeven. Dat zijn prima eigenschappen, John, aangenomen dat je wilt dat ik een schop onder mijn kont krijg.'

'Misschien kan ik beter naar de kamer gaan,' stelde Gold voor. Hij was van mening dat als twee mensen die samenleefden elkaar te vaak bij de voornaam noemden, het voor bezoekers tijd was om te vertrekken. Geen van beiden leken hem te hebben gehoord.

'Ik wilde uw bijdrage niet omlaaghalen, dr. Gold,' zei Karen. 'Dit is ongewoon werk voor u en ik waardeer het buitengewoon dat u genoeg belang in de zaak stelt om al die moeite te doen.'

'Het was meer mijn nieuwsgierigheid,' zei Gold.

'Ik begrijp het,' zei ze. 'En waar u en John mee voor de dag komen, ook al is het maar een veronderstelling, baart me zorgen, veel zorgen.'

'Het is toch niet reddeloos verloren,' zei Becker. 'Cooper en Swann zijn beiden beschikbaar zoveel we willen. Stuur de jongens van Gedragswetenschappen om met Swann te praten en laat ze het uitzoeken.'

'Dat is wat me zorgen baart,' zei Karen. 'We hebben Swann niet meer.'

'Hij zit in Springfield – laat hem overplaatsen zodat hij onder ons beheer komt.'

'Nee, John, dat zeg ik juist. Hij is niet meer in Springfield. Hij is weg – hij is eruit – hij is vrijgelaten.'

'Vrijgelaten? Hoe?'

'Dat was zijn afspraak met Hatcher, zijn prijs voor zijn medewerking aan het grijpen van Cooper.'

'Hij zei dat hij veiligheid wilde.'

'Hij zou binnen het gevangenissysteem nooit veilig zijn geweest, dat weten we allemaal. Hij ook. Hatcher liet zijn straf verminderen. Hij werd vrijgelaten op de dag dat wij Cooper oppakten.'

'Hoezo medewerking?' vroeg Becker.

'Hij wist waar Cooper was.'

'Hoe?'

'Blijkbaar stuurde Cooper hem briefkaarten. Swann weigerde te zeggen waar we moesten zoeken, tenzij Hatcher meewerkte aan zijn strafvermindering.' Karen haalde haar schouders op. 'Hatcher krijgt waar hij op uit is. Wij kregen de briefkaarten en Swann zijn strafvermindering.'

'Die kleine klootzak is vrij?'

'En verdwenen. Hij moest drie dagen geleden bij de ambtenaar van de voorwaardelijke invrijheidstelling komen, maar kwam niet opdagen. We hebben geen idee waar hij is.'

'Hatcher heeft dus niet alleen de verkeerde man opgepakt, hij laat de echte moordenaar vrij,' zei Becker opgewekt. 'Ik vraag me af hoe congreslid Beggs op dat nieuwtje reageert.'

26

De menigte was zo groot, zo onstuimig, zo opgewonden in afwachting van de show, dat Tommy overwoog een grotere tent te kopen. De hele tournee door Kentucky was zo geweest. Zijn gehoor werd ieder optreden groter, nu de mare van zijn show van de ene stad naar de andere voor hem uit ging als de boeggolf van een schip, zodat wanneer de Evangelisatie- en Genezingsbijeenkomst van de eerwaarde Tommy R. Walker aankwam, de inwoners al helemaal opgewonden waren. Deze avond echter leek de beste van allemaal. Het hele gehoor raakte bijna en masse in vervoering bij het solo optreden van Aural. Hij zou wel bepaalde dingen van haar missen, daar was geen twijfel over, zelfs het apostolische koor van De Heilige Geest klonk beter als zij meezong. Oh, hij zou wel wat van zijn gehoor kwijtraken als Aural weg was, maar hij zou de meesten wel houden, daar was hij zeker van. Het was tenslotte nog steeds zíjn show. Of bijna. En spoedig zou het weer helemaal de zijne zijn, alleen groter en beter.

Tommy snelde met ongewone energie naar het genezingsgedeelte, met groot enthousiasme genezend en handen opleggend, alsof niets hem meer plezier deed. Ze stonden met hun kwalen in de rij, alsof hij geld uitdeelde en hij werkte zijn wonderen zo snel af als hij Halleluja en Loof de Heer kon roepen. De diaken en het koor hadden het zo druk met het opvangen van instortende mensen, dat zij zich voor de verandering eens echt in het zweet werkten. Het was voor Tommy wel aardig dat hij niet de enige was die in het zweet baadde.

Hij had een galblaas genezen, maakte iemand met een niersteen beter en drukte een longtumor uit een man alsof het niet meer dan een splinter in zijn schouder was, toen een van de oververhitte smekers hem beetpakte. De man greep Tommy bij zijn biceps en trok hem zo dicht naar zich toe dat hun gezichten elkaar bijna raakten. Zijn adem was heet en rook naar pepermunt, en toen hij die met ieder woord in Tommy's ogen blies, moest hij ervan knipperen.

'Ik heb verschrikkelijke dingen gedaan,' zei de man met een lage en fluisterende stem. 'Ik heb dingen gedaan die niemand zou doen.'

De man hield Tommy zo stevig vast dat er voor de eerwaarde

geen andere mogelijkheid was zich te bevrijden dan de man van zich af te slaan. Hij was klein en mager, maar hij klampte zich aan Tommy's armen vast met al de overtuigingskracht die in hem was. Zijn neus was zo dicht bij die van Tommy dat de bedienaar zijn gezicht moest afwenden en hem van opzij moest aankijken. Tommy dacht dat hij misschien krankzinnig was en toen dacht hij aan moord.

'Mijn ziel is niet schoon,' zei de man. 'Ik ben op plaatsen geweest waar niemand naar toe zou moeten gaan, en Jezus weet dat ik er spijt van heb, maar ik kan het niet helpen. Ik kan er gewoon niets aan doen. Ik krijg die gedachten, ik raak ze niet meer kwijt, ze dwingen me om het te doen.'

De diaken was aan komen lopen en probeerde de man van Tommy af te trekken, maar hij klemde zich als een furie vast.

'U moet mijn hart genezen,' zei de man. 'U moet me reinigen.'

'Dat zal ik ook doen, als je me loslaat,' zei Tommy.

'Gedachten die een man gek maken,' zei de man met opengesperde ogen.

'Laat me los mijn zoon, en ik zal je hart in een oogwenk genezen,' zei Tommy en probeerde te glimlachen. De man drukte zich dichter tegen Tommy aan naarmate de diaken meer zijn best deed hem van Tommy af te trekken.

'Alleen Jezus begrijpt het,' zei de man.

'Ik begrijp je, mijn zoon. Laat me nu los en we zullen de heilige kracht van Jezus voor ons laten werken.'

'U begrijpt me niet,' zei de man, Tommy nog steviger vastgrijpend. 'U begrijpt het niet. Niemand kan dat.'

Toen kwam de stem van de engel: 'Ik begrijp je,' op een toon zo liefelijk, zo duidelijk vol begrip voor de lijder, van zo'n diepe oprechtheid, dat de man zijn greep liet verslappen en zich omdraaide om Aural aan te kijken.

'Echt waar?'

Ze stond rechtop naast hem en legde haar vingers op zijn arm. Die bevallige hand kwam uit de plooien van haar ambtsgewaad als iets magisch. Die halve glimlach, die verdomde zweem van vroomheid en heiligheid, die Tommy, hoe hij het ook probeerde, niet na kon doen, lag op haar lippen en Tommy keek hoe dat weer wonderen verrichtte. De man keek haar als aan de grond genageld aan, de waanzin en wanhoop zakten als een lange zucht weg.

'Alleen een vrouw kan een man ècht begrijpen,' zei Aural, hoewel Tommy er niet zeker van was dat hij het goed hoorde, boven het rumoer van de menigte uit, die door de nieuwe ontwikkelingen opgewondener was dan ooit. Ze riepen naar de man de eerwaarde los te laten en ze baden en prezen Jezus. En ze praatten ook zomaar met elkaar, waarbij iedere stem probeerde boven de andere uit te komen. Maar de man hoorde Aural goed genoeg en toen zij hem zei Tommy los te laten, deed de man het. En toen zij zo liefelijk als de kus van een moeder tegen hem zei dat hij naar de toehoorders terug moest gaan deed hij dat ook. Ze zei dat als hij na de dienst nog zorgen had, ze dan wat langer met hem zou praten. Hij gedroeg zich alsof hij pure goddelijke zegen van een heilige zelf ontving.

Een nieuwe triomf voor dat kreng, dacht Tommy. Nu denkt men dat ze een woesteling kan kalmeren en een krankzinnige begrip kan bijbrengen. Gooi je Thorazine maar weg, Aural is hier. Ondertussen leek Tommy zelf, hij zelf, een dwaas. Kan zichzelf niet eens losmaken van een kleine gek. Heeft een vrouw nodig om hem te redden. Kan het net zo goed gelijk opgeven, de zaak overdragen en de naam veranderen in de Aural McKesson Wondershow.

Tommy was die nacht in alle staten en zelfs de nieuwe variant waar Aural Rae over verteld had, de zogenaamde vlinder, was maar even in staat hem af te leiden. Daarna was hij even nijdig als tevoren.

'Op de eerste plaats ben ik geen priester. Draag ik een collaar, Rae? Ik neem ook geen biecht af. Zit je geweten je dwars? Hou het voor jezelf. Grijp me niet midden in de show vast en zeg me niet hoe slecht je bent, omdat me dat niets kan schelen. Ik ben een genezer, Rae...'

'En de beste.'

'Je hebt verdomd gelijk. Ik ben een genezer, niet de vertrouwensman van iedere krankzinnige. Die onzin wil ik niet horen. Ik zou een evangelist moeten zijn, Rae. Die hoeven zich net als ik niet bezig te houden met al dat gejammer en die aanstellerij. Alles wat ze moeten doen, is preken.'

'Kwam hij naderhand nog naar haar toe?'

'Daar heb je het weer. Steeds maar vragen over háár. Ik ben degene die dat lulletje aan me had hangen alsof hij verzoop en mij mee naar beneden wilde slepen.'

'Ik ben natuurlijk het meeste bezorgd over jou, lieverd.'

'Ja, natúúrlijk.'

'Ik vroeg het maar voor het geval hij hier rondhangt en je weer lastig valt.'

'Ik weet niet of hij haar daarna nog heeft ontmoet of niet. Ik ging langs de andere kant van de tent zodat ik haar niet op haar verdomde kist hoefde te zien staan. Je zult het haar zelf moeten vragen.'

Hij keerde zich ruw van haar af, maar een ogenblik later sprak hij in het donker weer.

'Wat was het wat je daarnet deed?'

'Wat bedoel je?'

'Wat was dat wat je net met me deed?'

Rae zweeg een ogenblik en Tommy wist dat ze bloosde.

'Ze noemen het de vlinder,' zei ze. Ze zweeg. 'Vond je het lekker?'
'Interessant,' zei hij.
Eerst wist Rae niet hoe hij dat bedoelde, maar later, toen hij in slaap viel, legde hij zijn armen om haar heen en dat was iets dat hij bijna nooit deed.

Om ongeveer drie uur in de morgen werd er op de deur van de trailer gebonsd en Tommy schoot uit bed om open te doen. Een lange, magere, slecht uitziende man stond voor de deur met cowboylaarzen aan en een stetson op die zo stijf leek als triplex. Tommy knipperde eens met zijn ogen en wachtte af, maar hij wist wie de man was.
'Bent u de eerwaarde Tommy R. Walker?' vroeg de man.
Tommy kwam naar buiten en trok de deur dicht, zodat Rae hem niet kon afluisteren. Hij droeg een zijden onderbroek, die Rae pas voor hem had gekocht en hij had een slaaperectie, maar hij was bij het zien van zijn bezoeker te opgewonden om zich daar druk over te maken.
'Dat ben ik,' zei Tommy.
'Ik ben Harold Kershaw,' zei de man, en uit respect lichtte hij zijn hoed.
'God zegene je, jongen. Ik weet wie je bent. En je bent geen moment te vroeg ook.'

27

Aural werd wakker uit een onrustige droom waarin een man die ze nog nooit eerder had gezien haar een film van zijn leven liet zien. Ze zat in een stoel vastgebonden en waar de man in zijn leven iets pijnlijks ondervond, kreeg Aural een even pijnlijke schok. Toen ze wakker werd en haar geest nog door de droom was beneveld, hoorde ze stemmen buiten de trailer, die ze met de vrouwelijke leden van de apostolische gemeente deelde. De stemmen spraken op de gedempte toon van samenzweerders, het soort gefluister dat in de nachtlucht verder leek te dragen dan een gewoon gesprek.

Een van de mannen was de eerwaarde Tommy en ze vroeg zich af wat die midden in de nacht onder haar raam aan het roddelen was, maar toen ze de tweede stem hoorde wist ze het. De tweede man sprak zelfs niet eens, het was meer een lang aangehouden instemmend gebrom, maar ze herkende het en dat prikkelde haar tot actie.

Aural vergrendelde de deur, schoot in haar spijkerbroek en laarzen en wurmde zich aan de andere kant van de trailer uit het raam. Ze bekommerde zich niet om haar tas of om haar andere bezittingen, omdat ze wist dat daar geen tijd meer voor was. Voorovergebogen holde ze in het donker naar de auto's die op een strook asfalt geparkeerd stonden naast de lege plek waar ze die morgen de tent op zouden zetten. Ze was op een paar meter van de auto's toen ze het geluid van zware laarzen hoorde, die tegen de deur van de trailer schopten.

Naast een van de auto's dook een gedaante op die op haar afkwam. Aural zwenkte opzij maar de gedaante sprak haar aan.

'Juffrouw Aural? Ik ben het.'

Aural tuurde naar de man in het donker. Ze kende hem niet.

'Van de bijeenkomst van vanavond,' ging hij verder. 'Je zei dat je na afloop met me zou praten.'

'Nu niet, lieverd. Dit is nu niet precies het goede moment.'

Aural probeerde om hem heen te lopen maar hij ging voor haar staan. Achter haar lieten de leden van de apostolische gemeenschap een bang gekrijs horen en ze hoorde dat de deur werd ingeslagen.

Harold Kershaw was in de kippenren, maar de hen die hij achterna-zat, was gevlogen.

'Je komt maar terug als het licht is,' zei Aural en ze dacht dat ze tegen die tijd wel helemaal in Maine zou zijn, als ze het kon redden. 'Dan zal ik met je praten.'

'Ik kan je nu helpen,' zei de man en hij deed het portier van zijn auto open.

'Lieve hemel,' zei ze, in de auto duikend, 'maar we kunnen het beste gelijk weggaan.' Ze keek naar de trailer en zag Harold Kershaws lelijke gezicht uit het raam turen dat ze net als uitgang had gebruikt.

'Dat was ik ook van plan,' zei de man. Hij rende om de auto heen naar de kant van de chauffeur en rommelde daar met iets zonder het portier te openen.

'Schiet op,' zei Aural.

'Ik doe zo vlug mogelijk,' zei de man. 'Ik was nog niet helemaal klaar voor je.'

Aural hield haar blik op de trailer gericht in de verwachting dat Harold elk ogenblik aan zou komen rennen. Daardoor lette ze maar nauwelijks op de man die nog steeds buiten de auto aan het rommelen was. Hij kwam achterom weer naar haar kant toe.

'Waarom duurt het zo lang?' vroeg ze, nog steeds niet goed naar hem kijkend.

'Ik ben nu klaar. We moeten niet slecht voorbereid op pad gaan,' zei de man. 'We willen nu toch geen fouten maken, wel?'

Harold denderde om de hoek van de trailer, aarzelde maar een halve seconde om zich te oriënteren en kwam toen met zijn zware stap recht op de auto's af.

'Ik kan niet langer wachten,' zei Aural. Ze draaide zich om teneinde uit te stappen maar tegelijkertijd deed de man het portier aan haar kant open en greep haar hand. Afgeleid als ze was, drong het pas tot haar door dat hij haar handboeien omdeed toen de metalen klemmen al om haar polsen zaten en toen ze haar mond opendeed om te praten, plakte hij er een stuk tape overheen.

'Snelle service, geen wachttijden,' zei hij giechelend. Hij smeet het portier dicht en rende naar de chauffeurskant. Aural probeerde met haar geboeide handen het portier open te maken, maar merkte dat er geen kruk aan de binnenkant zat. Nou, verdomme, dacht ze. Wie had kunnen dromen dat Harold Kershaw slim genoeg was om een medeplichtige in te huren? Ze zag Harold onverbiddelijk op hen toestampen, maar toen hij nog maar een paar meter weg was, startte de man tot haar verbazing de auto en reed weg. Harold bonkte een keer met zijn vuist op de kofferbak van de auto, maar verder kwam hij niet. Aural kronkelde zich om hem door de achterruit langzaam te zien verdwijnen. Toen draaide ze zich om om voor de eerste keer eens goed naar de chauffeur te kijken.

Terwijl hij sprak keek hij haar vluchtig aan, maar meestal hield hij zijn aandacht op de weg gericht.

'Ik vroeg me af hoe ik je alleen zou kunnen ontmoeten,' zei hij. 'Ik wist dat ik niet in die trailer vol vrouwen durfde te komen. Je kunt niet al te enthousiast zijn. Je moet jezelf beheersen en hoe dan ook voorzichtig zijn, anders... nou, je móet gewoon voorzichtig zijn. Maar je leert dat. Al doende leert men. Hoe dan ook, ik dacht en ik dacht hoe ik dat veilig kon doen, toen je plotseling opdook. Denk je dat Jezus je naar me heeft toegestuurd? Ik geloof dat Hij dat misschien deed. Ik geloof dat Hij over me waakt. Natuurlijk ben ik er zeker van dat Hij ook over jou waakt, gezien je werk, bedoel ik. Ik weet zeker dat je een goede relatie met jouw Heer hebt, toch, juffrouw Aural? Nou, dat betekent dat Jezus ons zowel in jouw belang als in het mijne bij elkaar wil hebben. Ik denk dat het betekent dat we een echt goede tijd met elkaar zullen hebben, denk je niet? Ik weet het zeker. Samen gaan we jouw bestemming vervullen. Dat is een aardige gedachte, toch? Jij bent natuurlijk maar een deel van mijn lot, maar ik bèn het jouwe. Ik ben wat Jezus voor je in gedachten heeft... Ik zal het heel goed met je maken, dat beloof ik je. Ooh, maar het is lang geleden. Ik heb er nog zo'n vreselijke hoop voor te regelen.'

Hij keerde zijn blik weer van de weg af en glimlachte breed naar haar.

'Dit gaat leuk worden, lieverd,' zei hij. Toen giechelde hij. Aural wist nu dat ze in ernstige moeilijkheden was.

28

'Goed dat je zo tenger bent,' zei Swann. 'Dit is een heel nauwe doorgang.' Hij stopte om op adem te komen. Het touw om zijn middel sneed in zijn huid en hij wriemelde in haar richting achteruit om de spanning te verminderen. Aural zat opgesloten in een leren zak die ontworpen was om golftassen en een complete set golfsticks te verzenden. Het touw was om haar voeten vastgemaakt. Hij had het leer zorgvuldig uitgezocht omdat dat beter gleed dan de nylon zakken en het bood ook een zekere bescherming. Swann had die bescherming nog vergroot door twee kussens onder haar hoofd te schuiven voor hij haar begon te slepen. Hij wilde niet dat ze een klap kreeg en buiten bewustzijn raakte. Het ging erom dat ze wist wat er met haar gebeurde.

'Natuurlijk, als je een van die korte, dikke meisjes was geweest had ik je helemaal niet willen hebben,' zei hij. Hij wist dat ze hem kon horen, ook al kon ze hem niet zien. 'Ik houd van een slank meisje, eentje met een goed voorkomen, maar niet mollig, weet je? Ik geloof dat een slank meisje meer intens kan voelen, toch? Al die extra opeenhoping van vet kan je sensaties erg verminderen, denk je niet?'

Aural maakte een geluid, maar de tape over haar mond maakte haar onverstaanbaar. Swann had het allang opgegeven te proberen haar geluiden te verstaan. Hij wist toch wel wat ze in het algemeen inhielden. Hij draaide zich weer in de richting die hij had ingeslagen. De lamp op zijn helm verlichtte zijn pad maar een paar meter voor dit weer door de duisternis werd opgeslokt. Nog steeds zwaar ademend, begon hij weer vooruit te kruipen. Hij voelde de zak aantrekken en dan achter hem aan glijden. Het leer had hem meer gekost, maar dat was het beslist waard.

Aural hoorde hem hijgen en trachtte zich voor te stellen hoe hij vooruitploeterde en haar achter zich meesleepte. Het moest wel omhooglopen, te oordelen naar de moeite die het hem kostte, alhoewel ze niet het gevoel had dat ze schuin lag. Ze had absoluut geen idee waar ze was, had dat niet meer geweten sinds hij haar in die zak had gestopt. In het begin was ze gedesoriënteerd en bang en wist ze alleen dat ze een hele tijd werd gesleept. Daarna werd ze naar beneden gelaten, met wat ze dacht dat een touw was om haar bovenlichaam en haar voeten, dan weer gesleept, deze keer over veel hobbeliger terrein.

Hij werkte hard om haar te krijgen waar hij haar wilde hebben, waar dat dan ook was. Altijd aardig om gewild te zijn, dacht ze, en toen drong het tot haar door dat haar gevoel voor humor weer terugkwam. Wat haar ook nog te wachten stond, ze wist dat angst en verwarring haar niet hielpen te overleven. Bang zijn had haar nooit veel goeds gedaan in haar leven, maar kalm blijven had haar meer dan eens het leven gered. De beste manier die ze kende om kalm te blijven was vast te houden aan haar gevoel voor humor. In dit geval zou dat weleens kunnen betekenen vasthouden of haar leven ervan afhing.

Het was al een hele tijd stil, en Aural stelde zich voor dat hij op de grond lag, hijgend en puffend alsof hij een paar kilometer had gerend, maar toen drong het tot haar door dat ze hem niet kon horen ademen. Als de klootzak nu eens van uitputting dood was gegaan? Als ze nu eens in die zak werd achtergelaten, met haar mond dichtgeplakt en met handboeien om, terwijl haar ontvoerder dood naast haar lag? Waar waren ze verdomme? Hoelang zou het duren voor iemand hen zou vinden? Zou iemand hen wel vinden?

Ze wilde het uitschreeuwen, maar een rustiger deel van haar hield de overhand. Ze zou nu alleen maar energie verspillen. Ze wilde haar geschreeuw bewaren tot ze het echt nodig had.

Iets friemelde aan de zak boven haar gezicht en toen begon de ritssluiting zijn liefelijke gerits. Hij was helemaal niet dood, en Aural voelde een verwarrende golf van opluchting.

'Ik ben blij je te zien, jongen,' zei ze, en ze ging zo gauw als de opening dat toeliet rechtop zitten.

In het begin kon ze echt niet veel zien. Het licht was te helder nadat ze zo lang in de volledige duisternis van de zak had gezeten, maar ze kon zijn gestalte naast haar geknield zien zitten. Ze knipperde met haar ogen en probeerde rond te kijken om te zien waar ze was. Er was een gek sissend geluid achter haar. Het klonk als een slangenconcert.

'Bevalt het je?' vroeg hij.

'Nou, ik weet nog niet zeker hoe ik het vind,' zei ze. 'Maar wat het ook is, het is beter dan de zak.'

Hij giechelde verrast en blij.

'Jij bent een prater, hè?'

'Er zijn maar weinig dingen in het leven die niet beter worden van wat conversatie,' zei Aural. Haar ogen tastten nog steeds de omgeving af in een poging wat meer inzicht te krijgen. Vormen begonnen gestalte te krijgen, maar ze waren allemaal vreemd en ongewoon.

'Ben je niet bang?'

'Nee, ik ben niet bang,' loog Aural. 'Ik voel me vooral verkrampt vanwege de zak. Zeg, luister, jij bent toch niet bang, hè? Omdat als jij dat wel bent, we de hele boel beter kunnen afblazen.'

'Jij bent grappig,' zei hij. 'Dat mag ik wel. Jij liegt ook tegen me, maar dat geeft niet. Ik snap dat wel. Voor we hier klaar zijn, zeg je alles wat je maar kunt bedenken.'

'Nu is er hoop,' zei Aural. 'De man wìl dat ik tegen hem lieg. Dat doen alle mannen natuurlijk, maar jij bent de eerste die dat ooit heeft toegegeven. Je wilt toch niet zeggen dat je een eerlijke man bent.'

'Ik zal heel eerlijk tegenover jou zijn,' zei hij. 'Ik heb geen enkele reden om tegen je te liegen.'

Aural keek omhoog. Ze kon geen zoldering zien, alleen duisternis, die zich achter het licht uitstrekte.

'Wat denk je ervan als ik ga staan en me uitrek? Is dat goed?'

'Natuurlijk,' zei hij. 'Waarom niet? Je kunt toch nergens heen.'

Ze kwam moeilijk overeind vanwege de handboeien om haar polsen. Ze boog haar rug, rolde haar hoofd op haar schouders om haar spieren los te maken en nam die gelegenheid waar om meer van haar omgeving op te nemen.

'Het is hier koud, niet?' Ze had die kilte net opgemerkt. De lucht voelde aan alsof het boven het vriespunt was, maar niet veel. 'Kunnen we de verwarming wat hoger zetten?'

'Ik zal je binnenkort opwarmen,' zei hij.

'Ik kijk ernaar uit.'

'Ik weet dat je bang bent,' zei hij. Aural dacht dat hij teleurgesteld leek, alsof die angst deel uitmaakte van de onderneming. Wat het ook was, ze was niet van plan toe te geven. Als ze ruimte liet voor haar angst, zou die haar spoedig overweldigen, wist ze.

'Waarom zou ik bang zijn?' vroeg ze. 'Je hebt me niet helemaal hier naar toe gebracht om me pijn te doen.'

Hij liet een gegiechel horen dat killer was dan de lucht.

'Ja, dat deed ik wel,' zei hij.

'Uh-oh,' zei ze, en grijnsde recht in zijn gezicht. Ze liet hem merken dat ze zich daar niet druk om maakte. 'Je lijkt Danny Leeps wel.'

'Wie is dat?'

'Een oud vriendje van mij. Danny hield er ook van me pijn te doen. Hij was niet zo pienter als jij, maar verder lijk je precies op hem.'

'Ik lijk niet op iemand anders!' Hij werd zo woedend bij dat idee, dat Aural dacht dat hij haar zou slaan. Ze stond klaar om onder de slag weg te duiken en dan tegen hem aan te duwen en hem uit balans te stoten. Ze kon dan proberen het op een lopen te zetten – als ze enig idee had welke kant ze op moest rennen.

Hij sloeg haar echter niet. In plaats daarvan boog hij zich naar de leren zak en rommelde daarin. Daardoor zag Aural voor het eerst de lichtbron. Het was een Coleman-kampeerlamp en het sissende geluid kwam daarvandaan. Ze dacht eraan hem, terwijl hij gebogen stond, een schop te geven, dan de lantaarn stuk te gooien en haar kansen in het donker te beproeven, maar ze realiseerde zich dat ze helemaal geen kansen had zolang ze niet op zijn minst uitgevonden had waar ze was en hoe ze daaruit moest komen.

Hij stond op met iets in zijn hand dat eruitzag als een groter, vreemd gevormd paar handboeien.

'Je hebt een leuk hoofddeksel op, trouwens,' zei ze.

Swann reikte omhoog en raakte de harde plastic schaal op zijn hoofd aan alsof hij die nu pas opmerkte en tegelijkertijd begreep Aural tot haar ontzetting wat het was en waarom. Ze was ondergronds.

Swann merkte de verandering in haar uitdrukking meteen en een trage glimlach van voldoening verspreidde zich over zijn gezicht.

'Je hebt het nu door, lieverd?'

'Ik neem aan dat je wilde dat we alleen waren,' zei Aural.

'Daar heb je gelijk in.'

'Een motelkamer zou comfortabeler zijn geweest,' zei ze. Ze probeerde te glimlachen maar haar gezicht stond stijf van angst.

'Je herinnert je toch waar Jezus naar toe ging toen Hij alleen wilde zijn? Hij ging niet naar een motel. Hij ging de wildernis in.'

'Wanneer was dat?'

'Naar de bergen en naar de woestijn. En Hij worstelde met satan en consorten. De duivel stelde Hem op de proef, weet je nog? Nou, jij en ik moeten ook met satan worstelen. Wij hebben onze eigen beproeving. Ik ben natuurlijk geneigd toe te geven aan de mijne, maar Jezus begrijpt en vergeeft. Maar er is hier gewoon niet zoveel wildernis meer, hè? Het is niet zo dat we een woestijn bij de hand hebben. Zo kwam ik dus op een plek waar we alleen kunnen zijn zolang we willen.'

'Hoelang denk je dat dat is? Zo ongeveer.'

'Dat hangt van jou af, toch? Ik kan het net zo lang uithouden als jij. Draai je om.'

Swann sloeg de vreemd uitziende handboeien om haar enkels. Toen ze het ijzer om haar laars voelde klemmen, herinnerde Aural zich voor de eerste keer weer haar mes. Ze kon daar nu niets mee doen, niet met geboeide handen en voeten, maar haar tijd zou komen. Ze voelde zich plotseling een stuk beter.

'Ik moet wat spullen halen,' zei hij. 'Blijf jij maar hier en bid. En denk aan je Danny Leeps. Denk er maar over of hij je ooit zo erg in de problemen heeft gebracht.'

Hij deed het licht op zijn helm aan. Deed toen de lamp uit en borg die op in de golfzak. De straal van de helmlamp trof haar recht in het gezicht.

'Je laat me toch niet gewoon hier achter, hè?'

'Als ik terugkom, kunnen we samen bidden,' zei hij.

'Hoelang blijf je weg?'

'Tijd is betrekkelijk,' zei hij. 'Voor jou zal het een hele tijd lijken.'

'Nou, kom dan maar gauw terug, schat, want ik zal je missen.'

'Dat weet ik,' zei hij. Hij draaide zich om en liep weg. De straal van zijn helmlamp had een eigenaardige gele kleur en toen die de muur bescheen weerkaatste die alsof het goud was. Aural kon voor het eerst de rots van haar gevangenis onderscheiden.

Het licht ging omlaag tot bijna bij de vloer van de ruimte. Ze kon Swann zelf niet langer zien, alleen een vage gestalte in het teruggekaatste schijnsel.

'Goede reis,' riep Aural.

'Dat is te hopen voor je,' zei hij en het licht verdween alsof het rechtstreeks in de rotswand was opgeslokt.

Zijn stem bleef nog een ogenblik galmen en Aural merkte dat, waar ze ook was, in een kamer, een kerker of een grot, het heel groot was. Een minuutje kon ze het schrapen van zijn laarzen tegen de stenen horen en toen was zelfs dat geluid weg en was ze alleen in de duisternis.

Nog niet – schreeuw nog niet, hield ze zichzelf voor. Spaar het nog.

29

Swann was geschrokken toen hij zag hoe licht het was geworden. Tegen de tijd dat hij de zon weer zag was het bijna middag en de zon scheen met een helderheid die hij vergeten was tijdens het manoeuvreren bij uitsluitend het zwakke licht van zijn helmlamp. Het drong tot hem door dat hij sinds hij uit Springfield weg was, in feite nooit echt was gewend aan de zon, aan de wind, aan de geur van frisse lucht. De gevangenis was zoiets als leven in een graftombe. Hoe lang een gevangene ook op de luchtplaats doorbracht, hij kon het gevoel van permanente mistroostigheid dat zijn geest doordrong niet kwijtraken. Die mistroostigheid was natuurlijk niet alleen een kwestie van licht, – soms was het absoluut te helder verlicht binnen. Het was een kwestie van innerlijke blik. Als je niet verder kon kijken dan de dichtstbijzijnde muur, dan duurde het niet lang of je geest reikte ook niet verder. De romantische opvatting dat opsluiting je verbeeldingskracht kon bevrijden en tot grote hoogte kon laten stijgen was onzin, dacht Swann. Het verkrampte en verstijfde de geest net zoals het lichaam. De meesten in de gevangenis konden geen enkele gedachte over de dingen buiten de muren vasthouden. Hun geesten waren in het moeras van de dagelijkse beslommeringen gezakt, van overleven, celblokpolitiek, manipulaties, angst. Televisie en radio waren geen verbindingen met de buitenwereld, het waren kunstmatige producten van een beschaving die lichtjaren was verwijderd, die afstierf als de gevangene binnen de muren kwam. Boeken, met hun visies uit andere werelden, waren net zo vreemd als runen-tabletten. Ontcijferbaar, maar irrelevant voor het leven van wie ze lazen. Het leven in de gevangenis wàs de gevangenis en de rol die de man moest spelen om te overleven werd de man, de man werd de rol. Na een tijdje was er geen verschil meer.

Nu echter, kon Swann eindelijk die rol van zich afschudden. Toen hij naar zijn auto liep, drong het tot hem door dat hij zich, voor de eerste keer sinds hij uit de gevangenis was, echt zichzelf voelde. Hij was niet langer iemands vriendje, hoer en vrouw. Hij was niet langer dienaar, slaaf, lafaard. Hij maakte het nu zelf uit. Híj maakte het uit. Er was geen beperking meer in wat hij nu kon doen, vooropgesteld dat hij redelijk voorzichtig was. Zijn enige beperking was zijn verbeeldingskracht en in de echte wereld bloeide zijn verbeeldingskracht op. Hij wist dat hij uniek was in de gedachten die hem bezighielden. Dat was hij sinds zijn kindertijd altijd geweest en hij had al vroeg geleerd die gedachten voor zichzelf te houden. Dat waren zijn schatten die niemand anders kon begrijpen, ook al wilden ze die wel graag hebben. Dat was het ironische: ze keurden zijn gedachten niet goed, dat wist hij, ze dachten dat ze afstotend, schunnig en schaamteloos waren, maar toch wilden ze allemaal zijn schatten van hem afpakken. Swann liet niet toe dat ze zijn schatten zouden krijgen. Hij klampte zich eraan vast, hij koesterde ze en hield ze zorgvuldig uit het zicht.

Soms was het een last dat hij nooit in de gelegenheid was over zijn kostbaarste bezittingen te praten. Er waren gelegenheden dat hij in de verleiding kwam ze te delen. Wanneer een idee zo reëel was, zo aanlokkelijk, zo vol opwinding en genot, wilde hij een vreemdeling, wie dan ook, vastgrijpen, en hem vertellen wat voor vreugde hij in zijn geest beleefde. Hij kon dat natuurlijk niet doen. Dat wil zeggen, hij kon dat niet doen tenzij hij iemand had die hij echt kon vertrouwen. De enigen die dat waren waren zijn meisjes. Hij vertelde hun alles over zijn gedachten. Hij vertelde ze op hetzelfde moment als hij ze hun demonstreerde. Hij wist dat ze hem nooit zouden verraden. Ze zouden het nooit een andere levende ziel vertellen.

Swann reed naar de stad en voelde zich eindelijk weer helemaal en volledig zichzelf. Hij voelde het beest dat in hem leefde in beweging komen en zijn tentakels uitstrekken om zijn hart, zijn maag en zijn kruis vast te grijpen. Het rukte aan hem, vraatzuchtig, hunkerend om gevoed te worden en Swann voelde de oude opwinding groeien, de oude onweerstaanbare vreugde.

Hij reed met het raampje open en snoof de lucht op. Hij hield van de geuren van het land waar hij was opgegroeid. Alles leek weer nieuw, maar toch aangenaam vertrouwd. Hij kon zich niet herinneren zich ooit beter gevoeld te hebben. Hij had de leiding, alles was onder controle en perfect gepland. Er lag ten minste een week van veel genot in het verschiet, misschien meer als zij het uit kon houden. Deze leek sterk en ze had een grote mentale kracht. Hij mocht haar spirit wel, het zou haar helpen langer te leven.

Swann kon zich niet herinneren dat hij zich ooit beter had gevoeld. Na een poosje begon hij te zingen.

De eerwaarde Tommy R. Walker ontmoette Harold Kershaw in Elmore in een koffieshop met de naam Chat 'n Nibble, waar de andere klanten lunches van gebraden kip met biscuits en bruine jus naar binnen werkten. Tommy dronk koffie en hield zenuwachtig de voordeur in de gaten. Hij verwachtte niet dat er iemand van zijn show zover uit de buurt zou komen – er waren verschillende hamburger restaurants tussen hier en het tentenkamp – maar het kon geen kwaad voorzichtig te zijn. Hij zat liever aan de bar naast Kershaw dan in een nis, zodat hij zich van de ander kon distantiëren in het onwaarschijnlijke geval dat Rae of een lid van de apostolische gemeente binnen zou wandelen.

'Ze had buiten de show geen vrienden, niet dat ik weet tenminste,' zei Tommy.

'Een of andere klootzak reed de auto,' zei Harold.

'Nou, ik heb geen idee wie dat geweest zou kunnen zijn.'

'Een meid als Aural kost het geen moeite vrienden te vinden. Ze hoeft maar langs een bar te lopen en er snuffelen er wel een dozijn achter haar aan.'

'Ik besef dat... Toch zou ik het hebben gehoord als het iemand uit de buurt was geweest. Rae zou het me hebben verteld. Bovendien, hoe kon ze weten dat je kwam? Ik heb niemand iets verteld.'

'Uh-huh.'

'Echt niet. Denk je dat ik gek ben? Ik wil iedereen weer aan mijn kant hebben, en niet tegen mij in het harjas jagen door iets tegen hun kleine lieveling te ondernemen.'

'Jouw kleine lieveling is een gevaarlijke vrouw.'

Tommy wierp een snelle blik op de deur en bekeek toen Harold Kershaws handen en gezicht. Hij zag geen spoor van littekens.

'Dat kreng heeft meer dan eens geprobeerd me te vermoorden,' vervolgde Kershaw. 'Ze probeerde me een keer uit de bak van mijn pick-up te gooien. Een keer trok ze een mes.'

'Ik dacht dat ze je in brand stak,' zei Tommy.

'Me in brand stak?'

'Dat vertelde ze tegen iedereen.'

'Oh, ja. Ze stak mij niet in brand maar de verdomde trailer. Ik zat in een fuik. Zij sloeg de deur dicht en stapelde een hoop rommel tegen de onderkant en stak dat aan. Het waren meest mijn kleren die verbrandden. Het kreng verbrandde mijn favoriete laarzen.'

'Ze stak jou niettemin niet in brand?

'Ik klom uit het raam. Verdomme, de deur was van metaal en metaal brandt niet zo goed.'

'Godverdomme,' zei Tommy. Hij voelde zich vreemd teleurgesteld dat Aural hem niet echt in brand had gestoken.

'Let op je woorden, prediker,' zei Kershaw grinnikend. 'Je moet een goed voorbeeld geven aan de jongeren. Je kunt niet steeds maar klote en verdomme zeggen. Je weet dat in no time iedereen dat dan ook zegt.'

'Ik ben een genezer,' zei Tommy, maar hij wist niet welk onderscheid hij probeerde te maken. Hij wilde Kershaw duidelijk maken zijn mening voor zich te houden, maar de man zag er zo ruw en gemeen uit dat hij besloot daarvan af te zien. Hij zag eruit of hij het soort man was dat je alleen om te oefenen al een oplazer zou geven. Het was moeilijk te begrijpen hoe zo'n nietig ding als Aural in staat was geweest zo'n man in de hand te houden. Of waarom. In een flits dacht Tommy het één ogenblik te begrijpen. Dat gaf aanleiding voor een nog korter gevoel van sympathie voor de positie van de vrouw, maar dat alles verdween gelijk weer.

Kershaw stripte het cellofaan van een tandenstoker en duwde de punt in het gat tussen zijn twee onderste snijtanden. Hij wiebelde hem op en neer met zijn tong, zodat het Tommy leek of het de schokkerige, onderzoekende beweging van de antenne van een insekt was. Alsof Kershaw net een gigantisch insekt in zijn mond had gestopt en nog niet helemaal had doorgeslikt.

Tommy vond het walgelijk en hij draaide zich om en keek door het spiegelglas van het raam naar de straat. Er liep een man langs met een grote zak kruidenierswaren in zijn ene arm en een paar nylondekens, nog in hun plastic verpakking, in zijn andere arm.

'Wat heb je dan voor helder idee, preker?' vroeg Kershaw, maar toen stopte hij plotseling, zo abrupt, dat Tommy zich omdraaide en hem aankeek.

Kershaw staarde met open mond naar het raam; de tandenstoker hing omlaag. 'Verrek,' zei hij en rende naar de deur.

Swann hoorde de rennende voetstappen achter zich en was al half omgedraaid om te kijken toen hij de eerste slag op zijn hoofd af zag komen. Hij dook net voldoende om hem op zijn schouder op te vangen, maar de slag was nog hard genoeg om hem uit balans te brengen en Swann wankelde toen de tweede klap hem tegen zijn borst trof. De derde klap schampte de bovenkant van zijn hoofd en hij viel. Hij kwam zo hard neer dat zijn ademhaling stokte. Hij lag happend naar adem op de grond en leek geen lucht meer in zijn longen te kunnen krijgen.

Er doemde een man met gebalde vuisten en een grommend gezicht boven hem op, maar Swann kon zich nergens op concentreren totdat hij eindelijk weer adem kon halen. Toen het tot hem doordrong dat hij in leven zou blijven, maakte hij geen aanstalten op te staan. Hij bleef liggen waar hij op de stoep was gevallen met zijn ingeblikte spullen en kaarsen rond zijn hoofd uitgespreid en de dekens over zijn voeten alsof iemand de moeite had genomen hem in te stoppen.

'Je hoeft niet op te staan,' zei Kershaw. 'Als je daar ligt, kan ik je nog makkelijker platstampen.'

Intussen had Tommy zich bij Kershaw gevoegd, maar hij bleef op een afstand en deed of hij een van de toeschouwers was. Die waren er zo snel bij alsof ze van te voren gewaarschuwd waren dat er iets opwindends te gebeuren stond. Dit was niet het Amerika van de grote stad, waar het gebruik van geweld tegen iemand veel voorkwam en de mensen bewust onverschillig liet. In stadjes als Elmore, stroomden de mensen nog steeds toe om een gevecht te zien, niet bezorgd dat het uit de hand zou lopen en er zomaar mensen gedood zouden worden. Ze gaven ze ook de gelegenheid het zelf uit te vechten voor ze tussenbeide kwamen. Ze waren altijd de vredestichters, maar nooit bij het begin. Zelfs de vredestichters wilden wel een beetje actie zien.

'Waar is ze?' vroeg Kershaw.

Swann keek onzeker en schudde zijn hoofd.

Kershaw schopte hem tegen zijn heup. De mensen rondom hielden hun adem in, niet goedkeurend en niet afkeurend. Ze onthielden zich van een oordeel, tot ze het conflict beter begrepen. Te veel mishandeling van een tegenstander die op de grond lag moest uiteindelijk worden gestopt, maar een verkennende schop leek toelaatbaar.

'Het helpt je niet je van de domme te houden,' zei Kershaw. 'Ik blijf je schoppen tot je me zegt waar ze is.'

'Wie?' vroeg Swann.

'Je weet best wie.'

Kershaw trok zijn voet weer naar achteren en Swann bedekte zijn gezicht met zijn handen hoewel zijn aanvaller het daar duidelijk niet op had gemunt. De laars trof Swann in zijn zij en hij schreeuwde het uit.

De mensen begonnen weer te mompelen, deze keer evenveel van afkeuring als uit sympathie.

'Ik weet niet wie je bedoelt,' zei Swann zo gauw hij weer praten kon. Hij rolde met zijn ogen naar de mensen om hulp.

'Aural,' zei Kershaw. 'Waar is ze, jij kleine bleekscheet?'

Kershaw ging op Swanns scheen staan en hield zijn voet omlaag totdat Swann wegtrok en ging zitten, terwijl hij zijn arm ter bescherming voor zich hield.

'Laat hem gaan staan,' zei een stem vanuit de menigte.

'Ik houd hem niet tegen als hij op wil staan,' zei Kershaw, woedend rondkijkend naar degene die protesteerde. 'Die bleekscheet stal mijn vrouw.'

De mannen lieten een gemeenschappelijk 'ah' horen, nu ze het allemaal begrepen. Vrouwen stelen, een vaag maar bedreigend begrip, liet de sympathie weer naar Kershaw verschuiven.

'Ik ken haar niet,' zei Swann. 'Ik heb haar niet gestolen. Ik heb niemand gestolen.'

'Gelul,' zei Kershaw vol verachting voor Swanns verhaal. 'Je kunt het maar beter zeggen want ik ben niet bang je dood te schoppen als het moet.'

'Je hebt de verkeerde te pakken,' zei Swann. Hij klonk zo zielig als hij maar kon. Hij rolde weer met zijn ogen naar de menigte. Hij wist dat uiteindelijk iemand van hen tussenbeide zou komen en hij was dankbaar dat hij Kershaw niet op een afgelegen plek was tegengekomen. Swann wist dat hij de kwelling moest doorstaan – hij had dat vroeger meer dan eens gedaan – en de enige vraag was of hij, nadat het voorbij was, nog kon lopen.

'Ik heb jouw vrouw niet nodig,' zei Swann en speelde daarmee de enige kaart uit die hij had.

De mensen hielden hun adem in bij deze klaarblijkelijke belediging. Zonder waarschuwing legde Kershaw hem het zwijgen op door met zijn vuist in Swanns gezicht te slaan.

Grimmig gemor steeg op uit de menigte. Een man slaan terwijl hij zat had zijn grenzen en Kershaw naderde die snel.

'Zo is het wel genoeg,' opperde een stem, maar niemand kwam nog in beweging. Eerst moest morele overredingskracht worden geprobeerd.

Swann spuugde wat bloed uit dat in zijn mond was gelopen en veegde met zijn hand onder zijn neus, die hevig bloedde. Hij voelde aan een tand alsof die loszat, hoewel de klap zijn mond niet had geraakt. Hij deed geen moeite op te staan. Hij zou daar blijven zitten en het ondergaan als een stootzak als dat moest, maar weerstand bieden of zelfs de schijn wekken een eerlijke tegenstander te zijn, zou een ramp zijn.

'Ik bedoel, ik heb helemaal geen vrouwen nodig,' zei Swann en probeerde de list af te maken die Kershaw had gedwarsboomd door hem zo snel te slaan. 'Ik ben van de verkeerde kant.'

Dat verdeelde de menigte in ongeveer twee gelijke helften: in degenen die dachten dat hij zijn gelijk nu had bewezen en degenen die vonden dat hij principieel de slagen had verdiend. Maar de echte overwonnene was Kershaw. Het was één ding om op een gevallen man te gaan staan en zijn ingewanden eruit te schoppen omdat hij een vrouw had gestolen, maar iets heel anders om een afstraffing toe te dienen aan een slachtoffer die zo fundamenteel zwak was dat hij zelfs de grootste perversie toegaf.

Kershaw sloeg Swann op zijn oog en dan voor de zekerheid nog eens, maar de tweede slag had de halfslachtige bezieling van een man die weet dat hij al heeft verloren.

De mensen hielpen Swann op de been toen Harold Kershaw wegliep. Tommy Walker liep met opzet de andere kant uit. Na een paar minuten slaagde Swann erin iedereen ervan te overtuigen dat hij geen dokter wilde, stapte in zijn auto en reed Elmore uit. Hij keek enkele kilometers lang in zijn achteruitkijkspiegel om er zeker van te zijn dat hij niet werd gevolgd.

Toen hij er zeker van was dat hij veilig was, reed Swann naar de kant van de weg. Nu de adrenaline uit zijn lichaam wegzakte, begon hij zich duizelig te voelen van de laatste twee klappen op zijn oog. Hij kon maar weinig meer met dat oog zien en toen hij in de spiegel keek zag hij dat het zo gezwollen was dat het bijna dicht zat. Hij was al eerder erger geslagen. Cooper had hem in de eerste weken dat hij hem in de rol van volgzame concubine dwong, bijna vermoord. Deze keer waren er geen botten gebroken. Hij kon zich nog bewegen. Hij kon zich nog verplaatsen. Hij zag er niet erg goed uit, maar een tijdje zou niemand anders dan Aural McKesson hem zien en het deed er niet echt toe of hij er voor haar presentabel uitzag of niet. Zo was het toch?

Het enige wat hem zorgen baarde was de duizeligheid die maar niet over wilde gaan. Hij leunde met zijn hoofd achterover tegen de bank en sloot zijn ogen. De auto leek om hem heen te zwemmen en hij deed zijn ogen weer open en zocht iets om zijn blik op te richten om het draaien op te laten houden. De boom waar hij naar keek bewoog en toen bewoog hijzelf ook. Hij zwiepte wild heen en weer; het licht flikkerde en ging uit.

Swann kwam bij en hij wist dat hij bewusteloos was geraakt. Hij raakte in paniek. Het was niet zijn gezondheid die hem het meeste zorgen baarde maar zijn veiligheid. Hij was erin geslaagd al die tijd te overleven, zowel in de gevangenis als daarvoor, door voortdurend alert te zijn. Soms dacht hij aan zichzelf als aan een zoogdier in het tijdperk van de dinosaurus, een klein en armzalig uitgerust dier dat aan zijn vijanden ontkwam door zijn sluwheid en grotere intelligentie. Levend in de ontstaansperiode van een wereld die gedomineerd werd door de geweldigen en de dommen, had het zoogdier het overleefd, stilletjes lachend om de reuzen eromheen als het ongemerkt tussen hun poten doorglipte. Ten slotte bereikte het zijn eigen bestemming, overleefde het de monsters en kwam aan de top van de piramide door zijn natuurlijke superioriteit. Swann hield van die vergelijking. Het beviel hem en het troostte hem te denken dat hij door zijn slinksheid en kracht overleefde, terwijl de dommen rondstrompelden, en tevergeefs jacht op hem maakten.

De prijs voor die ongrijpbaarheid was voortdurende waakzaamheid en als hij die kwijtraakte, dan was hij verloren. Hij had nu een plek nodig waar hij zich kon verbergen. Hij had nu iemand nodig die voor hem kon zorgen. Een dokter of een ziekenhuis, daar was geen sprake van. Hij kon zich niet veroorloven vastgehouden te worden. Zijn veiligheid hing af van een mobiliteit die te vergelijken was met anonimiteit. Als hij nooit tweemaal op dezelfde plaats was, liet hij geen indruk na, was er niemand die zich hem herinnerde, niets dat hem met iets of iemand in verband bracht.

Hij begreep niet hoe die armzalige halve gare hem herkend had. Wat was dat voor onberekenbare pech om te winkelen in dezelfde plaats op dezelfde tijd? De stad was dertig kilometer van het kamp waar hij het meisje had gevonden. Wat deed die man hier en hoe kon hij Swann hebben herkend? De man kon niet meer dan een glimp van een gestalte in de auto hebben opgevangen. Het was nacht. Swann had de man zelfs niet aangekeken. Of had hij dat toch? Kon hij hem zo goed hebben gezien? Of was dat ook pech? Was Swann zorgeloos geweest? Was zijn waakzaamheid verslapt?

Swann was bang op een manier als hij nog niet was geweest sinds de eerste paar dagen in de gevangenis, bang voor zijn leven, en hij wist dat hij iemand moest vinden om hem te helpen totdat hij was hersteld. Er was er maar een die dat kon en die hij onvoorwaardelijk kon vertrouwen.

Hij dwong zich verder te rijden, vechtend om zijn evenwicht te bewaren.

30

Aural had nog nooit zo'n duisternis meegemaakt, niet in de zwartste nacht van haar leven, niet met haar ogen dicht, nooit. Zelfs blinden zien meer licht dan dit, dacht ze. Dit was de duisternis van het graf, totaal en onveranderlijk. Het was niet een kwestie dat haar ogen moesten wennen aan een lager lichtniveau. Er was helemaal geen licht, niets om gewend aan te raken, niets wat afnam of toenam, geen enkele verwijding van de pupil maakte enig verschil.

Het was echter niet helemaal stil, zoals ze eerst had gedacht. Op de eerste plaats waren er haar eigen geluiden, haar ademhaling, het schuren van haar kleren tegen de rots, het geluid van haar slikken. Elk geluid werd vergroot en de hardere geluiden echoden terug en bleven seconden langer hoorbaar. Maar buiten haarzelf was er ook het geluid van water. Ergens in de verte stroomde een beek over de rotsen. Ze kon het vertrouwde gespetter horen alsof het gefilterd werd door honderden meters duisternis. En dichterbij kon Aural, als ze zelf stil was, water horen druppelen, heel zacht, met lange tussenpozen tussen de druppels, maar constant, met de regelmatigheid van een klok. Ze probeerde de tijd tussen de druppels te tellen en stelde vast dat het 180 seconden duurde, aangenomen dat een-duizend-een tellen in je geest in werkelijkheid een seconde duurde. Drie minuten. Ze had een gedrup waar ze een ei bij kon koken.

Hoeveel druppels was hij al weg? Hoeveel nog voor hij terugkwam? Hoeveel voordat haar echte beproeving begon? Ze vroeg het zich af. Ze wist niet wat die kerel met haar van plan was, maar het leek een tamelijk goede hypothese dat hij niet van plan was haar hier alleen achter te laten. Bovendien stond ze zichzelf niet toe daarover te speculeren. Het had geen zin van tevoren bang te worden. Het had geen zin zijn werk voor hem te doen.

Wat ze moest doen was zich zo goed mogelijk op zijn terugkomst voorbereiden. Omdat haar handen voor haar lichaam geboeid waren, was het geen probleem het mes uit haar laars te pakken, maar ze wist niet wat ze er dan mee moest doen. Met haar benen gekluisterd, zou ze niet in staat zijn te manoeuvreren. Ze zou op z'n best maar één kans krijgen en zelfs dan wist ze niet wat ze moest doen.

Zeg dat ze hem zou steken, wat dan? Ze kon dan niet wegrennen terwijl hij naar zijn wond keek. Hij hoefde maar een stapje bij haar uit de buurt te gaan, zichzelf verbinden en haar dan op zijn gemak aanvallen. Of haar gewoon weer alleen achterlaten, terwijl hij wegging om een wapen te halen. Hem verwonden, hem angst aanjagen, zou haar niets helpen omdat ze niet weg kon komen. Dat betekende dat zij hem moest doden.

In de eerste plaats, zei ze tot zichzelf, wist ze niet of ze wel iemand wilde doden. Dreigen met een mes – wat ze verschillende keren had gedaan en die dreiging was altijd voldoende geweest om haar genoeg tijd en ruimte te geven om te ontkomen – was één ding, maar iemand ermee doden was heel iets anders. En veronderstel nu dat ze de moed kon opbrengen hem te doden, wat dan? Tenzij ze wist waar ze was of hoe ze eruit moest komen, zou ze niet alleen nog steeds verloren zijn, maar ook nog in het gezelschap van een lijk. Deze plek leek al genoeg op een graf zonder dat vleugje realisme eraan toe te voegen.

Een ding dat ze zeker wist, was dat ze haar mes niet in haar laars kon houden. Wat hij verder ook nog voor haar in gedachten had, als die kerel net was als elke andere man die ze ooit had gekend, dan zou hij uiteindelijk haar kleren uit willen trekken. Waarschijnlijk ook haar laarzen, wat betekende dat hij haar mes zou vinden, tenzij ze het dan al in haar hand had.

Op haar knieën voelde Aural om zich heen naar een opbergplaats in de rotsen. De rots was overal waar ze hem aanraakte vochtig. En glad – overal waar ze met haar vingers raakte was het glad – alsof er aldoor water over deze rotsen had gelopen.

Aural stond met haar handen naar voren uitgestrekt en schuifelde langzaam een kant op. Eerst telde ze haar stappen, zodat ze naar haar uitgangspunt terug kon keren, maar toen realiseerde ze zich dat er niets was dat dat punt van elk ander punt kon onderscheiden. De enige plek die ze moest merken, was de plek waar ze haar mes neerlegde.

Op de ongelijke vloer was het lopen verschrikkelijk en het was moeilijk om haar evenwicht te bewaren met haar benen zo dicht bijelkaar gebonden. Ze viel een keer op de glibberige grond en niet in staat haar val te breken, viel ze hard. Ze begon te huilen door de schok van de val, maar daarna huilde ze uit zelfmedelijden. Ze huilde lang en dat gaf lucht aan haar angst en haar ongeluk. Haar gehuil vulde de gewelfde ruimte en bleef weerkaatsen, totdat ze midden in een menigte kreunende, jammerende vrouwen leek te zitten.

Toen lachte Aural om zichzelf en haar lach klonk met dezelfde hysterische kracht zodat de stenen opnieuw weergalmden. Deze keer klonk het of ze in een gekkenhuis op de kermis was, of ze er een van een nest kakelende krankzinnigen was.

Dat was goed, zei ze tegen zichzelf. Doe het een keer, doe het maar, er is niemand die kan horen dat je je als een kind aanstelt, behalve jezelf en dat wist je al. Maar doe het als je alleen bent, als het zo nodig moet, maar laat het hem niet merken. Dat is een beloning die je hem nooit moet geven.

Half gehurkt ging ze verder en betastte het ongelijke oppervlak eerst met haar handen voor ze met haar voeten vooruitschuifelde. Als ze ophield om te luisteren, leek het stromende water dichterbij, hoewel toch nog veraf, en het gedrup van haar klok was moeilijker te horen.

Uiteindelijk vond ze een plekje. Haar vingers gleden in een uitsparing in de rots die groot genoeg was voor het mes. Ze voelde het met haar beide handen en probeerde de vorm van de rots voor zich te krijgen. Zou het zichtbaar zijn als hij het licht weer aanstak? Ze ging achtereenvolgens iedere gezichtshoek na en probeerde zich voor te stellen hoe het eruit zou zien voor iemand die kon zien. Zelfs een greintje zichtbaarheid zou te veel zijn – het mes zou het licht beter kunnen weerkaatsen dan de rotsen, fonkelen en flikkeren en zo zijn aanwezigheid verraden. De bergplaats leek naar binnen te krullen als de rand van een slakkenhuis. Hij zou de opening alleen kunnen zien als hij zijn ogen hield waar zij nu haar vingers hield. Ze dacht niet dat dat mogelijk was en zelfs dan zou hij alleen nog maar het gat zien. De uitsparing zelf was achter een kromming, het mes was volledig uit zicht. Aural legde het mes in de bergplaats, trok het er weer uit, maakte zich er toch zorgen om en legde het weer terug. Het was het beste wat ze gevonden had. Daar moest ze het maar mee doen, in ieder geval totdat ze iets beters vond.

Ze oefende om haar hand in de bergplaats te steken terwijl ze stond, als ze zat en zelfs als ze op haar rug lag. De oppervlakte van de steen werd haar vertrouwd, ze leerde de contouren uit haar hoofd zodat het niet moeilijker meer was dan het vinden van een waterglas in de badkamer midden in de nacht.

Het verschil was dat ze de badkamer altijd kon vinden. Ze moest er nu zeker van kunnen zijn dat ze de plek terug kon vinden. Aural deed haar laarzen uit en zette ze zo neer dat als ze zat met haar voeten op de plek van de laarzen, haar rug exact op de plaats zou zijn om direct bij het mes te kunnen.

Ze bewoog zich langzaam naar de rechterkant, telde haar stappen, en voelde met haar handen en voeten in de duisternis voor haar op zoektocht naar een ander soort inham in de rots, iets dat groot genoeg was om zichzelf te verbergen. Na vijftig afgepaste stappen besloot ze naar haar laarzen terug te keren en een andere richting te proberen, maar toen ze dacht op de goede plaats teruggekomen te zijn, voelden haar blote voeten de laarzen niet.

Een ijselijke paniek maakte zich van haar meester. Ze was de weg kwijtgeraakt, haar enige wapen in een uitgestrekte grot van lege duisternis had ze op de verkeerde plaats gelegd. Door haar eigen stomheid had ze zichzelf overgeleverd en was ze zonder verdediging. Met een onwillekeurige schreeuw van angst viel Aural op haar knieën en tastte met haar handen langs de glibberige rots.

Was ze te ver of niet ver genoeg? Was ze de laarzen in het donker al voorbijgegaan, ze voorbijgeglipt op haar weg terug? Of was ze nog niet ver genoeg gegaan? Hoever moest ze er in het pikkedonker vandaan zijn om ze toch volledig te missen? Een paar centimeter? Een centimeter? Ze had haar stappen maar met de kleinst mogelijke marge verkeerd hoeven zetten om ze compleet te missen, omdat als ze ze niet kon aanraken, ze zo ver weg waren als de maan. Hoe kon ze zo stom zijn geweest? Dit was niet hetzelfde als zonder licht in haar kamer rondstommelen. Hier waren geen oriëntatiepunten, geen vertrouwde meubels waar je tegenaan kon botsen, geen muren waar je op kon stuiten.

Eerst tastte ze met haar beide handen wild om zich heen, kloppend en klauwend in alle richtingen en biddend dat ze het leer tegen haar vingertoppen zou voelen. Maar toen ze vooruit begon te kruipen stopte ze plotseling. Denk na, bezwoer ze zich. Denk na. Je kunt er nu niet zo erg ver vanaf zijn, op zijn hoogst een paar stappen in elke richting, maar in feite moet je in de goede richting zijn. Maar als je begint rond te kruipen, kun je overal uitkomen. Je kunt in de verkeerde richting gaan en dan ben je voor altijd hopeloos verloren. Veranker je op een of andere manier hier. Je bent nog niet echt verloren, je bent gewoon nog niet helemaal waar je wilt zijn, maar je bent niet verloren als je hier verankerd blijft. Wat je nodig hebt is de beste manier om zo veel mogelijk van je omgeving te onderzoeken zonder je plek te verlaten. Stel je niet aan als een kind, doe niet idioter dan je al hebt gedaan. Denk na. De grootste afstand die je in elke richting kunt gaan zonder je plek te verlaten is de lengte van je lichaam. Ze ging op de rots liggen en strekte haar handen zover ze kon. Bij de top van haar vingers was een bepaalde laagte, een kuiltje, dat aanvoelde als een schoteltje. Ze ging met haar vingers over het schoteltje en dan over de rots er omheen en probeerde de omgeving vast te stellen. Haar tenen drukten tegen een kleine richel. Net zoals de rest van het oppervlak, was dat glad en rond maar het stak enkele centimeters boven de grond. Als je tenen op deze plaats blijven en je vingers zijn weer in het schoteltje, dan ben je weer terug waar je begonnen bent, zei ze tegen zichzelf.

Nu langzaam, voorzichtig. Houd je voet tegen de richel en rol. Aural begon zich met haar tenen in het midden in een cirkel om te rollen, één voorzichtige omwenteling tegelijk. Gezicht naar boven, gezicht naar beneden, ze telde de omwentelingen, al die tijd biddend om contact met een laars. Tenen tegen de richel, hielen tegen de richel. Een klein beetje schuiven met het lichaam om de voeten contact te laten houden, dan weer omrollen. Na iedere halve omwenteling voelde ze met haar vingers en zocht ze het schoteltje.

Na zestien omwentelingen vonden haar vingers de vertrouwde laagte. Ze had de hele cirkel gedaan. Maar geen laarzen. Ze ging rechtop zitten en probeerde zich de meetkunde van de middelbare school te herinneren. Het was iets met pi, maar wat zei haar dat? Niets, maar dat wist ze al. Ze herinnerde zich gradenbogen en passers en het cirkels trekken, wat ze net met haar lichaam had gedaan. Goed, ze had de tijd, laten we de meetkundelessen nagaan. Trek een andere cirkel, deze keer met haar handen in het middelpunt. Met haar lichaam als de diameter van de cirkel – of was het de straal? – zou ze met haar voeten tegen de richel en het schoteltje bij haar handen nog steeds op hetzelfde punt terugkomen. Ze zou niet verloren raken en ze zou meer grond bestrijken. Ze trachtte zich voor te stellen hoeveel meer, ze wist dat een gedeelte overlap zou zijn. Een halve cirkel? Minder, meer? Ze kon het zich niet duidelijk voor de geest halen, maar ze wist niet wat het uitmaakte. Ze had immers geen ander plan.

Aural begon weer te rollen, deze keer hield ze haar handen steeds in aanraking met de schotelachtige verlaging. Ze telde haar omwentelingen. Ze wist dat bij zestien haar voeten weer in contact met de richel zouden komen. Ze concentreerde zich zo op het terugvinden van de richel dat ze bijna vergat wat haar eigenlijke doel was. Ze rolde bijna met haar heupen over haar laarzen zonder dat het tot haar doordrong dat ze het waren.

'Oh, jullie lieverds,' zei ze en drukte de laarzen tegen zich aan. 'Willen jullie nooit meer zomaar van me weglopen.'

Ze reikte naar de nis in de rots en vond haar mes snel en gemakkelijk. Ze legde het mes weer terug in de geheime spleet en probeerde toen haar laarzen weer aan te trekken. Het was erg moeilijk het bovenleer onder de ijzers om haar enkel te krijgen en tenslotte gaf ze het op. Ze had in ieder geval meer nut van de laarzen als ze uit waren dan wanneer zij ze aanhad en als hij merkte dat zij ze had uitgedaan, wat dan nog? Wat zou hem dat wijzer maken?

Ze voelde zich trots op zichzelf dat ze iets had gedaan in plaats van toe te laten dat ze afzakte tot zelfmedelijden. Aural ging weer tegen een rotskussen zitten en begon te denken hoe ze met haar ontvoerder moest zien af te rekenen. Na een ogenblik van stilte ontdekte ze weer de gestadige tik van haar waterklok, die de minuten aftelde. Uit een andere richting kwam het heldere, kalmerende geluid van het water dat over de rots spoelde. Voor de eerste keer drong het tot haar door dat ze lang niet had geslapen, niet sinds ze door de komst van Harold Kershaw uit haar bed was gejaagd. Gelukzalig viel ze in slaap.

Aural werd wakker uit een droom vol zonlicht en merkte dat ze zich nog steeds in een diepe duisternis bevond. De 'beek' murmelde zachtjes in de verte, de waterklok tikte en tikte en er was niets veranderd. En toen hoorde ze een vreemd geluid, en onmiddellijk realiseerde ze zich dat het dàt waarschijnlijk was wat haar wakker had gemaakt. Het was het geluid van iets gedempts dat over steen sleepte, een doffe bons gevolgd door een geschraap en het kwam langzaam, heel langzaam, dichterbij. Eerst riep dat in haar geest het beeld op van een grote slang die angstaanjagend op haar af kroop, en met zijn geweldige achterlijf tegen de rots sloeg. Het duurde een tijdje voor het tot haar doordrong dat het iets was dat over de rots werd gesleept, net als ze zelf in de leren golfzak was gesleept. Deze keer zat er meer klank in de zak dan bij haar hoofd en haar botten en op afstand klonk het duidelijk dof. Wat hij nu ook bij zich had, hij was er lang mee onderweg. Vanaf het moment dat ze het eerste geschraap dat aan het bonzen voorafging hoorde, merkte Aural dat er lange pauzes zaten tussen de bewegingen, alsof hij om de meter moest rusten. Wàt hij ook meesleepte, het moest wel heel zwaar zijn, dacht ze, of anders is hij heel erg vermoeid.

Het duurde vijf tikken van haar waterklok, vijftien minuten, voor ze het eerste zwakke licht zag. Het wiebelde alsof de helmlamp op een wankele stengel stond. Bewoog hij zijn hoofd zoveel? Ze dacht dat hij Parkinson had, zo erg wiebelde hij.

Met een traagheid die pijnlijker werd naarmate hij dichterbij kwam, naderde de lichtstraal. Aural realiseerde zich dat, hoe ze ook wenste dat hij niet meer terugkwam, ze hem toch ook nodig had. En nu hij er eenmaal was, wilde ze ook dat hij kwam. Ze kon uit zichzelf niets doen. Ze had zijn aanwezigheid, zijn licht, nodig, als zij hier ooit uit wilde komen.

Het licht kwam van een gat in de muur dicht bij de grond. Het was een smalle lichtbundel alsof het in een tunnel scheen, en toen het langzaam op haar af kwam kon Aural eindelijk de omtrek zien van de uitgang die hij had gebruikt. Het moest dezelfde weg zijn als waardoor zij zelf was binnengebracht. Er was een opening in de vertikale rots waar net het lichaam van een man door kon – en het moest nog een smalle zijn ook. Ze vroeg zich af of hij door de tunnel kroop – hij leek niet wijd genoeg om er op een andere manier door te komen.

Toen de straal dichterbij kwam, kon ze de man zelf horen. Hij hijgde en kreunde. Hij kwam een beetje dichterbij – ze kon nu zijn laarzen op de steen horen, het neerploffen van iets gedempts tegen een hard oppervlak – dan hield het schrapende geluid van zijn vooruitschuiven op en kon ze zijn zware en moeizame ademhaling horen. Net voor hij weer verder ging, kreunde hij, alsof de inspanning hem pijn deed.

Het licht zwaaide als hij vooruitkroop en zakte naar beneden als hij uitrustte, maar tenslotte bereikte het de opening van de tunnel. Hij kwam de ruimte binnen, oneindig traag maar vastberaden op zijn buik vooruit schuivend als een reusachtige tuinslak. Achter hem aangetrokken kwam, als zijn eigen slijmerige slakkenpad, de leren golfzak, met een touw om zijn middel vastgebonden.

Toen hij en de zak helemaal uit de tunnel waren, raakte hij buiten bewustzijn. Zijn gezicht viel op de rots.

'Nou, lamzak,' zei Aural. 'Je hebt er een aardig tijdje over gedaan. Je denkt zeker dat ik niets beters te doen heb dan hier rond te hangen en op je te wachten?'

Hij verroerde zich niet. Zijn lichaam lag in de volle lengte op de rotsbodem uitgestrekt. Het licht van zijn helm scheen onder een hoek op de grond. In de diffuse bundel die van de vloer weerkaatste wierp Aural haar eerste oriënterende blik op haar omgeving. Zoals ze al had vastgesteld, zat ze in een grot, een geweldige ruimte in de rots uitgehold door een waterstroom van millennia. Het plafond was zo hoog boven haar dat ze dat in het halfduister nauwelijks kon onderscheiden. De wand waar de man net was uitgekropen, was ten minste dertig meter van haar weg en leek massief op het gat na, waar hij net voor hij bezweek was uitgekomen. Ze had gedacht dat ze zelf tegen een wand leunde, maar nu zag ze dat het maar een rotsuitstulping was die maar weinig hoger dan heuphoogte kwam. De echte wand was nog wel dertig meter daarachter. Aan de linkerkant, nog verder weg dan de andere wanden, spleet een nauwe geul de vloer in tweeën en verdween volledig waar hij de rotswand achter haar bereikte. Dat was waarschijnlijk de bron van het stromende water dat ze had gehoord, dacht ze. Welke onderwaterrivier het ook was die het meer had gevormd dat ooit deze ruimte had gevuld, die rivier was blijven stromen tot hij zich steeds dieper in de rots had gewerkt. Ten slotte was hij door de wand heengebroken en had het meer, op zijn weg steeds dieper de grond in, drooggelegd.

Aan de rechterkant kon Aural langs de wand een serie donkerder vormen zien, die eruitzagen als golven op hun hoogtepunt, naar voren buigend net voor ze boven op elkaar zouden storten. Het soort golven waar fotografen graag surfers onder fotograferen, deinend onder die kam, terwijl de top van de golf over hen heen buigt. Maar deze golven waren van gesteente en ze rezen verticaal van de grond op, sommige helemaal tot het plafond, bevroren in tijd en ruimte toen het meer onder hen verdween. De rots leek naar zichzelf toe te buigen, alsof hij vorm gekregen had terwijl hij smolt, en vormde uitgeschulpte randen, die deden denken aan de nis waar ze het mes in had verborgen, alleen veel groter, want ze kwamen tot aan het dak.

Vreemd verspreid langs de wanden waren er ook die puntige heuvels die Aural kende als stalactieten of stalagmieten, ze wist nooit zeker welke welke waren.

Terwijl ze de geweldige ruimte waarin ze opgesloten zat bestudeerde, begon het licht te bewegen, en weerkaatste op een vreemde wijze tegen de wand. Ze keek en zag de man op de vloer zich bewegen. Hij probeerde zijn hoofd op te lichten, maar dat viel weer terug op de rotsbodem alsof zijn nek dat gewicht niet kon dragen. Hij was weer stil en Aural kon hem zijn schorre adem horen uitstoten alsof de inspanning zijn hoofd op te lichten een zwaar karwei was.

Hij rolde op zijn rug en het licht en de schaduwen werden weer vreemd en sprongen rond tot ze een nieuwe opstelling hadden gevonden. De straal ging nu recht omhoog en Aural kon nu het plafond van haar kooi zien, een enorme rotskoepel van minstens drie verdiepingen hoog. Als de ruimte zich zover naar boven uitstrekte en nog steeds niet doorbrak naar het aardoppervlak boven hun hoofd, hoe diep moesten ze dan wel onder de grond zijn? Ze was niet alleen veroordeeld tot eenzame opsluiting, dacht ze met hernieuwde schrik, ze was begraven, weggestopt, zo netjes en zo ver van de levenden als een farao in zijn piramide.

'Kom hier,' zei de man. Het licht wiebelde terwijl hij sprak en tekende nieuwe schaduwen op het plafond en de wanden.

Aural keek naar hem zonder in beweging te komen en probeerde de graad van zijn uitputting in te schatten. Ze kon nu het mes meenemen en het, terwijl hij daar lag, tegen hem gebruiken – aangenomen dat hij haar een dienst bewees door precies te blijven liggen zoals hij lag. Maar als hij zich omdraaide om naar haar te kijken, had ze met haar samengebonden handen geen mogelijkheid het mes te verbergen. Dertig meter was een hele afstand om te overbruggen met de babystapjes die de boeien om haar benen haar toestonden. Ze kon dan ook met iedere stap op die weg het bestaan van haar enige wapen verraden.

'Kom hier,' herhaalde hij. Zijn stem was schor en zwak. 'Ik heb je nodig,' zei hij. En toen voegde hij er bizar aan toe: 'Alsjeblieft.'

Aural liep langzaam naar hem toe en probeerde onderweg zoveel als ze kon over de grot te weten te komen. Het was moeilijk details te onderscheiden omdat iedere kleine beweging van zijn hoofd vliegende en slingerende schaduwen wierp, die elkaar opslorpten terwijl er weer nieuwe voor in de plaats kwamen. Niets leek ooit twee keer precies hetzelfde omdat iedere ademhaling maakte dat de grot zelf zich binnen en buiten de lichtstraal bewoog alsof die een eigen ritme had.

Toen ze dichtbij hem was, realiseerde ze zich dat ze toch het mes mee had kunnen nemen. Hij had zich nog niet omgedraaid om naar haar te kijken en zij was nu op een afstand dat ze een uitval naar hem kon doen. Nu dichterbij, nu stond ze naast hem en keek omlaag. Ze had zijn keel open kunnen snijden terwijl hij daar zo, met zijn ogen dicht, lag. Een moment vroeg ze zich af of hij sliep. Ze was nu dicht bij het gat, maar het licht scheen omhoog en van het gat weg en ze kon niets anders dan een diepere duisternis in de rots onderscheiden.

Ze had geen andere uitgang gezien. Als ze eruit wilde, moest ze dat zwarte gat in. Als ze niet gezien had dat hij eruit was gekomen, zou ze niet gedacht hebben dat er ruimte genoeg was voor haar schouders. Het idee alleen al om in zo'n ruimte te kruipen vervulde haar met doodsangst. Ze zou zich nog liever hebben gedwongen een hol in de grond in te gaan terwijl ze wist dat aan de andere kant een slang zat. Ze wist echter ook dat ze geen keus had. Ze zou doen wat ze moest doen, wanneer ze het moest doen. En als dat inhield dat ze zijn keel open moest snijden, zou ze dat doen. Dat dacht ze. Hoopte ze. Op hem neerkijkend zoals hij daar nu rustig lag, oppervlakkig ademend als een dromer in een onrustige slaap, was het moeilijk hem genoeg te haten om hem te doden.

En toen zag ze hoe zijn gezicht was toegetakeld. Hij zag eruit alsof iemand met cowboylaarzen in zijn gezicht had geschopt. Aural had meer dan eens een vriend van haar van een nacht in een bar terug zien komen, die er zo uitzag. Een oog was zo opgezwollen dat het bijna dicht zat. Zijn neus en zijn jukbeenderen waren gezwollen en zagen er door de gesprongen bloedvaten zo donker uit, dat het leek of hij zijn gezicht met houtskool had geverfd. Sporen van opgedroogd bloed kleefden nog aan zijn neus en bovenlip, en over het geheel genomen zag hij eruit als een man die verre van gezond was.

Hij deed zijn ogen open en keek haar aan, en zij wist dat hij niet had geslapen, maar rustig op haar had gewacht. Hij had zijn krachten gespaard en misschien wachtte hij wat ze zou doen.

'Hé, slimmerd, je ziet er goed uit,' zei Aural.

'Waar zijn je laarzen?'

'Die heb ik uitgedaan. Ben je met vrienden naar een feestje geweest?'

'Ik heb een vriend van jou ontmoet,' zei Swann.

'Je had hem mee moeten brengen.'

'Ga de lamp halen,' zei hij. Zijn stem was niet meer dan een gefluister, zelfs in de resonerende ruimte van de grot. Hij kreunde zachtjes, rolde zich op zijn zij en legde zijn hoofd op zijn arm, zodat zijn helmlamp in de richting van de golfzak scheen. Iedere beweging scheen hem grote inspanning te kosten. Aural was verbaasd dat hij erin was geslaagd door de tunnel terug te kruipen. Wanneer mannen iemand toetakelden zoals ze hem hadden gedaan, beperkten ze zich niet tot het gezicht alleen. Niet de mannen die zij kende. Ze wist niet hoe groot de afstand was, maar ze wist wel, dat toen ze eenmaal in de zak zat, het nog lang had geduurd om haar naar de grot te brengen. Hij moest heel erg graag bij mij terug hebben willen komen, dacht Aural, en die gedachte maakte haar bang.

Ze deed de ritssluiting van de zak open en zag dat hij volgepropt zat met kruidenierswaren en voorraden. Wat haar het meeste dwarszat, was de hoeveelheid voedsel in blik. Het moesten de blikken zijn geweest die dat bonzende geluid hadden gemaakt, dacht ze. Er waren er tientallen van, bonen en perziken en spinazie en kleine doperwtjes en ook waren er gedroogde abrikozen en gedroogde worst en een plastic zak vol harde broodjes. Vier plastic literflessen met water, twee flessen met petroleum voor de lamp. En drie sloffen sigaretten. Met een akelig gevoel drong het tot Aural door dat hij een lang verblijf had gepland. Er was voedsel genoeg voor weken.

De lamp was tussen kussens vastgezet en in een slaapzak gewikkeld. Er was een pak tafelkaarsen, rode, witte en blauwe, en extra lampen en batterijen voor de helmlamp. Er was ook aanstekerbenzine en vuursteentjes en zelfs extra lampekousjes. Hij nam geen enkel risico dat hij iets te kort kwam. Maar er waren geen lucifers. Later toen ze de tijd had daarover na te denken, maakte dat detail Aural het meeste bang. Het drong tot haar door dat er ondanks al die andere brandbare spullen, geen lucifers waren, omdat door de hoge vochtigheidsgraad van de grot lucifers heel gauw doorweekt en onbruikbaar zouden worden. Hij wist dat uit ervaring. Hij was eerder in zo'n situatie geweest. De angstaanjagende conclusie was dat hij dit niet alleen eerder had gedaan met een ander meisje, maar dat hij buiten schot was gebleven, anders zou hij nu niet vrij zijn. Hij had het eerder gedaan, had ervan geleerd, had zijn methode geperfectioneerd, zijn fouten geëlimineerd.

Hij stak de lamp aan met een sigarettenaansteker, die hij weer in zijn borstzak stak en gaf haar toen de lamp in handen. Ze dacht eraan om die in zijn gezicht te slingeren, maar zijn ogen waren de hele tijd op haar gericht en ze besloot te wachten. Ze moest eerst haar handen of haar voeten vrij hebben voor ze probeerde weg te komen. Ze had geen kans zonder dat ze een van beiden kon gebruiken, zelfs niet nu hij zo gewond was. Als hij de hele weg die zak kon slepen had hij nog steeds een groot deel van zijn krachten over.

'Breng hem naar een vlakke plek,' zei hij. 'Kom dan terug en pak de zak.' Toen ze de lamp in haar handen had, deed hij de helmlamp uit.

Aural droeg de lamp in de richting van haar bergplaats en bestudeerde de details, die nu in het toegenomen licht naar voren kwamen. De verticale golven op de wand bleven donker, maar de rest van de rots kwam op een fantastische manier tot leven. De hele grot leek mat geel, alsof hij uit puur goud was gehouwen. Overal waar ze keek, de wanden, het plafond of de vloer, kaatste het licht naar haar terug met een gouden glans, zodat het licht zelf uit het fijnste doorzichtige gouden stof leek te bestaan. Onder andere omstandigheden zou het eerder een sprookjesgrot hebben geleken dan een drakehol.

'Mooi, hè,' zei hij alsof hij haar gedachten kon lezen.

'Als je ervan houdt,' zei ze.

'Het is zwaveloxyde,' zei hij. 'En ook pyriet. Nep goud.'

'Dat dacht ik al. Kom ik eindelijk in een goudmijn, en is het allemaal nep,' zei ze.

'Dat is ver genoeg,' zei hij. 'Zet de lamp neer.'

Aural ging verder tot ze dicht in de buurt van haar laarzen was, voor ze de lamp op de rotsbodem zette.

'Kom nu terug.'

Ze aarzelde.

Met grote inspanning ging hij op een knie zitten.

'Oh, je wilt vast niet dat ik achter je aan kom,' zei hij. 'Dat zou helemaal niet slim zijn.'

Aural liet de lamp bij haar laarzen staan en keerde naar de man terug.

'Welke vriend van mij liep je tegen het lijf?' vroeg ze.

'Hij zei niet hoe hij heette,' zei hij. 'Ik vroeg het niet ook. Zulke mensen hebben trouwens geen naam nodig. Ze zijn allemaal hetzelfde.'

'Ik vraag me af of je dat ook niet kunt zeggen van mannen in het algemeen,' zei ze.

'Oh, van mij niet,' zei hij. 'Ik ben helemaal niet zoals andere mannen. Ik ben wat zij zouden willen zijn als ze de moed hadden. Maar die hebben ze niet. Je zult ondervinden dat ik heel bijzonder ben.' Hij klonk overtuigd en trots.

'Tot nu toe heb ik daar niets van gemerkt.'

'Maar we hebben elkaar ook nog niet echt goed leren kennen. Je zult me bijzonder vinden, dat beloof ik je.'

'Jullie kerels denken allemaal dat ze anders zijn.'

'Ik mag jouw lef wel,' zei hij. Ik mag dat wel dat je denkt dat je me van antwoord kan dienen en het daarmee zult redden. Je verandert nog wel van gedachten, maar voor nu is het aardig.'

Hij stond op toen ze dichterbij kwam. Hij stond niet erg stevig op zijn benen alsof hij zijn balans kwijt was, maar Aural realiseerde zich dat ze al te lang had gewacht. Zijn kracht kwam snel terug. Ze had hem met de lamp moeten treffen toen ze de kans had, ze had haar eerste ingeving moeten volgen en met het mes op hem af moeten gaan toen hij nog met zijn ogen dicht op zijn rug lag.

'Trek de zak daarnaar toe,' zei hij en hij wees naar de lamp.

Toen ze zich vooroverboog om het touw te pakken, viel hij haar van achteren aan. Hij hamerde met beide handen tegelijk in haar nierstreek. Aural viel op haar knieën en hapte naar adem.

Hij wachtte met praten tot ze hem weer duidelijk kon verstaan.

'Mijn verontschuldiging dat ik zo ruw ben,' zei hij. 'Ik verafschuw dat soort ruwe gewelddadigheid, maar je moet echt leren te doen wat ik zeg, meteen als ik het zeg. De volgende keer dat ik je zeg de lamp neer te zetten en naar mij terug te komen, doe je het meteen, op hetzelfde ogenblik, en niet wanneer het jou uitkomt. Begrijp je dat?'

Aural knikte.

'Nou, goed. Iedereen mag een eerste fout maken. Laten we het er maar niet meer over hebben. Trek de zak naar de lamp.'

Aural was verbaasd hoe makkelijk ze de zak kon slepen. Hij leek over de grond te glijden alsof hij was gesmeerd. Toen ze bij de lamp kwam kon ze zien dat de onderkant van de zak bedekt was met een soort grijze slijm.

'Wat is dat?' vroeg ze. Hij had gelijke tred met haar gehouden toen ze de zak sleepte. Hij leek niet in staat harder te lopen dan haar pasjes van vijftien centimeter haar vooruit konden brengen.

'Guano,' zei hij.

'Wat is dat?'

'Vleermuizenstront, lieverd.'

Ze merkte nu dat hij hetzelfde slijm aan zijn laarzen had en aan de omslagen van zijn broek en hier en daar bijna tot aan zijn middel. Hij moest er op bepaalde plaatsen doorheen gewaad zijn toen hij de zak trok.

'Het ruikt niet vies,' zei hij. 'Is dat niet interessant? Dat komt door hun dieet.'

'Ik ben blij dat je me dat zegt.'

'Je hoeft je geen zorgen te maken. De vleermuizen komen hier nooit.'

'Dat zou een leuke afwisseling zijn.'

'Niets komt er hier ooit in,' zei hij giechelend.

'Behalve jij. Op je buik.'

Hij wilde iets zeggen, maar toen legde hij zijn hand op zijn opgezwollen oog en strekte zijn andere hand uit om zijn evenwicht te bewaren. Hij wankelde en stapte toen achteruit bij Aural vandaan. Nu, dacht ze. Pak hem nu, spring boven op hem en sla zijn hoofd tegen de rots. Maar ze keek alleen maar naar hem.

'Kniel,' zei hij, toen hij zich enigszins had hersteld. Aural knielde voor hem. Hier gaan we dan, dacht ze. Nu ritst hij zijn gulp open en wordt zijn bedoeling duidelijk. Ze dacht aan de vrouw waarover ze Rae verteld had, die de penis van haar echtgenoot had afgesneden en uit het raam van de auto had gegooid. Ik bijt hem af, dacht ze. Dat moet hem wel eventjes afleiden. Maar hij ging niet met zijn hand naar zijn gulp.

'Nu op je buik,' zei hij. Aural schoof toen ze op haar buik gleed naar voren en kwam zo dicht mogelijk bij haar laarzen en de bergplaats van haar mes zonder haar laarzen te verschuiven. Toen ze stillag knielde hij op haar rug en hield haar met zijn gewicht op haar plaats. Zijn handen friemelden aan haar middel, maakten haar broek los en worstelden om hem over haar benen naar beneden te trekken. Ze probeerde omhoog te komen om hem te helpen, maar hij duwde haar weer naar beneden.

'Ik doe het wel,' zei hij bits. Toen haar broek zover naar beneden was als de ijzers om haar enkels toelieten, ging hij met zijn volle gewicht op het smalle deel van haar rug zitten en deed haar handboeien af. Aural dacht er nu aan op het mes af te gaan, probeerde bijna hem van zich af te rollen en op de bergplaats van het mes af te schieten, maar hij bewoog zich veel te snel voor haar. Met een beweging die de exacte precisie van geoefendheid had, rukte hij haar op haar zij en maakte de handboeien aan elke kant aan de ketting van de enkelijzers vast, zodat ze nu met haar handen aan haar voeten vastgebonden zat en door die beperkingen in de foetushouding werd gedwongen.

'Ziezo,' zei hij, duidelijk tevreden over zichzelf.

'Oh, netjes,' zei ze.

'Gemakkelijk?'

'Persoonlijk houd ik hiervan. Wil je bij me komen liggen, schat? We zouden samen kunnen doen met deze boeien.'

'Ik ben al bij je,' zei hij. 'Ik zal je nooit meer verlaten.'

Hij knielde voor haar neer zodat hij haar gezicht kon zien.

'Wil je ons voorgaan in gebed?' vroeg hij.

'Weet je wat,' zei ze. 'Waarom begin je niet eerst zelf? Ik zal op mijn beurt wel invallen.'

'Ik zou denken dat je zou willen bidden,' zei hij.

'Schat, er zijn een hoop dingen die ik nu graag zou doen, maar, weet je, je kunt niet alles tegelijk doen. Ik ben zo opgewonden over wat jij en ik hier samen gaan doen nu ik hier als een kalkoen opgebonden lig, dat ik nergens anders aan kan denken.'

'Iedereen wil nu altijd bidden,' zei hij, van zijn stuk gebracht.

'Iedereen?'

'De anderen.'

'Je bedoelt dat je andere meisjes had? Nou, dat doet de deur dicht. Jij maakt me gewoon los en brengt me meteen naar huis.'

'Je bidt later wel,' besloot Swann.

'Ik ben prediker van beroep. Geef mij toehoorders en ik zal graag een paar –'

'Lieve Jezus,' dreunde hij, haar in de rede vallend, op: 'Geef ons beiden de kracht de verschrikkelijke beproeving die ons te wachten staat te doorstaan. Geef dit meisje de moed en de kracht om zo lang als ze maar kan te overleven. En geef mij het geduld de dingen niet te overhaasten. Laat mij te werk gaan met de zorg en aandacht die ze verdient. In de naam van Jezus. Amen.'

'Aardige gedachte,' zei Aural. Ze voelde een koude rilling over haar rug lopen die niets te maken had met de temperatuur in de grot.

'Je bent nu een beetje bang, hè? Dat weet ik wel.'

Aural weigerde om dat toe te geven, maar vertrouwde zichzelf niet genoeg om het hardop te zeggen.

'Het is niet erg om bang te zijn,' zei hij. 'Ik ben zelf ook altijd zenuwachtig voor ik begin. Toch is dat goed, het helpt de gevoelens te intensiveren.'

Geen woord meer, zwoer Aural bij zichzelf. Van nu af zou ze, wat hij ook deed, niet schreeuwen, niet spreken, zelfs niet tegen hem grommen. Wat hij ook van plan was, hij zou het alleen moeten doen. Ze zou hem niet helpen.

Hij rommelde in de leren zak en pakte er de kaarsen uit en een slof sigaretten. Plotseling sloeg hij zijn hand voor zijn gezwollen oog. Hij liet zijn tanden zien toen hij kreunde van pijn en verwarring. Aural zag hem zijn goede oog dichtknijpen en op zijn knieën heen en weer wankelen.

Hij bracht een hand naar de grond en bleef kreunen. Zijn hoofd hing naar beneden als van een zieke hond. Toen hij zich tenslotte oprichtte, kon Aural de tranen op zijn gezicht zien en zag hij er bang uit, maar wat het ook geweest was, het was over. Hij zat een moment verbijsterd te kijken, toen vermande hij zich en scheurde de slof sigaretten open.

Swann zette een kaars bij Aurals hoofd, een bij haar voeten en een derde achter haar. Toen stak hij ze aan. Als een soort altaar, dacht ze. En zij was het offer.

Hij draaide de lamp uit en de schaduwen in de grot werden dol, wild dansend in het geflikker van de kaarsen. De duisternis sloot zich om hen heen en Aural kon het plafond of de wanden niet meer onderscheiden. Alleen zij was er, alleen Swann was er, alleen de tollende schaduwen waren er als getuige. Aurals wereld was gekrompen tot een klein plekje licht in de universele duisternis en zij zat in het middelpunt van de aarde.

Swann stak een sigaret aan en kuchte. 'Vieze dingen,' zei hij. 'Ik begrijp niet waarom iedereen ze rookt. Weten ze niet dat sigaretten kunnen doden?' Hij giechelde, alsof hij zich plotseling realiseerde wat hij had gezegd. Hij keek haar recht in haar gezicht en grinnikte: 'Ze doden je, weet je. Uiteindelijk.'

Aural probeerde haar aandacht op hem te richten, haar ogen op zijn ogen gericht te houden en te negeren wat hij verder deed. Ze wilde haar verbeelding uitschakelen, zodat die haar niet zou ombrengen. Wat moest gebeuren, zou toch gebeuren, en erop vooruitlopen maakte het alleen maar erger. Ze staarde de klootzak aan, wiens ogen vrolijk dansten. Hij is krankzinnig, dacht ze. Hij weet precies wat hij doet, maar hij is zo gek als het maar kan.

Swann trok een paar keer aan de sigaret, tot hij tevreden was over de gloeiende punt.

'Zullen we beginnen?' vroeg hij.

'Zeikerd, ja, laten we maar,' zei Aural en vergat al dat ze stilte had gezworen.

'Doorgaans houd ik ervan met de benen te beginnen,' zei hij en streek langs haar scheen. Aural trok een been weg maar hij hield haar stevig vast en bestrafte haar met een strenge blik. Toen ze ophield zich te verzetten, ging hij met zijn vingers over haar kuit, als een acupuncturist die de juiste plek zocht.

Hij vond de plek en hield de sigaret boven haar huid, net dichtbij genoeg om de hitte te kunnen voelen.

Barst jij, dacht Aural woest. Barst jij, barst jij, barst jij. Je wilt dat ik bedel. Je wilt dat ik huil. Je wilt dat ik het in mijn broek doe van angst. Nou, barst maar, je krijgt niks, helemaal niks.

Hij drukte de sigaret in haar vlees en ze schreeuwde het uit. Ze realiseerde zich heel snel dat ze hem alles zou geven wat hij wilde.

31

Hatcher kwam deze keer aangekondigd en zonder voorwendsels. Hij belde en vroeg Becker om een afspraak, en toen hij aankwam was hij in het gezelschap van Karen en Gold en een agent van Gedragswetenschappen tot wiens taak ook seriemoordenaars hoorden. Becker kende de man vaag.

Becker ontmoette hen in zijn voortuin met een golfclub in zijn hand. Hij was bezig geweest golfballen met een pitching wedge over het dak van het huis de achtertuin in te slaan.

Toen Hatcher en de anderen uit de auto stapten, sloeg Becker een perfecte bal over het huis, toen draaide hij zich om en duwde Hatcher voor hij iets kon zeggen de golfclub in zijn handen.

'Probeer het eens,' zei Becker. 'Richt net links van de schoorsteen.'

Hatcher aarzelde niet. Hij wist dat Becker hem belachelijk wilde maken en hij was bereid hem dat genoegen te doen, als dat de prijs was die hij moest betalen om te krijgen wat hij hebben wilde. Hij wist dat hij zich waarschijnlijk voor hij klaar was nog verder moest vernederen.

Becker legde een bal in positie en Hatcher mepte er plichtmatig naar. Hij zwaaide ongemakkelijk in zijn pak. Hij miste de bal de eerste keer volledig en probeerde het meteen weer alsof de eerste poging alleen om te oefenen was geweest, daarbij hopend dat zijn blunder voor de anderen niet zo duidelijk was als voor hemzelf.

Bij zijn tweede slag begroef Hatcher zijn club in de grasmat en sloeg hij een flink stuk graszode los.

'Sorry,' zei Hatcher, starend naar de klomp aarde en gras die hij net had losgeslagen. Het leek een toupet die op onverklaarbare wijze groen was geverfd.

Hij keek Karen aan: 'Neem mij niet kwalijk.'

'Je bent hier niet zo goed in,' zei Becker, op een toon die inhield dat hij van plan was Hatcher te blijven vernederen tot hij had ontdekt waar hij wel goed in was.

'Ik lijk wel –' Hatcher boog zich voorover met de bedoeling de schade te herstellen en het losgeraakte stuk grasmat weer terug te plaatsen, maar hield ermee op toen hij zich afvroeg of hij, door er verder aandacht aan te besteden, het niet alleen maar erger maakte.

Gold en de man van Gedragswetenschappen liepen van het gazon weg in de richting van de veranda en probeerden zich geheel van het incident te distantiëren.

'Jack doet zoiets steeds,' zei Becker. Gold dacht dat hij enorm voldaan klonk. Hij nam de club uit Hatchers handen alsof hij een gevaarlijk stuk speelgoed van een kind afnam. Het was Hatcher niet ontgaan dat Jack pas tien was.

Ze gingen naar binnen en zochten een plaats in de huiskamer waar vier mensen gemakkelijk konden zitten. Hatcher zat op een met leer overtrokken voetenbankje alsof hij het smekelingenbankje had opgezocht. Het was een reproductie van een schoenmakersbankje, een meubelstuk dat meer voor decoratie dan voor gebruik diende. Het voetenbankje maakte dat Hatchers knieën boven zijn middel uitstaken, zodat hij net leek op een volwassene tijdens een ouderavond van de basisschool die ongemakkelijk in de bank van zijn kind zat.

'Zit je goed?' kraaide Becker, glimlachend met een welwillendheid waar niemand intrapte.

'Prima, ja, prima,' zei Hatcher.

Gold en de andere agent bleven vermijden elkaar aan te kijken. De psychiater keek naar Karen en ving een koude, woedende blik naar Becker op, die zich daar niet van bewust leek. Gold vroeg zich af of hun relatie op den duur stand zou houden. De stress van de zaak-Cooper deed daar zeker geen goed aan.

'Goed van je om zoveel tijd voor ons vrij te maken,' zei Hatcher. 'Ik ben mij ervan bewust dat je het heel druk hebt met... eh... je interesses.'

'Ja. Vandaag probeerde ik te leren de bal te slaan,' zei Becker glimlachend. 'Mijn gewone slag is een slight draw, in de meeste gevallen heel goed – grotere afstand bijvoorbeeld – maar er zijn ogenblikken dat je die high fade beschikbaar wilt hebben. De manier waarop Nicklaus slaat. Faldo en Norman kunnen het ook, als het nodig is.'

'Ah, ja.' Hatcher knikte. Hij dacht dat hij de naam Nicklaus herkende. De anderen zeiden hem niets.

'Het is toch wel moeilijk. Speciaal met een wedge,' zei Becker.

'Ja, moeilijk, dat kan ik mij voorstellen,' zei Hatcher. 'Nou, John, we zijn gekomen om – je kent speciaal agent Withers van Gedragswetenschappen toch?'

Becker knikte. 'Withers.'

'Natuurlijk,' zei Withers, die Becker alleen vanwege zijn reputatie kende. Hij knikte terug naar Becker.

'We zijn gekomen voor een zaak die een zekere urgentie heeft, zoals je al wel weet denk ik.'

'Wat dan?' vroeg Becker.

Hatcher keek naar Karen. Hij hoopte dat ze Becker niet elk brokje van het verhaal stukje voor stukje uit hem liet trekken. Dat zou heel pijnlijk zijn.

'De zaak-Cooper,' zei Karen bruusk. Ze was niet in de stemming voor Beckers fratsen. Woordvoerder voor Hatcher was al erg genoeg zonder ook nog door hoepels te moeten springen die opgehouden werden door de man met wie ze samenleefde.

'Je kent de zaak-Cooper, met de twee meisjes in de kolenmijn.' Haar toon liet geen tegenspraak toe.

'Speciaal agent Withers had een paar vragen over de globale geloofwaardigheid van Coopers verhaal,' zei Hatcher. 'Zeker niet iets wat de zaak lamlegt, maar hier en daar een toevallige vraag. Toen deze – eh – twijfels onder mijn aandacht werden gebracht, heb ik natuurlijk ook de mening van anderen gevraagd. Toen kwamen adjunct-directeur Crist en dr. Gold naar voren met iets dat oorspronkelijk jouw... idee was.'

Becker glimlachte verward alsof hij de bedoeling van het gesprek nog niet helemaal kon volgen.

'Je weet wat hij bedoelt,' zei Karen scherp.

Becker keerde zich, nog steeds verbijsterd, naar haar. Zij keek kwaad terug.

Hatcher vervolgde: 'Ik bedoel jouw – suggestie – dat Cooper op een of andere manier ertoe gebracht werd om de moord op het meisje Beggs te bekennen. Zonder aan te nemen dat dit het geval is, beslist niet, geeft het toch een interessante richting van beschouwen aan, die men zorgvuldig moet onderzoeken. Dr. Gold is zo goed geweest wat research over dit onderwerp te doen.'

Becker richtte zijn aandacht op Gold. Hij stelde zich voor dat Hatcher die taak om twee redenen aan Gold had gegeven. De eerste zou zijn de mogelijkheid dat Hatcher ongelijk had over de schuld van Cooper – en dat Becker gelijk had – in een zo klein mogelijke groep te houden. Daar Gold een van de groep was die de twijfels naar voren had gebracht, zou Hatcher de twijfels niet verder verspreiden als hij Gold de opdracht gaf. De tweede reden was, uit Hatchers oogpunt een gelukkig gevolg van de eerste, Gold te straffen voor het feit dat hij meteen gehoor had gegeven aan de twijfels. Becker veronderstelde ook dat Hatchers zwaarste straf voor Becker gereserveerd zou blijven. Zo was Hatchers manier van doen.

Gold schraapte zijn keel: 'Nou, om niet al te technisch te worden, we hebben een aantal studies gedaan bij ooggetuigen, zoals jullie allemaal weten, en de resultaten zijn niet alleen dat ze duidelijk onbetrouwbaar zijn, maar dat ze ook dingen "zien" en "zich herinneren" waartoe ze geconditioneerd zijn. Als men ze video's van een verkeersongeval laat zien bijvoorbeeld, en ze zijn persoonlijk geneigd om te geloven dat vrouwen slechtere chauffeurs zijn dan mannen, dan zullen ze bij de minste twijfel over wat ze zien de chauffeur die het ongeluk veroorzaakte identificeren als een vrouw. Dit is een heel erg eenvoudig voorbeeld, natuurlijk. Elke bekwame ondervrager kan suggesties betreffende specifieke details van het gebeuren in hun hoofd prenten en algauw zullen ze napraten wat hun werd verteld, ervan overtuigd dat ze het hebben gezien. Een tamelijk uitgebreide studie over dit verschijnsel werd in Princeton gedaan, waar Johnson in staat was haar getuigen te laten zweren dat zij dingen zagen en hoorden die nooit waren gebeurd. Men kan hun beelden laten zien van mensen die elkaar omhelzen, en die laten interpreteren als gewelddaden, als men ze eerst had laten geloven dat ze dat zouden zien. Het meest voorkomend is natuurlijk de identificatie van een dader als behorend tot een bepaald ras, omdat de toeschouwer dat ras identificeert met criminaliteit. Blanken staan erom bekend te geloven dat alle zwarten gevaarlijk zijn, en dientengevolge "zien" ze alle gevaarlijke mensen als zwarten.

'In deze zaak zijn voor ons natuurlijk die voorbeelden het interessantst, waarin de ondervrager de getuige zich dingen kan laten "herinneren" die niet zijn gebeurd. Dat is niet moeilijk en de getuigen zijn absoluut niet stom of volgzame mensen. Het is eenvoudig een zaak van inspelen op hun vooringenomenheid over hoe de dingen horen te gebeuren, of van het verstrekken van details die ze misten maar waarvan ze in hun geest vonden dat ze er hadden moeten zijn. Het is nog gemakkelijker als de ideeën al voor de gebeurtenis in hun hoofd zitten. Als het tafereel donker is, als de details onduidelijk zijn, en de getuigen is verteld uit te kijken naar een man met een mes, dan zullen ze een man met een mes "zien", onafhankelijk of die er ook echt is.

'Nu, dit zijn gewone mensen, die buiten hun gewone vooroordelen en vooraf opgevatte ideeën geen bijbedoelingen hebben. Cooper is een zeer domme man, met een sterk verlangen te geloven dat hij een moordenaar is. Zo'n opvatting vergroot zijn zelfrespect – en het gaf hem inderdaad ook het respect van anderen binnen het gevangenissysteem, waar hij een groot gedeelte van zijn leven heeft doorgebracht. Anders gezegd, zonder technisch te worden, hoe meer mensen Cooper denkt vermoord te hebben, hoe beter hij zich voelt. Om het eenvoudig te houden: we kennen allemaal de atleten van de middelbare school, waarvan de verhalen over hun daden steeds heldhaftiger worden naarmate ze langer in het verleden liggen. Totdat ze, tegen de tijd dat ze van middelbare leeftijd zijn of nog ouder, de verhalen van hun glorierijk verleden zelf echt zijn gaan geloven. Door er herhaaldelijk over te vertellen, hebben zij zichzelf overtuigd.

'Met Cooper hebben we een man die door het hem herhaalde malen te vertellen, overtuigd kòn worden dat hij iets deed wat hij in feite nooit heeft gedaan. Ik leg de nadruk op kòn omdat we op dit ogenblik niet weten wat er is gebeurd. Maar gegeven Coopers behoefte het ergste over zichzelf te geloven, gegeven zijn langdurige isolatie met Swann, gegeven een duidelijke schranderheid van de kant van Swann...' Gold haakte af. Hij wilde niet hardop de gevaarlijke conclusie uiten.

'Nou, nauwelijks het soort argumenten dat een jury kan overtuigen,' zei Hatcher, 'maar wel nuttig in speculatief opzicht.' Zijn vrees was natuurlijk dat het precies iets was wat een jury kon overtuigen, net precies dat vreemde dat in de handen van een bekwame advocaat kon veranderen in het wapen van de twijfel, waarmee de zaak wijd opengewrikt kon worden. Jury's spraken overal mensen vrij met niet meer om hun vonnis te rechtvaardigen dan wat Gold net had gezegd. Er was een neiging tot het aanhouden van onschuld in het wetssysteem dat Hatcher alarmerend vond. Hij durfde zo'n uitkomst niet te riskeren als Beggs daardoor zijn gezicht verloor.

'Wat denk jij, Withers? Dit ligt op jouw terrein,' vroeg Becker.

Withers had gehoopt dat niemand zich tot hem zou richten. Het leek het soort bijeenkomst waar geen enkele deelnemer ging winnen.

'Ik ben er zeker van dat dr. Gold zijn onderzoek goed gedaan heeft,' zei Withers vrijblijvend. 'Er zijn altijd wel wat tegenstrijdigheden in iemands bekentenis. Dat zit in de menselijke natuur. Alles wat ik deed was in de zaak-Coopers op een paar daarvan wijzen. Dat hoeft niet noodzakelijk iets te betekenen.'

'Oh, goed, dan is er niets om je zorgen over te maken,' zei Becker.

Hatcher legde de vouw in zijn broekspijp goed.

'In feite moet ik je gelijk geven, John. Er is echt niets om bezorgd over te zijn – we hebben de moordenaar in verzekerde bewaring, daar heb ik geen twijfel over. Maar er zijn altijd tegenstanders. Er zijn er altijd die meedogenloos het wettelijke systeem in hun eigen voordeel manipuleren. Natuurlijk zouden wij in het belang van het recht, deze stemmen graag het zwijgen opleggen vóór zij zich roeren. We moeten elke schijn vermijden dat hier geen gerechtigheid geschiedt. Om nu die schijn te vermijden, denken we dat het het beste is ook Swann in verzekerde bewaring te nemen.'

'Je hebt hem nu niet in hechtenis?'

'Momenteel is hij uit de gevangenis vrijgelaten.'

'Welke klootzak heeft dat gedaan?'

'Het werd beschouwd als de beste manier om zich van zijn medewerking te verzekeren.'

'Welke stomme smeerlap heeft de order gegeven Swann vrij te laten?'

'Het heeft echt geen zin om in zulke gevallen iemand de schuld te geven, John. Het lijkt dat er een fout is gemaakt. Die moeten we herstellen.'

'Natuurlijk, maar welke idiote stomkop heeft die kleine klootzak meteen laten gaan?'

Hatcher legde de vouw in zijn andere broekspijp goed. De anderen in de kamer keken als aan de grond genageld toe of hij het mes kon ontwijken dat gereed werd gehouden om toe te steken.

'Dit soort beslissingen zijn gecompliceerd, maar uiteindelijk moet ik de verantwoordelijkheid dragen voor alles wat mijn mensen doen. Het zou anders laf zijn.'

Becker was nog niet tevreden.

'Jij bent dus die klootzak?'

Hatcher hief zijn hoofd omhoog en wrong een glimlach op zijn gezicht, zo winters als een nacht in februari.

'Ja, John, als je er zo over wilt denken, ben ik die klootzak.' Hatcher keek alleen maar naar Becker en zijn stem had de gelijkmatige klank van een metronoom.

'Ik vermoedde al dat jij dat was,' zei Becker. Hij hoorde Karen woedend haar adem uitblazen. 'Maar het is aardig je bevestiging te horen.'

Hij glimlachte breed. Withers dacht dat dit de eerste echte uiting was die hij sinds zijn aankomst had gezien. Becker zag er kortstondig uit als een gelukkig man.

'Ik ben blij dat het je genoegen doet,' zei Hatcher. 'Nu, John, het Bureau heeft je voor iets nodig. Swann is spoorloos verdwenen. We zijn niet in staat geweest om ook maar enig spoor van zijn bewegingen te achterhalen, sinds hij de gevangenis heeft verlaten. Aangezien jij een tamelijk lang gesprek met de man hebt gehad, en gezien jouw ruime ervaring in deze zaken plus het feit dat je intussen, hoewel je er niet in slaagde tijdens dat gesprek de aard van zijn bedrog te ontdekken, hoogstwaarschijnlijk een zeker inzicht in zijn karakter hebt gekregen, hoopt het Bureau – hoopt het vurig – dat je ons wilt helpen hem te vinden.'

Becker had van het moment af dat hij had gehoord dat Swann ontsnapt was, geweten dat het zou komen. Er leek geen enkele mogelijkheid de uiteindelijke confrontatie te vermijden, die Swann in eerste instantie had uitgelokt door zijn brieven naar Becker te sturen. Dat hij Becker tijdens het gesprek had misleid, had alleen maar het uiteindelijke resultaat meer onontkoombaar gemaakt.

'Ik zal een paar dingen nodig hebben,' zei Becker.

Hatcher was verrast door het gemak van zijn overwinning. Hij had meer weerstand verwacht.

'Natuurlijk zullen we je alles geven wat je nodig hebt.'

'Ik wil dat dit het einde betekent,' zei Becker. 'Ik wil nooit meer voor je werken. Ik wil niet dat je nog post naar mij doorstuurt. Ik wil niet dat je me belt, over me praat of over me denkt. Ik wil van het onbepaald ziekteverlof af en uit het rooster van het Bureau geschrapt worden alsof ik dood ben. Dit is het einde – voor altijd.'

Hatcher aarzelde niet. Hij wist dat hij later zijn belofte altijd kon breken. Becker was veel te waardevol om voor altijd op te geven. Hatcher had gedeeltelijk zijn carrière op Beckers successen gebouwd en was niet van plan daarmee te stoppen, hoewel een nieuwe overwinning in de zaak-Beggs zou kunnen maken dat hij Beckers heldendaden niet meer nodig had. In ieder geval was dat iets waar hij in de toekomst mee te maken kreeg. Voor het ogenblik was het enige dat belangrijk was Beckers medewerking.

'Zoals je wilt, John. Je kunt het krijgen zo je het wilt hebben.'

'Je moet niet denken dat ik je vertrouw,' zei Becker.

Hatcher trok zijn wenkbrauwen op en deed alsof zijn gevoelens waren gekwetst. De vormen moesten in deze zaken in acht worden genomen.

'Ik wil de band die je van het gesprek met Swann hebt gemaakt,' vervolgde Becker. Hatcher hief zijn vinger op naar Withers die een aantekening maakte.

'Wanneer ik weet in welk gebied hij zit, wil ik in de gelegenheid zijn zelf een keuze te maken uit de plaatselijke agenten.'

Hatcher knikte en maakte met zijn vinger weer een beweging naar Withers.

'En volledige medewerking van het nationale informatienet, natuurlijk.'

'Zeker.'

'En als ik ruik dat je ergens in de buurt bent, als ik als het ware merk dat je je erin mengt, nee, verdomme, zelfs als ik merk dat je de zaak in de gaten houdt, dan houd ik ermee op.'

Hatcher zat stokstijf.

'Ik heb mijn verantwoordelijkheden, John.'

'Dit zijn mijn voorwaarden, ja of nee. Je hebt elke operatie van mij waarbij je ooit in de buurt kwam verpest... Ja of nee?'

Hatcher wachtte zolang als zijn waardigheid vereiste voor hij tenslotte zijn vinger een fractie oplichtte. Withers begon te schrijven.

32

Aural bracht de nacht door alsof ze in haar kist lag. Hij had haar tegen de kou in de leren golfzak gestopt en die dichtgeritst, zodat alleen haar gezicht er nog uitstak. Ze was nog steeds met haar handen aan haar enkels vastgeketend en hij had de extra voorzorg genomen om de zak stevig vast te maken met een stuk touw en het andere eind om zijn been te knopen, zodat als ze te ver uit de buurt zou gaan, hij dat zou merken. Later als ze zwakker was, kon hij zijn waakzaamheid wel wat laten verslappen, maar hij wist dat ze nu nog wat weerstand overhad. Uiteindelijk zou ze het einde net zo graag tegemoet zien als hij, maar hij wilde dat tijdstip zo lang mogelijk uitstellen. Wanneer ze het opgaven en de wil verloren om in leven te blijven, ontglipten ze hem veel te snel. Het leven was een merkwaardig iets, dacht Swann. Het kon mishandelingen en beschadigingen van het ergste soort doorstaan, zolang de wilskracht onaangetast was om het in stand te houden. Maar als de hitte van de wanhoop te groot werd, smolt de wil onomkeerbaar weg, als gelatine die tussen zijn vingers droop. Hij probeerde te zorgen dat zijn meisjes het langer uithielden. Hij dwong hen zich tegen hem te verzetten en het vol te houden, maar wanneer ze besloten te gaan, kon hij ze niet tegenhouden. Soms gingen ze zó snel dat hij bijna het moment van doodgaan miste, wat een verschrikkelijke verspilling zou zijn geweest. Hij wilde het moment vieren, het bejubelen, het heiligen met zijn grote vreugde en bevrijding. Het zou verschrikkelijk voor hen zijn om zoveel geleden te hebben en dan onopgemerkt, ongevierd weg te glippen. Als hij wist dat hun tijd gekomen was, probeerde hij dat te bespoedigen door zijn pleziertjes te intensiveren, omdat het belangrijk was dat híj hen de dood inzond, dat híj de oorzaak was. Hij zou ze als dat nodig was de hele nacht bewerken en als hun tijd gekomen was, nimmer van hun zijde wijken. Hij negeerde dan zijn eigen behoefte aan voedsel en slaap, en ontzegde zich ieder comfort voor dat grotere belang. Hij dacht eraan als een offer dat híj voor zijn meisjes bracht, net zoals zij het hunne voor hem hadden gebracht. Het was het minste wat hij voor hen kon doen. Hij was het wel aan hen verplicht, wanneer zij zoveel aan hem hadden gegeven.

Wanneer hun tijd was gekomen, vergaf hij hen hun hatelijkheden, zag hij niet meer hoe verschrikkelijk ze eruitzagen, hun verminkte, niet meer aan te raken lichamen, de tranen, het slijm en de uitwerpselen waarmee zij zich hadden besmeurd. Op het eind waren ze allemaal zijn engelen, en hij op zijn beurt was de celebrerende engel voor hen, de laatste die ze op aarde zagen, de laatste menselijke aanraking die ze ooit zouden voelen. Zij namen hem met zich mee naar de omarming van Jezus, en Swann wist dat Jezus hem dankbaar was dat hij ze naar Hem had toegestuurd. En zij dankten hem ook, of zij zouden dat zeker doen als ze eenmaal de overzijde hadden bereikt. Hij kon het licht van de liefde in hun brekende ogen zien als ze weggleden. Op het eind begrepen ze het, daar was hij zeker van. Ze wisten dat geen enkel eerstehulpteam van een ziekenhuis zich meer had kunnen inzetten om hun leven te rekken en dat geen enkele bedienaar in de wereld hun een meer vreugdevol, jubelend afscheid had kunnen geven als tenslotte het onvermijdelijke was aangebroken.

Toen hij moe werd, toen hij er voor die dag geen plezier meer in had, had hij Aural in haar zak gebonden en was toen in zijn slaapzak gekropen met het tevreden gevoel van uitputting. Hij draaide de lamp uit en het aanhoudende gesis stierf tegelijk met het licht weg en liet hen in stilte achter, behalve dan de geluiden van het meisje. Ze kreunde als ze zich bewoog, maar hij wist dat dat na een paar dagen op zou houden. Na een paar dagen gebeurde er iets met hen en sliepen ze 's nachts vredig. Ze schreeuwden nog steeds voor hem als hij ze bewerkte, maar ze hielden op met kreunen. En dit was ook geen huilerig type, daar was hij blij om. Soms huilden ze de hele nacht lang en verstoorden ze zijn nachtrust, wat hem alleen maar woedend maakte. Hij betreurde dat, omdat dit niet een zaak was die je in woede moest doen. Het moest zorgvuldig gedaan worden, langzaam, met liefde. Als hij woedend was, ging hij te vlug en deed hij hen uit verkeerde motieven pijn. Hij had niet al die moeite en zulke grote risico's genomen alleen om hen voor straf pijn te doen. Hij schaamde zich als hij toestond dat zijn woede de overhand kreeg op zijn betere ik en hij had daar later altijd spijt van. Dit meisje zou hem echter niet woedend maken. Ze zou tegen hem vechten, ze zou het zolang ze maar kon uithouden. En ze zou niet gaan huilen. Ze was wonderbaarlijk en terwijl hij dacht dat hij al echt van haar hield, zakte Swann in slaap.

Aural was verbaasd toen het tot haar doordrong dat ze had geslapen. Ze schoot wakker, niet uit een nachtmerrie, maar ín een nachtmerrie, toen het besef van wat er was gebeurd en wat er gebeurde, in haar bewustzijn terugkwam. Ze hoorde naast haar een geluid en realiseerde zich dat hij haar met een kreet wakker had gemaakt. In het donker was ze zich bewust van zijn aanwezigheid, woelend in zijn slaapzak, kreunend.

'Lieve Jezus,' riep hij, met een pijnlijke stem. 'Oh, Jezus, Christus.'

'Wat ben je verdomme aan het doen?' vroeg ze.

Hij bleef kreunen en hoewel ze hem niet kon zien, kon Aural zich voorstellen hoe hij zijn hand tegen zijn hoofd gedrukt hield, zoals hij eerder had gedaan toen hij leek te bezwijken.

'Jezus,' mompelde hij weer en toen: 'Godver.'

'Ik probeer hier te slapen,' zei ze.

Hij hield toen op met schreeuwen, maar ze kon hem horen jammeren en heen en weer schokken. Na een poosje kwamen de geluiden ritmisch alsof hij met regelmatige tussenpozen pijn kreeg. Ze hoopte dat het als machinegeweervuur kwam. Ze hoopte dat het zijn kop eraf zou scheuren.

'Wat is er aan de hand?' vroeg ze na enkele minuten. Ze probeerde welwillend te klinken.

Hij gaf geen antwoord.

'Heb je iets nodig?'

Hij zweeg en het drong tot haar door dat hij niet meer schokte. Als hij nog jammerde deed hij dat zo zacht dat ze het niet boven haar eigen ademhaling uit kon horen.

Vanwege het touw dat om de zak gebonden zat, kon ze zich niet omrollen. Haar rug deed erg zeer. Tot haar verbazing deden haar verkrampte spieren meer zeer dan de brandwonden, die toen ze veroorzaakt werden zo pijnlijk schroeiden, dat ze dacht dat ze er aan dood zou gaan. Ze wist nu dat ze er niet dood aan zou gaan – tenminste dat de pijn haar niet zou doden. Wat voor effect het zou hebben als hij het bleef doen, als hij haar helemaal verbrandde... ze probeerde er niet aan te denken.

Eén keer was ze bevrijd uit haar verwrongen foetale houding. Ze had hem gezegd dat ze naar het toilet moest en tot haar verbazing had hij haar handen van haar enkels losgemaakt en haar toegestaan te gaan staan. Hij bond het touw aan haar handboeien en maakte haar polsen voor haar lichaam vast. Hij was gedurende die operatie vreemd hoffelijk geweest.

'Je zult wel privacy willen,' zei hij. Hij gaf haar een brandende kaars en wees de richting aan die ze moest gaan.

'Ga zo ver tot het touw strak staat,' zei hij. 'Daar zul je de goede plek vinden.' Hij gaf haar zelfs een rol toiletpapier en maakte een gebaar door zich om te draaien hoewel ze zijn ogen bij iedere stap op zich gericht voelde. Aural hoopte dichter bij de golfformatie aan de wand te komen. Ze dacht dat daar mogelijke schuilplaatsen zouden zijn als ze daar ooit zou kunnen komen, maar toen ze in die richting afboog, gaf hij een schrille schreeuw.

'Niet die kant,' riep hij. 'Recht vooruit.'

'Nou, hoe kan ik weten of ik de goede kant uitga?' vroeg ze.

'Oh, dat weet je wanneer je er bent,' zei hij. Zijn stem klonk plotseling geamuseerd. 'Het is goed aangegeven.'

Hij zat vol met die eigen grapjes en giechelde om dingen die hij alleen grappig vond. Aural haatte de griezel niet alleen in het algemeen, op een allesomvattende manier, maar ze kon ook niet veel vinden wat ze aardig aan hem vond. Hij zou ook een engerd zijn geweest als zijn hobby postzegels verzamelen was geweest in plaats van vrouwen martelen.

Ze liep in het flakkerende kaarslicht vooruit. Toen stopte ze en hapte naar adem.

Hij giechelde: 'Heb je het gevonden?'

Een menselijk skelet lag een meter van haar vandaan. Het vlees was vergaan, maar lang donker haar krulde nog in een verwarde massa onder het benige doodshoofd. De handen waren over de borst gekruist in een karikatuur van een onderaardse begrafenis en het onderste deel van de torso was bedekt met stukjes stof die eens een rok waren geweest. De schoenen van het slachtoffer waren netjes bij haar voeten gezet en haar enkels waren over elkaar gekruist, maar de voetbeentjes waren uit elkaar gevallen en lagen op de rotsbodem zoals ze waren gevallen.

Aural kon niet gissen hoelang het meisje al dood was, maar de schoenen zagen er als nieuw uit.

Ze wendde zich van het skelet af en stapte in tegenovergestelde richting. Het touw trok strak om haar middel.

'Overal daar is goed,' riep Swann naar haar. Zijn stem echode terug en overlapte het gegiechel dat volgde.

Aural ging een paar stappen opzij en hurkte neer. De botten van en ander skelet lichtten flauw op in het flakkerende licht. Deze was net zo 'begraven' als de eerste, met haar armen over haar borst gekruist. De verbindingen van de handen hadden losgelaten en de vingerkootjes waren tussen de ribben gevallen.

Toen ze zichzelf weer onder controle had, riep Aural: 'Je hebt het druk gehad, niet? Je bent een echt werkpaardje geweest.'

'Oh, je hebt ze nog niet allemaal gezien,' zei hij trots. 'Dit zijn heel vroege werken. Die deed ik járen geleden.'

'Nou, ze zeggen dat ledigheid des duivels oorkussen is,' zei Aural, terwijl ze naar hem terugliep. Als er nog meer botten waren, wilde ze die niet zien. 'Het is goed te weten dat je actief bent geweest, dan kun je geen kattekwaad uithalen.'

Toen ze bij hem in de buurt kwam, realiseerde ze zich dat ze een van de botten had kunnen grijpen, het bot van een been, of van een dij, en hem dood had kunnen knuppelen. Als ze de tegenwoordigheid van geest had gehad. Als ze zich tenminste ertoe had kunnen brengen het bot op te rapen. Ze vervloekte zich dat ze weer een gelegenheid had gemist. Hoeveel zou ze er nog krijgen voor ze op dat knekelveld terechtkwam? Meisje, je moet je lot in eigen hand nemen, dacht ze. Je moet je kans grijpen als die zich voordoet.

Nu ze klaar wakker lag, kon ze zijn regelmatige ademhaling horen. De schurk begon te snurken. Hij rustte uit terwijl zij haar kostbare energie verspilde aan nutteloze woede en angst. Verdomme meisje, dacht ze, laat hem niet slapen. Hou hem er zo slecht aan toe als je kunt, hou hem uit zijn slaap, maak hem suffig en onoplettend, dwing hem een fout te maken.

'Hé, klootzak!' riep ze. 'Word wakker. Het is tijd om op te staan en iets te gaan doen, we hebben wat zaakjes te regelen.'

Hij werd luidruchtig wakker en sputterde opgeschrikt.

'Wat? Wat is er?'

'Vooruit, glibber, kom eens overeind. Er moet iets gedaan worden. En wat denk je intussen van een ontbijt? Je was toch niet van plan me ook nog van de hònger dood te laten gaan, is het wel?'

'Waar heb je het over?'

'Het is òchtend. Kom verdomme overeind. Geef me iets te eten, dan kunnen we erover denken iets leuks te doen.'

'Is het ochtend?' vroeg hij verward. 'Hoe weet jij dat?'

'Laten we wat doen, glibber. Begin maar met wat van die blikjes open te maken. Wat eten we vòor het ontbijt, bonen of perziken?'

Ze hoorde hem rondstommelen. Toen ging zijn aansteker aan. Aural zag hem op zijn polshorloge kijken, terwijl hij probeerde erachter te komen wat er aan de hand was. Verbijsterd door wat zijn uurwerk aanwees, draaide Swann zich om om haar aan te kijken, de aansteker als een lamp voor hem uit houdend.

'Wat voer je in je schild?' vroeg hij.

Swann keek haar in het te zwakke schijnsel van de sigarettenaansteker een moment aandachtig aan. Hij boog zijn hoofd naar een kant en probeerde wat hij zag te verklaren. Aurals hoofd stak uit de golfzak en ze grinnikte naar hem.

'Opstaan en aan de slag, chef,' zei ze. 'De tijd gaat door.'

Swann knipte de aansteker uit en de duisternis keerde terug in de grot. Aural zag rode spoken op haar netvlies dansen terwijl Swann uit zijn slaapzak kroop. Ze hoorde hem een ogenblik rommelen, toen knipte de aansteker weer aan en stak hij een kaars aan. Hij liep de meter tot aan haar zij en keek een ogenblik op haar neer. Daarna boog hij zich voorover en trok aan het touw waarmee de zak aan zijn been was gebonden. Tevreden dat het touw nog steeds stevig om haar lichaam zat, deed hij de ritssluiting van de zak zover open dat hij kon zien dat haar polsen en haar enkels nog waren vastgekluisterd.

Hij deed de ritssluiting weer dicht tot aan haar kin.

'Waar ben je op uit?' Hij boog over haar heen en staarde in haar ogen. Aural kon zijn adem ruiken en de hitte van de kaars voelen.

'Gewoon een beetje SM. Ik doe alsof je me hebt vastgebonden, en probeert me te martelen.'

'Je kunt beter voorzichtig zijn,' zei hij. 'Je kunt beter heel, heel voorzichtig zijn. Nu ik je nog mag.'

'Ik dacht het. Ik weet het niet... een meisje voelt dat aan.'

'Maar ik weet hoe ik gemeen moet zijn,' zei hij, haar negerend. Hij verplaatste de kaars tot hij vlak voor haar gezicht was, vijftien centimeter van haar huid af. Zijn eigen gezicht was achter de vlam en zijn gelaatstrekken dansten als een dwaallicht in het flakkerende licht. Zo langzaam dat het Aural een moment kostte om zich te realiseren wat er gebeurde, bewoog hij de vlam naar haar ogen. Ze keek met ontzetting gebiologeerd toe hoe de vlam centimeter voor centimeter dichterbij kwam.

'Zeg me dat het je spijt dat je me om twee uur in de ochtend wakker hebt gemaakt,' zei hij zacht. Aural keek hem niet aan. Ze kon alleen de heldere oranje vlam zien die steeds dichterbij kwam. Het kaarslicht vulde haar hele blikveld en blokkeerde al het andere. Ze vocht tegen een schreeuw die zich uit haar borst los wilde scheuren. Niet mijn ogen, dacht ze, doodsbenauwd.

Toen de warmte van de kaars hitte werd, blies ze hem uit.

Swann uitte een grauw van woede en knipte toen de sigarettenaansteker weer aan. Hij stak de kaars weer aan en zette hem op de grond, te ver weg voor haar om hem opnieuw uit te blazen.

Hij zat daar met zijn armen om zijn knieën en bestudeerde haar alsof ze een mysterie was waar hij net tegenaan was gelopen.

'Wat moet ik met je?' vroeg hij ten slotte.

'Je bedoelt dat jíj dat niet weet? Ik rekende er op dat je alles had uitgestippeld.'

'Hou je bek,' zei hij zacht.

'Als ik het voor het zeggen heb, laten we dan een heel ander spelletje spelen. Wat denk je ervan als ik jou in de zak stop en in brand steek? Je zult het leuk vinden, dat beloof ik je. Ik ben daar goed in.'

'Ik zei hou je kop. Ik probeer te denken.'

'Maak terwijl je denkt een blik open. Ik wil de bonen.'

Tot Aurals verbazing glimlachte hij naar haar.

'Goed,' zei hij. 'Omdat je het zo graag wilt. Ik ben nu toch op. Bonen klinkt goed, hè?'

Hij maakte Aural uit de zak los, deed haar handboeien van de enkelijzers af zodat ze zich kon strekken en zelf kon eten en gaf haar bonen en perziken te eten.

'Eet op,' zei hij. 'Je zult je krachten nodig hebben. Dit zal een langere bijeenkomst zijn dan vroeger, omdat we meer tijd hebben.'

'Meer tijd om me van het leven te beroven, bedoel je,' zei Aural.

'Dat is goed. Ik houd daarvan. Meer tijd om je van het leven te beroven. Dat is goed.'

'Ik heb er honderden van,' zei Aural.

'Ik houd van vrouwen met gevoel voor humor,' zei Swann. 'Ik heb drie jaar doorgebracht met een gorilla, die het gevoel voor humor van een rots had.'

'Ik denk dat ik geregeld met hem omging,' zei Aural. 'Had hij een tatoeëring op zijn kont?'

Swann giechelde. 'Jij bent grappig,' zei hij.

'Jij bent zelf ook een beetje vreemd. Op een heel interessante manier. Ik weet waarom de meisjes jou aardig vinden.'

'Dat doen ze, weet je,' zei hij eenvoudig. 'Jij steekt de draak ermee, maar dat doen ze. Mijn meisjes houden van me – op het eind. Dat zul jij ook, dat zul je zien.'

'Heb je vaak van die hoofdpijnen?' vroeg Aural plotseling. 'Ik hoorde je vannacht huilen.'

'Ik huilde niet.'

'Dat zag er wel naar uit.'

'Jouw vriend deed dat,' zei hij. 'Die mij in de stad in elkaar sloeg.'

'Harold Kershaw? Die was altijd al mijn favoriet. Hij liet me hem in brand steken. Hij vond dat zo leuk dat hij me niet kan laten gaan. Weet je zeker dat je het mij niet bij jou laat proberen?'

Swann duwde zijn blik bonen van hem af en pakte dat van Aural uit haar handen.

'Kan ik een bezoek brengen aan de meisjeskamer voor we weer beginnen?' vroeg ze.

'Goed.'

Hij maakte het touw om haar middel vast en gaf haar een kaars. Toen ze naar het kerkhof liep, dacht Aural erover hoe ze, terwijl ze gehurkt zat, een scheenbeen in haar shirt kon laten glijden. Als ze het lang genoeg verborgen hield, kon ze het, wanneer ze binnen zijn bereik was te voorschijn halen en hem op zijn hoofd slaan.

Toen ze halverwege was, trok het touw strak.

'Ik loop in de goede richting,' klaagde ze.

'Dat weet ik,' zei Swann. Hij kwam snel met de lamp in zijn hand naar haar toe. Toen ze zich begon om te draaien om naar hem te kijken, schopte hij haar benen onder haar vandaan en rolde haar op haar buik. Daarna maakte hij haar handboeien weer vast maar zo dat haar handen op haar rug zaten. Dat maakte elke poging om een bot te pakken onmogelijk.

Swann grinnikte naar haar. 'Je moet niet steeds denken dat ik stom ben,' zei hij. 'Dat zou een grote vergissing zijn.'

'Ik wil zeker niet je slechte kant benadrukken,' zei Aural.

‘Jij bent net een beetje te gretig,’ zei hij, terwijl hij haar overeind hielp.

Toen ze terugkwam, maakte hij haar handen weer aan haar enkels vast.

‘Laat ons bidden,’ zei hij.

‘Lof zij Jezus,’ zei Aural.

Hij keek haar tevreden aan.

‘Wil je voorgaan in gebed, zuster Aural?’

‘Dat nu niet,’ zei Aural.

‘Of zingen? Wil je een hymne voor ons zingen?’

‘Ik wil liever door sigaretten worden verbrand,’ zei ze.

‘Heel goed.’

Hij stak een sigaret aan en kuchte door de rook.

‘Denk je niet dat onze relatie heel aardig wordt?’ vroeg Aural. Haar laatste woorden gingen verloren in haar onwillekeurige snik toen hij haar aanraakte.

33

Becker hield zich de hele dag bezig met het bandje van zijn ontmoeting met Swann. Hij zette het 's morgens toen Jack naar school was aan en zette het pas af toen de jongen weer thuis was gekomen. In de late namiddag en tijdens de bereiding van het avondeten deed Becker alsof er niets aan de hand was. Hij speelde met Jack en maakte grapjes, hielp hem met zijn huiswerk en probeerde de mysteries van de beginselen van de natuurwetenschappen en de wiskunde minder geheimzinnig te maken. Toen Karen thuiskwam, was hij nog steeds opgewekt, bijna vrolijk, maar toen Jack naar bed was gegaan, ging hij terug naar zijn kantoortje en draaide de band opnieuw, maar nu zachter. Hij luisterde nu niet meer naar de woorden, maar naar het ritme, de pauzes, de einden en het begin, de plotselinge kortstondige accenten die op leugens wezen.

'...U hebt een reputatie,' zei Swanns stem op de band.

'Dat zal wel,' kwam zijn eigen antwoord.

'Ik hoor dat u klimt, u beklimt bergen. U bent toch een bergbeklimmer?' Een pauze, geen antwoord van Becker. Dan Swanns stem weer, met een spoor van triomf: 'U zou verbaasd zijn over hoeveel ze van u weten.'

'Ben jij een bergbeklimmer, Swann?' Becker kon de spanning in zijn stem horen, alsof het door de onbehaaglijkheid die hij in het kamertje voelde heen sijpelde, door het ongemakkelijke gevoel dat hij in het bijzijn van Swann had heen. Ik was al uit mijn evenwicht, dacht Becker, terwijl hij de band stilzette. Een minuut in het gesprek en al zo door mijn eigen problemen uit het lood geslagen, dat ik niet meer goed luisterde. Swann vertelde hem wat hij wilde weten. Ze vertelden het hem altijd. Daar konden ze niets aan doen. Ze waren altijd zo tevreden over en zo trots op hun gruwelijke verrichtingen dat ze het op een of andere manier wel moesten prijsgeven. Het moeilijkste voor zulke psychopaten was het geheim voor zichzelf te houden. De grote kunst was te luisteren. In dit gesprek had Becker alleen naar zichzelf geluisterd. Maar hij kon het nu duidelijk horen.

'Nou... niet echt. Ik werkte een beetje met touwen. Ik weet wat dat inhoudt. Het is eng werk.'

Hij speelt hier op je ego, dacht Becker. En waarom? Om zichzelf te beschermen.

'Niet zo eng als je weet hoe je het veilig moet doen,' zei Becker op de band. In zijn eigen huis kon Becker wel in de grond kruipen van ergernis over zijn eigen stommiteit. 'Heb je het ooit geprobeerd?'

'Ik geloof in de zwaartekracht,' zei Swann. 'Als dat aangeeft dat ik naar beneden moet, dan ga ik naar beneden.'

Becker zette de band af en keek op de klok. Het was bijna vier uur in de morgen. Hij had de hele band tientallen keren afgedraaid en geprobeerd er zijn eigen ego uit te filteren. Hij spoelde hem terug en speelde hetzelfde stuk nog eens af.

Karen sliep, of deed alsof. Becker keek vanuit de deurpost een ogenblik naar haar en liep toen door het donkere huis naar Jacks kamer. Becker keek liefdevol naar de slapende jongen, onschuld, totale onschuld. Hij draaide zich om en ging naar buiten. Daar stond hij alleen in de tuin.

Het was om te huilen. Hij ging dit opgeven, dit allemaal opgeven, zo zeker alsof hij van de aarde zou verdwijnen. Als hij terugkwam zou hij te verachtelijk zijn om weer met hen samen te leven, dacht hij. Zijn handen zouden te veel besmeurd zijn met bloed, zijn ziel zou te ongedurig zijn. Onschuld verdiende beschermd te worden. Dat kon niet aan een roofzuchtig beest worden toevertrouwd. Luisterend naar de banden had Becker Swann gevonden, maar wat hij liefhad, had hij verloren.

Hij was als een junkie met de naald in zijn arm, dacht Becker. Hij had hem er zelf ingestoken toen hij het eerste cryptische bericht van Swann had ontcijferd. Hij had zelf de voorbereidingen voor zijn shot getroffen, even zeker alsof hij erop uit was gegaan en dezelfde dag de narcotica en de spuit had gekocht. Het deed er niet langer toe wanneer hij zich de echte injectie toediende, omdat hij toch al verloren was. En hij wist het. Het vooruitlopen op, was evenzeer een deel van het beleven als de daad zelf. Hij wist dat hijzelf de eerste stap op de lange, glibberige helling omlaag had gezet en dat elk gezwaai met de armen of pogingen om het evenwicht te bewaren, die erop zouden volgen, alleen aanstellerij ten behoeve van de anderen waren, nutteloze pogingen om de anderen en zichzelf te overtuigen dat hij een onwillig slachtoffer was. In feite kon hij de verschrikkelijke val die hem te wachten stond als hij op snelheid was gekomen van te voren zien aankomen en hij wist dat hij niet zou stoppen voor hij in de goot was beland. Hij huiverde bij het vooruitzicht van die tocht en zijn borst ging snel op en neer van opwinding.

Dat was het wat Hatcher over hem wist en beter begreep dan Becker wilde toegeven. Dat was ook de echte reden waarom hij

Hatcher haatte. Op de lange duur kon Becker de jacht, de achtervolging van zijn prooi, niet weerstaan. Hij kon zich uiteindelijk het doden niet ontzeggen. Dat was gewoon het indrukken van de spuit.

Becker wist dat hij daarin op Swann leek. Nee, erger nog, hij leek niet op Swann. Hij was net zo.

34

Deze keer was Pegeen Haddad gekleed op een manier die voor het Bureau aanvaardbaar was. Ze ontmoette Becker op de luchthaven gekleed in een marineblauw pakje met een witte blouse met een gesloten kraag en een blauwe sjaal. Becker vond dat ze er als een stewardess uitzag.

'Nou, Haddad, daar ben je dan,' begroette hij haar.

Pegeen probeerde zich een van de geestige opmerkingen te herinneren die ze voor deze ontmoeting had gerepeteerd.

'Hier ben ik dan,' zei ze.

Becker knikte een paar keer alsof hij nog iets wilde zeggen, en zij wachtte tot ze zich realiseerde dat hij ook niets verstandigs meer had te zeggen.

'Goed, dan,' zei hij tenslotte. 'Laten we dan maar gaan.'

Toen ze hem naar de auto op de parkeerplaats begeleidde, vroeg Pegeen zich af of het eigenlijk mogelijk was dat Becker net zo zenuwachtig was als zij. Zelfs onder de gunstigste omstandigheden was hij een moeilijk te doorgronden man en hem nu na een aantal weken weer terug te zien was zeker geen gunstige omstandigheid. Ze had helemaal niet verwacht hem ooit nog terug te zien. Zijn verzoek om haar als zijn assistente aan hem toe te voegen, kwam als een complete verrassing en had bij nogal wat mensen in het kantoor van Nashville de wenkbrauwen doen fronsen. Het verhaal van haar aanwezigheid in de motelkamer terwijl Becker zonder uitleg een douche nam, had via de geruchtenmolen snel de ronde gedaan. Haar voortdurende en steeds mattere verklaringen dat ze onschuldig was, begonnen eindelijk af te nemen toen zijn onverwachte verzoek doorkwam en de vroegere vloed van schunnige humor in het kantoor nieuw leven inblies.

Hij sprak niet meer tegen haar tot ze bij de auto waren.

'Heb je nog andere kleren bij je?' vroeg hij.

'Nee,' antwoordde ze verrast. 'Waarom?'

'Het kan weleens wat smerig worden,' zei hij. 'Je kunt beter een spijkerbroek aandoen.'

'Agenten dragen geen spijkerbroek in dienst. Deze kleding past bij de kledingnormen van het Bureau.'

'Toch past het niet bij mij. Ik ben nu je baas, Haddad. Dat hebben ze je toch gezegd, hè?'

'Ze zeiden dat ik u moest assisteren.'

'Dat betekent toch dat je moet doen wat ik zeg?' Pegeen begreep de scherpte in zijn toon niet. Het klonk alsof hij kwaad op haar was. Haar eerste reactie was ook kwaad te worden.

'Ze zeiden me niet waarom u mij wilde hebben om u te assisteren,' zei ze.

'Dat heb ik ze ook niet verteld.'

'Wilt u het mij zeggen?' informeerde ze scherp.

Becker keek haar een moment aandachtig aan toen ze de auto het verkeer in manoeuvreerde.

'Wat wil je horen – dat ik jou heb gevraagd omdat je de beste agent bent die ik ooit heb ontmoet?'

'Dat zou een aardig begin zijn, daarna zou u mij de waarheid kunnen zeggen,' zei ze.

'Je zult die waarheid niet leuk vinden,' zei hij.

Pegeen voelde zich blozen. Hij wil bij mij zijn, dacht ze. Hij wil zijn tijd met mij doorbrengen, met mij samen zijn. Hij denkt over mij net zoals ik over hem denk. Haar oren werden rood. Die verdomde oren verrieden haar weer.

'Wat is dan de waarheid?' vroeg ze zacht.

'Laten we naar jouw huis gaan. Dan kun je je omkleden,' zei hij.

Ze keek naar hem zolang als ze durfde voor ze weer op het verkeer lette.

'Ik weet niet zeker of dat wel een goed idee is,' zei ze. In werkelijkheid vond ze het een schitterend idee, hoewel niet erg veilig.

'Nou, laten we het in ieder geval proberen,' zei Becker. 'Soms zijn mijn ideeën beter dan ze op het eerste gezicht lijken.'

Pegeen zweeg enkele ogenblikken voor ze zei: 'Ik heb het nu van verschillende kanten bekeken, maar ik denk nog steeds niet dat het een goed idee is.'

'Doe wat je gezegd wordt, Haddad,' zei hij bars. 'Ik ben niet in de stemming om met jou over alles wat ik zeg te redetwisten.' Hij leunde met zijn hoofd achterover tegen de bank. 'Maak me wakker als we er zijn,' zei hij. 'Ik heb een paar dagen niet geslapen.'

'Ik ben blij dat ik een kalmerend effect op u heb,' zei ze, proberend uit te vissen wat er aan de hand was.

'Jij bent het niet, kindje, het is de auto.' Hij sloot zijn ogen en tegen de tijd dat Pegeen dat 'kindje' had verwerkt en de neiging had onderdrukt met een sarcastische opmerking over zijn leeftijd wraak te nemen, was Becker in slaap gevallen.

Toen Pegeen de auto op haar oprijlaan tot stilstand had gebracht, had ze nog steeds niet helemaal besloten hoe ze op de situatie moest reageren. Becker maakte het voor haar gemakkelijk. Hij rolde zijn hoofd in haar richting, deed één oog open en zei: 'Spijkerbroek en iets ouds daarboven, en laarzen.' Daarna deed hij zijn oog weer dicht en rolde zijn hoofd van haar weg.

Gekweld door verwarring en tegenstrijdige gevoelens, verkleedde Pegeen zich voor de spiegel tegenover haar bureau. De spijkerbroek was gemakkelijk genoeg, maar de keuze van haar blouse vergde enige nadere overweging. Ze keek naar haar spiegelbeeld toen ze een aantal mogelijke keuzes onder haar kin en tegen haar beha aanhield. Haar brassière was zedig en fatsoenlijk en perfect geschikt voor haar kantoorkleding, maar niet geschikt voor de meer informele bovenstukjes die ze overwoog. Ze besloot tot een purperen push-up beugelbeha en pauzeerde even om naar haar naakte lichaam te kijken. Ze had volle borsten, ze waren bijna te groot voor de maat van haar lichaam, dacht ze, maar prachtig gevormd. Ze was er erg trots op hoe ze eruitzagen en betreurde het bij tijd en wijle dat haar grootste attractie noodzakelijkerwijze onder haar kleren was verborgen terwijl haar gezicht, dat ze slechts kon verdragen, en haar oren, die ze verafschuwde, haar voor de wereld vertegenwoordigden.

Toen ze haar naaktheid bewonderde, wenste ze half dat Becker plotseling bij haar binnen zou lopen. Ze stelde zich voor dat hij een moment bleef staan om haar schoonheid te bewonderen en dat hij haar dan in zijn armen zou nemen en haar teder zou kussen en dan met zijn tong naar beneden naar haar borsten zou gaan.

Jezus, dacht ze, terwijl ze de beha om deed en een topje aantrok, je zult nog gearresteerd worden wegens ongewenste intimiteiten op de werkplek als je hier niet mee ophoudt. De man ligt in de auto te slapen, niet hier, dat zou je iets moeten zeggen.

Toen ze in de buurt van de auto kwam, rolde Becker weer zijn hoofd naar haar toe. 'Trek wat aan,' zei hij.

Pegeen dacht dat haar gezicht in vuur en vlam schoot. Ze wist dat ze het T-shirt niet had moeten kiezen.

'Ik heb wat aangetrokken,' zei ze kwaad.

'Iets warmers,' zei hij. Hij draaide zich van haar weg en sloot zijn ogen weer.

Barst jij ook, dacht ze, het huis weer instormend. Ze kwam eruit met een flanellen blouse, die bij haar polsen dichtgeknoopt was.

'Goed,' zei hij. 'Het wordt koud. We gaan onder de grond.'

'Het T-shirt is minder opvallend als je undercover wilt blijven dan dit. Ik zie eruit als een bosbouwer.'

'Niet undercover, Haddad. Onder de grond.'

Becker gaf haar een stuk papier waar een adres in het centrum van Nashville op geschreven stond.

'Maak me wakker als we er zijn,' zei hij.
'Gaat het zó? U geeft mij orders en gaat weer slapen? Als u mij vertelt wat het plan is, dan kan ik zelf ook een beetje meedenken. Mijn hersenen werken ook, weet u.'
'Ik dacht dat we al die defensieve onzin de laatste keer al hadden gehad,' zei hij.
'Er lijkt wat verschil van mening te zijn over wat er de laatste keer precies gebeurde.'
Hij deed allebei zijn ogen open en keek haar aan.
'Wat bedoel je daarmee?' vroeg hij.
'Ik maak u wel wakker als we er zijn,' zei ze, de auto te plotseling in zijn versnelling gooiend.
'Is er iets, Haddad?'
'Wat zou er kunnen zijn?'
'Het adres is van het hoofdkantoor van de speleologische vereniging. Die kerels die in grotten rondkruipen.'
'Ik weet wat speleologie is. Dat zijn mensen die holen onderzoeken.'
'Ze noemen zich tegenwoordig grotonderzoekers,' zei hij. 'Heb je ooit aan grotonderzoek gedaan?'
'Nee, en u?'
'Verdomme, nee,' zei hij. 'Ik ben bang van zulke plaatsen.' Weer draaide hij van haar weg en leek te slapen.

Erskine Browne had de bouw van een stevig stuk touw. Als hij achter zijn bureau stond om zijn bezoekers te begroeten, kon Becker gemakkelijk zien waarom hij van zijn collega's de bijnaam wezel had gekregen. Voordat reuma zijn flexibiliteit had ondermijnd, was Browne binnen de kringen van grotonderzoekers legendarisch om zijn vermogen zich in elke holte te wurmen en erdoorheen te kronkelen als een fret na zijn diner. Zelfs nu, met zijn gebogen en vastzittende gewrichten en zijn door de reuma tot klauwen vervormde handen, zag hij er voor Becker uit alsof hij als het moest door een s-bocht kon slippen, en zijn levendige ogen leken uit te drukken dat hij daar niet mee zou zitten.
'Becker, is het niet?' vroeg Browne.
'John Becker, zo is het. En dit is speciaal agent Haddad.'
Browne bood Pegeen zijn misvormde hand.
'Agent Haddad. Het is me een genoegen. Ik wist niet dat ze agenten zo mooi maakten.' Hij knipoogde naar Becker.
Pegeen besloot dat de leeftijd van Browne hem een zekere dispensatie gaf in de categorie seksisme. Elke man van boven de zestig kon je, vanwege een vroegere gebrekkige opvoeding, een enkele ongepaste opmerking niet kwalijk nemen.
'Alleen de goede,' zei Becker eenvoudig.

Browne knipoogde weer naar Becker en grijnsde zo veelbetekenend naar Pegeen dat die haar mening over de dispensatie herzag.

'Ik onderzocht waar je telefonisch naar hebt gevraagd,' zei Browne. 'Je vroeg me in het inschrijvingsregister van de VSA te zoeken naar een naam...' Hij richtte zich weer tot Pegeen: 'Dat is de Vereniging van Speleologen van Amerika.'

Pegeen beantwoordde zijn glimlach niet.

'Dat heb ik gedaan,' zei hij.

'De naam was toch Swann? Het landelijk onderzoek was gemakkelijk. Dat is allemaal gecomputeriseerd, zeven jaar geleden.'

'Is het gelukt?'

'Noppes. Dat betekent natuurlijk niet al te veel. Er zijn een hoop amateur-grotonderzoekers die geen lid zijn. Sommigen zijn tamelijk goed ook. We hebben misschien maar tien procent van de actieve grotonderzoekers uit de streek. Dat is zonde omdat we hen heel wat hebben te bieden. De nieuwsbrief alleen al is de prijs van het lidmaatschap waard.'

'Ik heb niet echt verwacht hem op je lijst te vinden,' zei Becker. 'Het was een slag in de ruimte. Mensen als Swann zijn geen verenigingsmensen.'

'Nou, laten we onszelf niet voorbijlopen,' zei Browne. 'Dit was nog niet alles wat ik deed. De FBI belde me, dan mag ik toch wel een beetje mijn best doen, toch? Wat deed hij precies?'

'Precies, dat is moeilijk te zeggen,' zei Becker. 'Misschien deed hij wel niets. Misschien is hij alleen maar een hersenspinsel van mij.'

'Ja, natuurlijk, daarom neem je de moeite te proberen hem in onze lijsten te vinden. Ik dacht, als het niet belangrijk was, zou je het niet vragen. Zoals ik al zei is de nationale lijst gecomputeriseerd, maar hij gaat niet zo ver terug. Regionaal zijn we nu ongeveer halverwege om de namen in de machine te krijgen. Het kost veel tijd en met deze vingers ben ik zelf praktisch waardeloos. Maar als ik ze echt nodig heb, werken ze wel.' Hij wiebelde suggestief met zijn vingers voor Pegeen. Ze had de neiging om een van die gezwollen knokkels beet te pakken en achterover te buigen.

Browne richtte zijn aandacht weer op Becker. 'Ik keek dus in de regionale lijsten. Nu, deze gaan zelfs terug tot vóór de tijd dat we echt waren georganiseerd. In de begintijd alleen namen en telefoonnummers op de achterkant van een envelop van mensen die je kon bellen als je naar hun gebied ging en daar naar beneden wilde. Tegenwoordig zou je zoiets een netwerk noemen, maar het gaat ver genoeg terug. Verdorie, het was gewoon een vriend die een naam van iemand doorgaf, die hij van zijn vriend had gekregen en die misschien iemand anders kende die geïnteresseerd was. Je weet wat ik bedoel. Dat zit allemaal in die dossierkast daar.'

'Dat is een hoop werk,' zei Becker.
Browne haalde zijn schouders op. 'Wat heb ik anders te doen vandaag de dag? In ieder geval heb je gelijk, je vriend is geen verenigingsmens. Hij is nooit lid van de vereniging geworden.'
'Nou, ik wist dat het een slag in de ruimte was...'
'Ik zei dat hij geen lid werd – maar dat betekent niet dat hij niet in het dossier voorkomt. Ik vond zijn naam op een papieren servet tegelijk met de naam van Herm Jennings, die de tip gaf om hem te bellen.' Browne trok een bleekgroen papieren servet uit zijn bureaula. 'Het tekentje achter zijn naam betekent dat ik hem belde om te zien of hij interesse had lid te worden. Dat had hij niet, anders had ik een cirkeltje om dat tekentje gezet. Dat is mijn systeem. Ik kan mij niet meer herinneren dat ik ooit met hem heb gesproken. Het moet twintig jaar of meer geleden zijn. Ik belde vanmorgen dus Herm Jennings. Herm kan zich hem maar vaag herinneren als iemand die met hem en nog een paar anderen een keer mee naar beneden is gegaan. Daardoor wist hij dat hij in grotonderzoek was geïnteresseerd. Maar dat is alles wat hij zich herinnert. Het ziet er niet naar uit dat hij de man ooit goed heeft gekend.'
'Twintig jaar geleden? In die tijd moet hij ongeveer vijftien geweest zijn.'
'Dat klopt – dat is gebruikelijk als je begint, wanneer je in je tienerjaren bent en niets beters weet.'
'Herinnerde Jennings zich toevallig waar ze naar toe gingen?'
'Nee, dat heb ik hem gevraagd. Maar je kunt van een ding zeker zijn, als hij met Herm ging, dan ging hij naar een goede plek, een moeilijke plek. Dat is het enige soort grotten dat Herm bezoekt. En als Herm zijn naam heeft doorgegeven, dan kon hij op zijn eigen benen staan, vijftien of niet.'
'Bingo,' zei Becker.
'Is dat bingo? Voor mij klinkt dat niet zo.'
'Het laat zien dat hij in deze streek grotten kent,' zei Becker. 'Het laat zien dat hij dat al lang doet. En dat hij er goed in is. Dat zegt mij alles wat ik moest weten.'
'Nou, dan, goed, blij dat ik van dienst kan zijn.'
'Je bent net begonnen me te helpen, meneer Browne. Wat ik echt nodig heb zijn je kaarten.'
Browne keerde zich naar Pegeen: 'Ik heb de meest gedetailleerde kaarten van al de bekende grotten in mijn gebied. Ze zijn beter dan de kaarten van de overheid, beter dan de kaarten van de geologen, beter dan van wie dan ook.'
'Dat zal zeker wel,' zei Pegeen.
'Daar is geen twijfel over. Ik kan je elke spelonk in West Virginia, Virginia, Tennessee en Kentucky opnoemen die wijd genoeg is om je schouders door te wurmen – en in de meeste ben ik zelf geweest.

Meer dan de helft van de kaarten heb ik zelf getekend. Je denkt toch niet dat daar beneden een verdomde landmeter rondkruipt, is het wel?'

'Dat zou ik niet denken.'

Browne knikte nadrukkelijk.

'Dat heb je goed. Sommige zijn niet veel groter dan een konijnehol, en weer andere hebben meer ruimte dan een hotel. Dit hele gebied is ondergraven met tunnels, grotten, spelonken en mijnen – verdomme het is een wonder dat het niet allemaal instort. Het is die ondergrond van kalksteen, weet je. Water snijdt gewoon door die rots alsof het boter is. Je hebt daar allerlei soorten stroompjes en tamelijk gauw – over een miljoen jaar of zo – heeft het water als een figuurzaag zijn weg door die kalksteen heen gesneden. Heb je ooit aan grotonderzoek gedaan?'

'Niet echt,' zei ze.

'Niet echt of helemaal niet?'

'Helemaal niet.'

'Als je het ooit wilt proberen, laat het mij dan weten. Ik zal je persoonlijk mee naar beneden nemen.'

De dag dat ik met jou, zo'n ouwe vent, naar beneden een donker hol in ga, zul je niet beleven, dacht ze.

'Als ik ooit die neiging krijg zal ik me uw aanbod herinneren,' zei ze, zich inspannend om beleefd te blijven.

'Dat is goed, als je de neiging krijgt, denk dan aan mij,' zei Browne, en gaf Becker een knipoog.

Die oude klootzak denkt dat ik blind en stom ben, dacht Pegeen. Ze zag Becker Brownes pogingen tot een mannelijke samenzwering met een heel zwak glimlachje opnemen. Hij deed niet mee met de grap – niet dat het echt een grap was. Mannen hadden altijd een vage droom van succes, wist ze, hoe jammerlijk bedrieglijk die ook was. Ze stookten zichzelf op met hun fantasieën over vrouwen die door hun aantrekkingskracht overweldigd werden. Alleen al om ze te krijgen, sprongen ze over alle grenzen van eerbaarheid, leeftijd, betamelijkheid en een algemeen gevoel van afkeer heen. Maar Becker had hem óók niet op zijn manieren gewezen.

Browne had een pak kaarten aan de zijkant van zijn bureau en klopte erop alsof het een codex van de klassieken was.

'Zeg maar waar je naar zoekt, en als het bestaat, dan heb ik het hier.'

Becker dacht een ogenblik na. 'Het zou ergens afgelegen moeten zijn, ergens waar je ongezien naar binnen en naar buiten kunt komen. Het moet ook ergens binnenin een vrij grote ruimte hebben, groot genoeg voor een man om er te staan en rond te lopen.'

'Moet het gemakkelijk toegankelijk zijn of moeilijk?'

'Toegang tot de grot?'

'Dat ten eerste. Sommige van de ingangen zijn halverwege een berg. Je moet eerst naar boven klimmen voor je naar beneden kunt.'

'Niet te moeilijk. Hij draagt, of sleept, behalve zijn uitrusting nog een gewicht van vijftig kilo.'

'Oké, dat schakelt er enkele uit. Wat betreft de toegang tot de ruimte, wil je dat gemakkelijk of moeilijk?'

'Hij verwacht niet dat hij daar gevonden wordt,' zei Becker. 'Ik denk dus moeilijk. Hij zou geen plaats willen waar een of andere toevallige grotonderzoeker bij hem binnen zou lopen.'

'Maar hij trekt nog steeds zijn gewicht van vijftig kilo?'

'Oh, ja. Hij heeft dat bij zich – bij het naar binnen gaan.'

'Bij het naar binnen gaan?'

'Hij hoeft het niet meer mee naar buiten te brengen.'

'Nou, goed, ik zal niet vragen wat hij daar binnen dumpt, maar als ik er achter kom dat hij zijn rotzooi in welke grot dan ook achterlaat, geef ik hem een schop onder zijn kont.' Browne wendde zich tot Pegeen: 'Sorry, hoor.'

'Wat?' vroeg Pegeen.

'Voor mijn taal,' zei hij.

'Oh, verdomme. Je kunt niets zeggen wat ik al niet eerder heb gehoord. Kijk, als hij dat – gewicht – bij zich heeft, betekent het dat hij op weg naar binnen gemakkelijker naar beneden kan dan naar boven. Als hij terugkomt kan hij goed naar boven, veronderstel ik.'

Browne trok zijn wenkbrauwen op naar Becker voor hij verder ging: 'Oké, dan sluiten we alles uit wat achter de ingang omhoog loopt.'

Hij liep de kaarten door met een gemak die op ervaring wees.

'We hebben ze hier naar moeilijkheidsgraad geordend,' zei Browne, 'maar we hebben geen code voor iets dat je mee naar beneden neemt en niet meer mee terugneemt. Dat doe je absoluut niet, punt.' Hij mompelde een moment in zichzelf, terwijl hij de kaarten doorliep en herschikte.

'Hier is er een,' zei hij en merkte de plastic map om de kaart met een markeerstift. 'En hier, en hier. Hier zou het waarschijnlijk kunnen, maar het is een moeilijke. Van de andere kant, niemand komt hier toevallig binnen. Deze is heel lastig, heel moeilijk. Is die kerel een expert?'

'Dat weten we niet precies,' zei Becker. 'Het zou kunnen. We moeten aannemen dat hij goed is.'

'Dat moet hij wel zijn – hij moet tenminste weten wat hij doet om in een van deze binnen te komen. Je wilt toch de lastige? Ik bedoel waar geen toeristen met een gids binnenkomen.'

'Behalve wanneer er een ruimte is waar niemand in gaat, maar nee, niet met een gids, dat denk ik niet. Te veel kans dat hij gezien wordt bij het naar binnen gaan of eruitkomen.'

'Nou, hier heb ik er tien, twaalf, veertien van. Ze zijn allemaal afgelegen. Ze hebben allemaal een grote ruimte, en die ruimte is naar beneden of tenminste op gelijke hoogte als je ernaartoe gaat. Niemand probeert deze in het weekend, of als ze het doen, kun je ze lang van tevoren aan horen komen als je in die ruimte bent. Natuurlijk weten we niet of jouw man zelfs maar weet of ze bestaan – de helft van deze zijn behoorlijk verborgen. Van sommige kun je aan de oppervlakte niet meer zien dan een luchtgat.'

'Een luchtgat?'

'Zeker. Een grot ademt, weet je. Als je heel ver naar beneden gaat heb je daar het hele jaar door een constante temperatuur. In de zomer is het daar kouder dan de lucht boven de grond, in de winter warmer. Als het heet is krijg je een luchtstroom die door het gat naar beneden zuigt als een stofzuiger. Als het boven de grond koud is, krijg je het tegenovergestelde, een constante bries van warmere lucht. Het is verdomd mysterieus, als je niet weet wat het is, maar als je zo'n luchtgat vindt, weet je dat aan de andere kant een grote grot zit.'

'Zijn ze op een of andere manier aangegeven of kan iemand er gewoon in vallen?' vroeg Pegeen.

'De meesten zijn aangegeven, of overkapt. Die op openbaar terrein in ieder geval. Op privé-terrein staat er gewoonlijk bij de dichtstbijzijnde weg zo'n verdomd bord, zodat de eigenaar je een paar gulden kan laten betalen als ze, zoals dat heet, gebruiksvriendelijk zijn. Maar als ze niet groot genoeg zijn om erin te gaan, komen daar geen toeristen, zodat sommige op privé-terrein nog praktisch hetzelfde zijn als God ze heeft gemaakt. Ze zouden ooit een bord of een aanduiding gehad kunnen hebben, maar als ze ergens in de bossen zijn, gaat de eigenaar er zelf niet heen, en de borden vergaan, weet je. Uit het oog, uit het hart. Als je man niet weet waar ze zijn, vindt hij sommige van deze niet.'

'We moeten aannemen dat hij ze kent,' zei Becker.

'Hoe komt dat?'

'Hij heeft er een verwantschap mee. Hij wil ze graag donker en nauw.'

Browne lachte. 'Een hoop van ons willen ze graag zo. Sorry, mevrouw.'

'Sommigen van ons willen ze graag lang, hard en rechtop,' zei Pegeen.

'Huh?'

'Grotten, meneer Browne. We hebben allemaal onze voorkeur.'

Browne keek Becker onzeker aan.

'Ik heb kopieën van deze kaarten nodig,' zei Becker.

'Je bent een geboren diplomaat, Haddad,' zei Becker toen ze weer in de auto zaten. 'Je had bij de diplomatieke dienst moeten gaan.'

'Hij is een klootzak.'

'Waarschijnlijk alleen omdat jij erbij was,' zei Becker.

'U wordt bedankt.'

'Dat is niet jouw schuld, het is de zijne, maar mensen reageren op jou. Je zou er maar het beste aan kunnen wennen.'

'Denkt u dat het ook de andere kant op werkt? Reageren vrouwen ook op u?'

Becker grinnikte. 'Dat zou jij moeten weten.'

Ze draaide zich naar hem toe.

'Ik spreek vanuit het mannelijk gezichtspunt,' vervolgde hij. 'Jij hebt te maken met het vrouwelijke.'

Je weet het, jij bastaard, dacht ze. Je weet precies hoe vrouwen op je reageren. Haar oren werden rood.

'Er staan geen mijnen op die lijst,' zei ze.

'Ik denk niet dat hij weer een mijn heeft uitgezocht,' zei Becker.

'Waarom niet?'

'Hij werd gepakt. Vijf jaar te laat, maar hij werd toch gepakt. Dat waren vroege pogingen. Hij is slim. Hij leert van zijn fouten. Hij verfijnt zijn methoden. Dat doen ze altijd. Ze blijven zich aanpassen totdat ze uitvinden wat het beste voor hen werkt.'

'En dan?'

'Dan zetten ze er vaart achter,' zei hij. 'Als ze denken dat ze veilig zijn dan pakken ze gewoon slachtoffer na slachtoffer.'

'Waarom denkt u dat hij grotten in gaat? Waarom niet ergens naar een afgelegen plek? Een oud pakhuis, een huis op het platte land...'

'Op de eerste plaats zei hij me waar hij naartoe ging.'

'Hij zei het ú?'

'Bij wijze van spreken. Hij gaat waar de zwaartekracht hem naar toe brengt. Naar beneden. En hij kent het gebruik van touwen. Dat zei hij me ook. In sommige opzichten is afdalen in een grot hetzelfde als van een berg naar beneden komen – verder heb je, als het steil genoeg is, touw nodig om weer terug naar boven te komen. Hij kiest een grot, dat heeft hij nodig. Gevoelsmatig.'

'Heeft hij een *gevoelsmatige* behoefte aan *grotten?*'

'Ze hebben dromen, dat is hun probleem. Ze hebben zulke sterke dromen dat ze gedwongen worden ze uit te voeren. En dromen hebben een context, een omgeving, als je dat kunt zeggen. Ze gebeuren niet midden op de dag op Main Street, ze bestaan in een speciale omgeving, die bijna net zo belangrijk is als wat er gebeurt. Jouw dromen vinden toch èrgens plaats?'

'De mijne?'

'Heb jij geen dromen, Haddad?'
'Nee.'
'Oh.'
'Ik droom niet.' Behalve als je meerekent dat ik eraan denk dat oudere FBI-agenten bij me binnenwandelen als ik naakt ben. Of iets dergelijks, dacht ze.
'Goed. Maar een hoop mensen hebben ze wel. En waar ze zich afspelen is belangrijk.'
'Bedoel je belemmeringen of blinddoeken, of zoiets?' vroeg Pegeen na een poosje. Ze wist dat ze het onderwerp behoorde te laten rusten maar ze kon er geen afscheid van nemen.
'Wat?'
'Ik heb dat soort dromen niet.'
'Goed,' zei Becker.
'Heeft u ze?'
'Wat?'
'Laat maar.' Pegeen bloosde weer.
'Nee.'
'Oh.'
Becker keek hoe ze reed. Pegeen hield haar blik angstvallig op de weg.
'Mijn dromen gaan over mensen,' zei hij tenslotte. 'Niet over uitrustingsstukken.'
'Dat kan ik me voorstellen,' zei ze. 'Dat is normaal. Waarschijnlijk.'
'Ik weet niet of het normaal is. Het is algemeen. Ik denk dat de meesten van ons van andere partners dromen.'
Pegeen knikte en trok haar onderlip naar voren alsof ze over het onderwerp nadacht.
'Filmsterren, of zulk soort mensen?' vroeg ze.
'Nee, gewoon mensen. Vrouwen die ik ontmoet, vrouwen die ik ken.'
Pegeen knikte nogmaals op een manier waarvan ze hoopte dat het vrijblijvend leek.
'Uh-huh.'
'Hoewel, jij niet,' zei hij.
'Ik niet?'
'Jij hebt niet zulke dromen?' zei hij.
Pegeen voelde zich zó verward dat ze niet durfde praten. Ze had eerst gedacht dat hij bedoelde dat hij niet over haar droomde en haar maag leek ineen te krimpen. Maar toen realiseerde ze zich haar vergissing en werd ze vermorzeld door het gevoel van haar eigen dwaasheid. Hij had haar niet bedoeld, hij dacht zelfs niet over haar. De hevigheid van háár bewustzijn van hèm had zelfs de tussenruimte op de voorbank niet overbrugd.

Toen ze weer adem durfde te halen, leidde ze de conversatie weer naar een zakelijk onderwerp en zwoer bij zichzelf dat ze die daarbij zou houden.

'Waarom denk je dat Swann precies hier in de buurt is?'

'Ze komen in het algemeen altijd terug naar huis. Als een ontsnapte gevangene uit New York ooit het benul had zich verborgen te houden in New Mexico, zouden we verdomd veel tijd nodig hebben hem te vinden, maar dat doen ze zelden. De eerste plek waar je moet kijken is het huis van hun moeder. Hij groeide daar op en woonde daar toen hij de aanslag op zijn hospita pleegde, minder dan vijfenveertig kilometer vandaan.'

'Als hij het wel deed? Als hij naar Portland is vertrokken?'

'Dan zullen we verdomd veel tijd nodig hebben hem te vinden. Maar gewoonlijk doen ze dat niet. Mensen blijven in de streek die ze kennen. Hier voelt hij zich op zijn gemak. Hij weet hoe de mensen denken, hoe ze praten, kent hun manier van doen. Swann is ergens in deze streek of hij is een vreemdere vogel dan ik denk.'

'Dus, wat gaan we nu doen? Gaan we al die grotten na?'

'Nee, we wachten tot Swann ons laat weten welke we na moeten gaan.'

'Hoe doet hij dat?'

'Door de keus van zijn slachtoffer. Als hij haar grijpt, gaat hij tamelijk dichtbij onder de grond. Zo deed hij dat met de twee meisjes in de kolenmijn. Zo zal hij het weer doen. Men is er in elk geval niet op gesteld erg ver met een slachtoffer te reizen. Dat is veel te gevaarlijk.

'Hoe weten we wanneer hij een slachtoffer heeft gegrepen, en of hij het zal doen?'

'Oh, er is geen "of". Hij zal spoedig iemand grijpen, als hij het al niet heeft gedaan, en ik wil erom wedden dat hij het al heeft gedaan. Hij zat drie jaar in de gevangenis en heeft over niets anders gedacht. Hij zal heel gauw iemand grijpen. Hij moet wel, voor hij barst. Als hij het doet krijgen we een rapport over een vermist persoon. Dat is Swanns zwakke plek, weet je. Hij is niet zoals de meesten, die zich vooral bezighouden met zwervers, straatboeven, seizoenwerkers of prostituées, mensen die men heel lang niet mist. Hij stelt zoveel vertrouwen in de plaats waar hij ze mee naartoe neemt, hij is er zo zeker van dat hij daar niet gevonden wordt, dat het hem niet kan schelen als er naar zijn slachtoffer wordt gezocht. De twee meisjes in de kolenmijn waren familie van welgestelde burgers. De jacht op hen begon bijna onmiddellijk. Swann gaf er niet om – hij was al onder de grond, bezig met wat hij ook met ze deed en blijkbaar uitgerust om er lange tijd te blijven. Te oordelen naar de hoeveelheid gesmolten kaarsvet en lege voedselblikjes die ze in de mijn hebben gevonden, zou ik zeggen dat hij daar minstens een week beneden was.'

Pegeen huiverde bij de gedachte aan die week voor de meisjes. 'De schoft.'

'"Schoft" is nog zwak uitgedrukt. Ons probleem is dat er een vertraging is bij het melden van vermiste personen. Bij volwassenen registreert de politie de aangifte pas als de persoon drie dagen verdwenen is. Dat betekent dat Swann, als hij toeslaat, ook zoveel voorsprong heeft en ik denk dat hij niet meer dan een uur, op zijn hoogst twee uur nodig heeft om zijn sporen uit te wissen.'

'We wachten dus op de melding van een vermist persoon die in ons profiel past? Er moet toch wel meer zijn dat we kunnen doen terwijl we wachten.'

'Natuurlijk. We gaan naar een sportzaak en kopen daar wat we nodig zullen hebben.'

'En verder,' zei Pegeen.

'Ik sta open voor suggesties,' zei Becker.

Pegeen beoordeelde nauwkeurig de toon waarop hij dat zei om vast te stellen of hij ergens op zinspeelde. Tot haar opluchting stelde ze vast dat dat niet zo was.

'Als me iets te binnen schiet, zal ik het u laten weten,' zei ze.

De rapporten over vermiste personen druppelden binnen met een traagheid die het belang aangaf dat er door de meeste politieafdelingen aan werd gehecht. Het is een simpel feit dat de meeste vermiste personen niet vermist zijn – ze hebben er eenvoudig voor gekozen te vertrekken zonder het tegen iemand te zeggen. Echtgenoten en vaders knijpen ertussen uit om hun verantwoordelijkheden te ontlopen, tieners en jonge volwassenen vluchten voor school of voor hun ouders, werknemers nemen ontslag of gaan een dag of vijf aan de boemel, vrienden blijken niet genoeg vriend om afscheid te nemen. Tegenover iedere vermiste die echt het slachtoffer van misdaad is, staat een heel jaar rapporten over mensen die eenvoudig wegliepen in dit land waar het meest van alle landen wordt gezworven. De politie weet dit, ondanks het feit dat bezorgde of verontruste vrienden en familieleden zich niet kunnen voorstellen dat de vermiste er op eigen kracht vandoor is gegaan. Die persoon had tenslotte hèn verlaten en wie kon het nu zo zat zijn, zo gestresst of zo uitgeput om hen dàt aan te doen?

Alhoewel de rapporten in het bureau van Nashville langzaam binnendruppelden, kwamen ze wel in groten getale binnen. Ze kwamen niet snel, maar ze bleven komen, want dit is een land in beweging. Becker had een aanmerkelijk deel ervan uitgezocht voor zijn speurtocht. De rapporten werden in de computer gestopt, die hen sorteerde op Beckers profiel van het slachtoffer.

Becker en Pegeen keken de meest waarschijnlijke gevallen zelf na. Ze voegden hun inzicht en intuïtie toe aan het selectieproces.

'Hier is er mogelijk een,' zei ze, en pakte een van de prints. Zij en Becker zaten tegenover elkaar aan een bureau in het politiebureau van Nashville, afgezonderd van en volledig genegeerd door verder iedereen in de kamer.

'Mandy Roesch, achttien jaar, Hazard, Kentucky. Geen problemen thuis, geen vriend – waarschijnlijk dus niet zwanger – zong in het kerkkoor, van plan om in de herfst colleges te gaan volgen aan de Memphis State University. Het lijkt niet het type dat net een trektocht is begonnen.'

Becker stond bij een grote kaart van de zuidoostelijke staten die tot het gebied van het bureau van Nashville behoorden, waaroverheen een duidelijke plastic overlay was gelegd, die Brownes keuze van mogelijke grotten liet zien.

'Ze werd het laatste in Hazard gezien?' vroeg hij.

'Ja. Ze was op weg naar de repetitie van het koor, maar ze kwam daar nooit aan.'

'Hazard is net een beetje te ver verwijderd van een van de mogelijke grotten. Beschouw haar als weinig waarschijnlijk.'

Pegeen staarde naar de kaart.

'Wat is er?' vroeg hij toen ze aarzelde.

'Het lijkt zo'n... slag in de ruimte. Dit meisje lijkt precies het soort persoon dat hij pakt. Ze is dan een paar kilometer te ver van een van de grotten waarvan we niet eens weten of hij er wel heengaat. We weten zelfs niet of hij wel naar een grot gaat, laat staan een van deze. We weten ook niet hoever hij met iemand naar een grot wil rijden. We weten zelfs niet of hij zich ergens op die kaart bevindt. Het is zelfs nog geen naald in een hooiberg. Dat veronderstelt dat je al je hooi op een plaats hebt gelegd. Dit is als een naald in een hooiberg – en we weten nog niet eens zeker of er wel een naald is. We wéten niet of Swann iets onderneemt.'

'Grappig, hè?'

'Werkt u altijd op deze manier?'

'Ik heb wel moeilijker zaken gehad.'

'Moeilijker? Hoezo?'

'Je hebt het over een ding aan het verkeerde eind. We weten dat er een naald is waar we naar zoeken. Tenminste, ik weet het. Swann is aan het werk, geloof me.'

'Maar hoe weet u dat dan?'

'Hoe weet je dat iemand die dorst heeft, wil drinken?'

'Zo simpel kan het niet zijn.'

Becker keek haar een ogenblik aan. Ze voelde zich ongemakkelijk onder zijn blik.

'Het is niet simpel,' zei hij tenslotte. 'Het is zeer gecompliceerd, maar uiteindelijk is het resultaat hetzelfde. Het is echt een langdurig en martelend proces dat hij doormaakt voor hij in actie komt. Ik zal het je weleens uitleggen als je het echt wilt weten.'

'We bestudeerden het op de academie,' zei Pegeen. 'Ik weet er iets van.'

Becker glimlachte meesmuilend.

'Wees maar dankbaar dat dat niet zo is. Niet het belangrijkste. Je hebt geluk dat je er geen snars van begrijpt.'

'Wat een gelukkige meid,' zei ze.

'Eens, als je ongeveer zes uur de tijd hebt, zal ik het je vertellen.'

Wat denk je van vanavond, dacht ze, en probeerde de glimlach die bij haar opkwam in te houden.

'Wanneer je zin hebt erover te praten, zal ik graag luisteren,' zei ze. Ze knikte lichtjes en probeerde een serieuze belangstelling over te brengen, maar toch in het zakelijke. Ze vroeg zich af hoe goed ze daarin was. Ze voelde zich beslist onhandig en doorzichtig, maar misschien niet zo doorzichtig voor Becker. Hij leek een beetje kwaad op haar te zijn sinds ze hem een paar dagen geleden op het vliegveld had ontmoet. Soms zelfs echt woedend.

'Dank je,' zei hij en wendde zich weer naar de kaart. Hij legde geen enkele nadruk in dat dank je.

'Weet je wat me echt verbaast?' vroeg Pegeen, in een poging de conversatie op gang te houden.

Hij trok lichtelijk zijn wenkbrauwen op en wachtte.

'Dat het op deze manier werkt,' zei ze. 'Ik bedoel het hele proces. Kijk, we zitten achter een seriemoordenaar aan, een man die in het hele land de mogelijkheid heeft tientallen mensen te doden. We maken deel uit van een geweldige, professionele, uiterst georganiseerde organisatie en waar bestaat die jacht op die man uit? U en ik en een computer en een kaart. Voor ik bij het Bureau kwam, in dit geval zelfs toen ik op de academie zat, had ik een beeld van de FBI als die indrukwekkende organisatie, die onmiddellijk ten strijde trok. Begrijpt u wat ik bedoel?'

'Ik ben er een tijdje bij geweest,' zei Becker. 'Ik ben ermee vertrouwd, maar ga verder.'

'Nou, ik weet het niet, ik had altijd het idee dat als de FBI achter je aanzat, dat je dan in de moeilijkheden zat, dan zat je echt diep in de penarie.'

'We hebben goede public-relationmensen,' zei Becker.

'Ik bedoel niet dat we niet goed zijn,' zei ze.

'Soms.'

'Dit is geen verklaring van ontrouw, dat begrijpt u. Het is alleen – het zijn wij alleen, toch? Ik bedoel, ik weet dat we over het hele land agenten kunnen oproepen als dat nodig is. We kunnen een heleboel mensen op een heleboel deuren laten kloppen en we hebben al die wetenschappelijke mogelijkheden, waarmee je verbazingwekkende dingen kunt doen – in werkelijkheid, als je het op de keper beschouwt, bestaat deze zaak alleen uit u en mij, die een lijst met namen doornemen.'

'Dat is niet helemaal wat je je had voorgesteld, hè?'

'Nee.'

'In feite is het de meeste tijd zo saai als de hel, is het niet?' vroeg Becker.

'Dat zei ik niet. Het is niet echt saai, het is meer – nauwgezet.'

'Vervelend zou ik zeggen. Maar zo werkt het nu eenmaal. Net zoals met moeren en bouten. Die moet je met de hand sorteren. De enige intuïtie die daaraan te pas komt, is te weten welke moer je vooral zoekt.'

'Wij kennen tenminste onze moer,' zei Pegeen. 'Daar hebben we geluk mee.'

'We kennen hem,' zei Becker. Zijn houding werd plotseling somber. 'We kennen hem goed. Ik noem dat geen geluk.'

Na twee dagen uitzoeken van rapporten hadden ze een hanteerbare lijst. Pegeen reed op de binnenwegen van het ene stadje naar het andere, terwijl Becker steeds verder wegzakte in een sombere stemming. Nu zij echt in het veld aan het werk waren om bekenden van de vermiste meisjes te ondervragen, zonk Becker op de een of andere manier weg, dacht Pegeen. Alsof het feit dat Swann met een slachtoffer onder de grond was een speciale zwaartekracht schiep, die hem dieper en dieper in zichzelf terugtrok, in het duistere binnenste van zijn innerlijk. Hij was nog steeds spits en alert als hij mensen ondervroeg, en maakte dan gebruik van dat merkwaardige mengsel van onpartijdige bekwaamheid en plotseling begrijpende vertrouwelijkheid dat bij hem zo effectief werkte, maar daarna, wanneer hij weer met Pegeen alleen in de auto zat, zakte hij op de bank in elkaar en leek ook met zijn geest weg te zinken.

Op de tweede dag onderweg, vroeg ze hem of het door haar kwam.

'Wat?'

'Bent u kwaad op mij over het een of ander? Heb ik iets gedaan om u te ergeren?'

'Waar heb je het over?'

'U hebt in twee dagen niet meer echt tegen mij gepraat, behalve wat gegrom. In feite lijkt u nijdig op me sinds ik u heb ontmoet.'

'Ik ben niet kwaad op jou, Haddad. Waarom zou ik?'

'Dat weet ik niet. Daarom vraag ik het.'

'Ik ben niet kwaad op je. Je doet het prima.'

'Ik heb nog niets gedaan.'

'Toch doe je het goed.'

'Ik dacht dat er iets aan mij was dat u irriteerde.'

'Ik doe dit liever met jou dan met iemand anders die ik ken,' zei Becker. 'Elke andere agent zou proberen me op te monteren.'
'Barst, sorry dat ik het vroeg.'
'Zou het helpen als ik je zei dat ik stil ben omdat ik nadenk?'
'Moeten we dan niet samen denken? Misschien zou ik kunnen helpen. Mijn hersenen werken af en toe ook.'
'Ik denk dat het dan niet helpt als ik je dat zou zeggen. In feite denk ik niet, ik ben alleen maar gedeprimeerd.'
'Waardoor?'
'Door wat er gaat gebeuren,' zei hij.
'Wat gaat er gebeuren? Wàt gaat er gebeuren?'
Becker zakte op de passagiersplaats zover onderuit dat zijn knieën tegen het dashboard kwamen. 'We gaan hem vinden,' zei hij.
'Hoe weet u dat?'
Becker gaf geen antwoord. Hij rolde zijn hoofd opzij en keek naar de dennebomen, die langs het raam voorbijschoten.
'Bent u er zeker van dat we hem zullen vinden?' hield Pegeen aan.
'Já.'
'Nou, dat is geweldig, toch? Dat is toch wat we willen?'
Becker gromde, maar ze was er niet zeker van of het van instemming was.
'Waarom wordt u daar depressief van?'
'Vanwege wat daarna komt.'
'Wat...? Wat komt daarna...? Wat bedoelt u?'
'Pegeen, ik mag jou wel,' zei hij. Hij bracht haar in verwarring door het gebruik van haar voornaam. 'Ik mag je heel graag. Een van de dingen waarom ik je het meeste mag is jouw onschuld. Je zult het uiteindelijk kwijtraken, maar ik betreur het dat je het zult verliezen.'
'Kunt u nog een beetje meer bevoogdend doen, denkt u? Ik loop al een tijdje mee, weet u. Ik lijk onschuldig. Dat is verdomme mijn uiterlijk.'
'Ik mag jouw uiterlijk wel.'
'Ja, dat zal wel.'
'Echt waar. Het laat je er onschuldig uitzien.'
'Heel grappig. Kijk, Becker, ik ben een agent. Ik ben getraind. Ik heb een badge. Ik heb een wapen. Ik ben wettelijk gemachtigd op mensen te schieten. Ik ben niet onschuldig. Ik ben geen kind. U hebt mij gekozen om u te vergezellen op deze opdracht. U had ieder ander kunnen krijgen, maar u hebt mij gekozen. U deed dit niet vanwege mijn onschuld.'
'Heb je nog niet ontdekt waarom ik jou heb uitgekozen?'
'Ik heb een vermoeden.'

'Wat denk je dan?'

'Het ziet ernaar uit dat u zich met mij kunt vermaken. Zeg maar wat u bedoelt.'

'Laat maar.'

'U weet wat passieve agressie is, toch?' vroeg ze. 'Het is niet erg gepast.'

'Je hebt naar me geïnformeerd, hè?' vroeg Becker.

'Wat bedoelt u?'

'Ik zei dat je onschuldig was, niet dom. Je hebt navraag naar me gedaan. Zo niet de vorige keer, dan toch zeker deze keer.'

'Oké. Ik dacht alleen...'

'Je hoeft je niet te verontschuldigen. Ik zou hetzelfde hebben gedaan.'

'Deed u dat?' vroeg ze.

Becker lachte. 'Ja, ik heb naar je geïnformeerd.'

'Wat heeft u uitgevonden?'

'Niet veel. Je hebt het met je vriend uitgemaakt.'

'Heeft iemand u dat verteld? Hoe weet iemand dat verdomme? Ik heb het tegen niemand verteld. Bespioneren ze me?'

Becker lachte.

'Welkom bij de club, kindje.'

'Dat is nauwelijks hetzelfde en noem me ook geen kindje.'

'Wat is nauwelijks hetzelfde?'

'Laat maar. Ik ben gewoon geschokt dat... wie vertelde het u? Kinnock? Die zit al achter mij aan sinds ik in dienst ben.'

'Bedoel je dat er een goede reden is om van mij gegevens bij te houden maar niet van jou? Vanwege mijn achtergrond is het voor mij wel goed maar niet voor jou?'

'Ik bedoelde niets in het bijzonder.'

'Wat vertelden ze je dan over mij, Haddad? Wat voor bloederige verhalen hebben ze je verteld?'

'Nou, weet u, het is meestal erg vleiend. Iedereen zegt dat u fantastisch goed bent.'

'Maar wat?'

'Maar niets. Iedereen respecteert u enorm.'

'Maar wat ben ik, een beetje onevenwichtig? Een beetje gek? Een beetje gevaarlijk? Of gaan ze nog verder?'

'Nee.'

'Vertellen ze je waarom ze denken dat ik zo goed ben? Zeggen ze waarom ik er zo'n slag van lijk te hebben die psychopaten te vinden?'

'Nee.'

'Jawel, dat doen ze. Dat doen ze zeker. Waarom zouden ze niet. Ze weten er niets van. Is er een betere gelegenheid tot speculeren?'

'Nee, eerlijk...'

'Jezus, Haddad, laten we niet eerlijk tegen elkaar roepen. Laten we de dingen gewoon nemen zoals ze zijn. We kunnen goed met elkaar overweg... Luister kind, een eerlijke waarschuwing. Alles wat ze je voor zover verteld hebben is waar. Zo niet in details dan toch naar de geest. Voor zover. Het is allemaal waar... alleen gaat het niet ver genoeg.'

Pegeen wist niet wat ze met die uitspraak aan moest en ze kreeg van hem geen verdere hulp. Becker verviel in een stilzwijgen dat niet verbroken werd tot ze de auto een leeg veld opreed, waar een grote tent werd opgezet.

35

De eerwaarde Tommy R. Walker voelde zich ongemakkelijk in het bijzijn van de politie en agenten van de FBI maakten dat hij zich dubbel zo slecht op zijn gemak voelde. De autoriteiten hadden Tommy het leven zuur gemaakt. Agenten en sheriffs behandelden hem alsof hij een vervloekt carnavalsbedrijf leidde in plaats van een respectabele healing en reveil-bijeenkomst, en zelfs nadat hij hen smeergeld had betaald en hun wetten had opgevolgd, voelde hij zich nog schuldig wanneer ze in de buurt waren. Het feit dat een van de agenten een meisje was, waarschijnlijk niet ouder dan Aural, hielp ook niet veel. Ze was een enigszins mal uitziend schepsel met haar grappige oren en al dat rode haar, maar ook wel op een ongewone manier aantrekkelijk. Toch had ze hem een badge laten zien en dat betekende dat ze gezag had. Gezag afstaan aan een man was al erg genoeg, maar het aan een vrouw geven was nog iets anders. Dat was iets waar hij helemaal niet van hield. Rae had al genoeg controle over hem gekregen sinds Aural weg was. Ze bestookte hem heftig met vragen en beschuldigingen en gebruikte haar lichaam alsof het een speciale traktatie was, die ze alleen zou uitdelen als hij de juiste informatie gaf. Hij was in de laatste paar weken nogal afhankelijk geworden van haar seksuele gunsten, vond hij. Hoe vuriger ze werd, hoe inventiever, des te meer werd hij haar slaaf. Hij wist niet precies hoe, maar hij leek naar een vorm van afhankelijkheid van haar lichaam afgegleden te zijn, die haar zowel een gevoelsmatig als een verstandelijk overwicht had gegeven. Op een manier die hij niet onder woorden kon brengen, en door methoden die hij niet goed kon omschrijven, was Rae de baas geworden.

Ze nam zelfs nu de leiding en praatte ongedwongen met de agenten, terwijl Tommy bedachtzaam op de achtergrond rondhing.

'Ik heb haar vermissing aangegeven, ja, dat was ik,' zei Rae.

Tommy merkte dat ze voornamelijk tegen de mannelijke agent sprak. Ze richtte zich tot hem met een neiging tot flirten, die hij bij haar nog niet eerder had gezien.

'Ze was een dierbare vriendin,' vervolgde Rae. 'Een heel dierbare vriendin en ik maakte me zorgen over haar.'

'Had u een bepaalde reden om bezorgd te zijn?' vroeg Becker. 'Zou ze bijvoorbeeld niet met een vriend weggelopen kunnen zijn?'

'Aural had genoeg van mannen. Ze wilde geen vriend.'

'Waarom was dat?' vroeg Pegeen.

'Ze had er slechte ervaringen mee,' zei Rae. 'U weet hoe ze zijn.'

Pegeen knikte. Ze had een ogenblik een zusterlijk gevoel. Ze wist inderdaad hoe ze waren. Vreselijk in hun slechte ogenblikken en nog steeds moeilijk in hun goede.

'Geloof me, als ze vriendjes had willen hebben, had ze niet erg ver hoeven zoeken,' zei Rae. Becker en Pegeen merkten allebei haar snelle blik naar de eerwaarde Tommy, die eigenlijk niet plaatsvond. De eerwaarde bewoog zich ongemakkelijk. 'Ze stak haar laatste vriend in brand. Zo genoeg had ze ervan.'

'Ze stak hem in brand?'

Rae knikte trots. 'Ja mijnheer, compleet in brand.'

'Niet in brand,' zei Tommy.

'Zeker wel,' antwoordde Rae scherp.

'Niets daarvan. Ze probeerde de badkamer van de trailer waar Kershaw in zat aan te steken. Hij werd helemaal niet verbrand. Ze vertelt u gewoon onzin.'

'Helemaal niet,' Rae was verontwaardigd. 'Ze zette die man in lichterlaaie en hij verdiende het ook.'

'Ten eerste, geen enkele man verdient dat,' zei Tommy, met een beroep op Becker als mede-man.

'Ik heb er een paar gezien,' zei Becker.

Tommy deed alsof hij die tegenspraak niet had gehoord. 'En ten tweede, is het niet waar.'

'Aural heeft het me zelf verteld,' zei Rae.

'Maar Kershaw heeft het míj verteld,' zei Tommy triomfantelijk, maar toen realiseerde hij zich dat hij te veel had gezegd.

Becker en Pegeen merkten de verandering in de relatie van die twee. Het was zo voelbaar als een temperatuurval van twintig graden. Het bureau wilde dat mensen altijd apart werden ondervraagd, maar het was al lang geleden tot Becker doorgedrongen dat die richtlijn vaak verkeerd was. Mensen die elkaar kenden konden signalen geven om te verhinderen dat de ander te veel zei, dat was waar, maar even zo vaak reageerden ze op de aanwezigheid van een agent alsof hij een bemiddelaar was in een langdurige machtsstrijd. Allebei deden ze dan een beroep op hem om hun kant te kiezen. In dat proces gaven ze veel meer prijs dan ze alleen gedaan zouden hebben. Zoals een stel bij een relatiebemiddelaar. Ieder pleit voor zijn eigen zaak zoals ze nooit bij hun partner zouden doen.

'Zo, dat was dus Harold Kershaw met wie ik je buiten onze trailer hoorde praten,' zei Rae ijzig.

'Wat?' zei Tommy. Becker vond dat zijn schuld zo duidelijk was alsof hij een uithangbord droeg. Pegeen vroeg zich af of alle mannen net deden of ze het niet hoorden als een vrouw hun een vraag stelde die ze niet wilden beantwoorden, of dat het alleen maar iedere man was die zij ooit had gekend.

'Heb jij haar aan Harold Kershaw overgeleverd?' protesteerde Rae. 'Besef je wel wat die boerenheikneuter met haar gaat doen? Hoe kun je dat lieve ding dat aandoen?'

'Kershaw heeft haar niet te pakken.'

'Hij zou haar kunnen vermoorden. Ik kan niet geloven dat je...'

'Het is Kershaw niet,' zei Tommy. 'Ik zei je al, *hij heeft haar niet te pakken.*'

'Dan weet je waar ze is, hè? Je weet hoe bezorgd ik was, waarom heb je me niets gezegd? Je laat me naar de politie gaan en al die dingen en al die tijd wist je...'

'Hé, ik wéét het niet. Ik wéét niets.'

'Hij weet waar Aural is,' zei Rae tegen Becker.

'Hé!'

'Jullie mogen hem ook wel arresteren,' zei Rae. Ze keek hevig knikkend naar Pegeen. 'Hij is net zo slecht als de man die haar te pakken nam.'

'Rae, Rae, kalmeer een beetje...'

'Neem hem mee naar het bureau en geef hem op zijn donder met jullie wapenstokken – of ik doe het zelf.'

'Hé! Rae. Lieverd. Schat, waar praat je over?' Hij keerde zich naar de agenten en probeerde hun medelijden op te wekken. 'Ik weet niet waar het meisje is. Ik heb haar niet gegrepen, Kershaw heeft haar niet gegrepen. Het was die kleine wezel. Kershaw vond hem en schopte hem in elkaar, maar Kershaw nam Aural niet mee. Hij is nooit dicht genoeg bij haar in de buurt gekomen. Ze liep rechtstreeks naar de auto van die wezel alsof hij op haar wachtte. Ik denk dat ze in ieder geval van plan was aan ons te ontsnappen. Rae, eerlijk waar, ze ging met dat kereltje weg, daar ben ik zeker van.'

Pegeen trok een foto uit haar tasje.

'Was het deze man?'

Tommy probeerde het akelig uitziende stilleven stil te houden. Het was een portretfoto, met het gezicht van de kleine man bloedend op de stoep, ineengedoken achter zijn opgeheven arm.

'Het zou kunnen, misschien. Beslist.'

Becker sloeg zijn arm om Tommy's schouders en draaide hem van de vrouwen weg. Tommy voelde een hitte, een plotselinge drang in de agent die hem bang maakte. Tevoren was het er niet geweest, maar het leek tot ontbranding te komen bij het tonen van de foto. Tommy wist dat hij niet langer beleefd werd ondervraagd – de situatie was veranderd met de plotselinge verbijsterende angst van een nachtmerrie. Becker glimlachte naar hem, maar er schoot vuur uit zijn ogen. Een ogenblik herinnerde Tommy zich de wanhopige nood van de man die zich tijdens de healing aan hem had vastgeklampt. Die geprobeerd had zijn zonden te bekennen met zo'n sterk verlangen dat het een nauwelijks bedwongen razernij leek. Zoals iets groots en hongerigs dat zijn prooi in de gaten krijgt en onmiddellijk verandert in een verscheurende aandacht, die zo sterk is dat het als een vorm van zwaartekracht werkt en het slachtoffer naar zich toetrekt. Tommy realiseerde zich dat hij deze FBI-agent alles zou vertellen wat hij maar wilde weten. Hij zou bang zijn om het niet te doen. Hij wist dat de agent niet achter hem persoonlijk aanzat, maar hij bespeurde zo'n grote honger dat hij alles wat in de buurt kwam zou inslikken. Kershaw had hem angst aangejaagd door zijn gewelddadig uiterlijk, maar deze man had hem met een enkel gebaar doodsbang gemaakt. 'Laten u en ik eens met elkaar praten, eerwaarde,' zei Becker.

'Natuurlijk,' zei de eerwaarde. Hij draaide zijn hoofd en keek smachtend naar Rae. Terwijl de moed hem in de schoenen zonk, drong het tot hem door dat hij van haar geen hulp zou krijgen.

36

Pegeen had Becker nog nooit opgewonden gezien en ze realiseerde zich dat hij een heel ander mens was geworden. Hoewel hij altijd de indruk van ingehouden kracht gaf, leek het nu alsof zijn kracht de banden zou verbreken en binnen enkele seconden zou uitbreken. Ofschoon ze geen lichamelijke verandering kon ontdekken, leek hij nu gespannen en klaar om toe te slaan.

Hij spreidde de kaarten uit op de motorkap van de auto, aan de rand van het veld waar de tent van de wedergeboorte nu stond, die klaar was voor de wonderen. Hij wierp een zenuwachtige blik naar de lucht waar de zon snel achter de bomen gleed en prikte toen met zijn vinger op een merkteken op Browne's kaart.

'Hier, het moet hier zijn,' zei hij. Zijn vinger wees een grot aan die Duivelsnest heette en er op de kaart uitzag als een ouderwetse handweegschaal, twee bolvormige grotten verbonden door een lange tunnel.

'Waarom?'

'Dit is de dichtstbijzijnde. Hij zou haar daar binnen twintig minuten heen kunnen brengen. De anderen zijn ten minste vijfenveertig minuten rijden van de plaats vanwaar hij haar meegenomen heeft. Die is bijna een uur verder.' Zijn vinger danste over de kaart. Becker was zo met het oppervlak vertrouwd alsof de markeringen braillepuntjes waren en hij blind was.

Hij zwaaide de kaart van de motorkap af en verving hem door een pak kleinere kaarten. Hij liep er snel doorheen totdat hij degene vond die hij zocht.

'Hij wachtte op haar, toch? Misschien had hij zelfs een afspraak gemaakt haar te ontmoeten. De eerwaarde zei dat ze recht zijn wagen in rende. Misschien krijgt hij ze op die manier. Misschien gaan ze in eerste instantie vrijwillig. Ik weet het niet. Het punt is dat hij niet gewoon toeschoot en haar impulsief greep. Het was niet zo dat hij haar greep en pas naderhand wegrende om zich te verbergen. Hij had tijd om het voor te bereiden. Hij zou dus daarheen kunnen gaan.'

De nieuwe kaart had een veel kleinere schaal en liet de ingang van de grot zien in verhouding tot de omgeving. Browne had zich geweldige moeite gegeven om de ingang nauwkeurig aan te geven, wat betekende dat die moeilijk was te bereiken en zonder kaart nauwelijks te vinden. Becker keek nog een keer naar de lucht, kwaad alsof het de schuld van de zon was dat hij onderging. Voor Pegeen voelde het alsof hij de zon weer terug aan de hemel probeerde te dwingen.

'Godverdomme,' zei hij. 'Tegen de tijd dat we er zijn is het donker. We zullen tot morgen moeten wachten.'

'We hebben zaklantaarns,' zei Pegeen.

'Kijk eens naar het terrein. We zouden geluk moeten hebben om het in het donker te vinden en als we met zaklantaarns rondscharrelen en hij kan ons zien, dan kan hij ongezien wegslippen. Als we nu gaan, nodigen we hem uit te vertrekken.'

'Ik dacht aan die vrouw,' zei Pegeen. 'Kan ze het nog een nacht uithouden?'

Becker keek haar een ogenblik bot aan. 'Ze zal het nog een uur of acht uit moeten houden.'

'Als we er vanavond naar toe gaan, zou dat haar leven kunnen redden.'

'Als we het verpesten en hij ontsnapt, zal hij een hoop levens meer nemen en zal hij een volgende keer veel voorzichtiger zijn.'

'Deze vrouw, deze Aural McKesson, is het enige leven waar ik nu aan denk. Zij is degene die in gevaar is. God weet wat hij met haar doet.'

Becker vouwde zijn kaarten op en ging terug naar de auto.

'We zullen er gauw genoeg achterkomen wat hij met haar doet,' zei hij.

'Gauw genoeg voor wie? Hoe weten we of het gauw genoeg is voor haar?'

Becker smeet de kaarten op de achterbank, greep Pegeens elleboog en trok eraan zodat ze hem aankeek. De spieren in zijn kaken spanden en ontspanden zich en zijn ogen keken woedend.

'Denk jij dat ik hem niet nú meteen wil grijpen?'

Hij bleef haar arm vasthouden tot ze instemmend knikte.

'Ja,' zei ze. 'Ik weet dat u dat wilt.'

'We moeten wachten,' zei hij en liet haar los.

Pegeen legde haar handen op het stuur om tijd te winnen nu ze zo opgewonden was. Het was de eerste keer dat ze bang voor hem was. Niet dat ze dacht dat hij haar kwaad zou doen. Maar ze realiseerde zich wel dat hij iemand kwaad ging doen. 'Alle verhalen over mij zijn waar,' had hij gezegd. 'Ze gaan alleen niet ver genoeg.' Nu ze zijn gloeiende blik had gezien, begon ze hem te geloven.

'Waar naartoe?' vroeg ze, terwijl ze de auto startte.

'Zoek een motel voor ons,' zei hij.

'Zal ik Nashville bellen om meer agenten?'

'Waarvoor?'
'Om te helpen.'
'Heb jij hulp nodig, Haddad? Waarbij heb je hulp nodig? Met mij?'
'Nee, met Swann natuurlijk.'
'Hoeveel man wil je in die grot naar beneden sturen? We weten nog niet eens of er wel plek genoeg voor òns is.'
'Voor het geval dat.'
'Voor het geval van wat?'
'Voor het geval hij daar niet is. Voor het geval hij naar een van de andere grotten is gegaan. Voor het geval hij helemaal niet naar een grot toe is gegaan.'
'Hij zit daarin,' zei Becker.
'Hoe weet u dat?'
Becker nam niet de moeite te antwoorden.
'Hij is niet alleen van u,' zei ze.
Becker staarde haar aan.
'Hij is wat niet?'
'Ik denk aan de vrouw,' zei ze. Ze kon zijn ogen op haar gericht voelen, maar ze hield haar blik op de weg. Als ze hem direct aankeek, voelde ze zich minder op haar gemak dan ooit. Ze was blij dat het donker werd, zodat ze gemakkelijker zijn blik kon vermijden. Het leek haar dat zijn blik een wild karakter weerspiegelde, alsof er iets wilds in die man verborgen had gezeten, dat tenslotte besloten had uit die verborgenheid te voorschijn te komen.
'Goed. Doe dat. Ik denk aan hèm.'
'Hij is niet onze enige zorg,' zei ze. Ze hadden de rand bereikt van een van die kleine stadjes, waarmee de grens tussen Tennessee en Virginia was bezaaid.
'Hij is voor mij,' zei Becker. 'Zij is voor jou. Dat bestrijkt het zo ongeveer toch? Dan zorgen we voor allebei.'
'Ik denk dat ik Nashville moet bellen,' hield ze aan.
'Nee,' zei hij vlak.
Na een stilte vroeg ze: 'Is dat een order?'
'Draai daar in,' zei hij, en wees naar een uithangbord van een motel dat net zichtbaar geworden was in de toenemende duisternis.
Toen ze de auto uitstapten en hij zijn hand op haar arm legde, had Pegeen de grootste moeite om hem niet woedend weg te duwen.
'Haddad,' zei hij met een zachte en kalme stem: 'Ik weet wat je wilt. In de meeste gevallen heb je gelijk. Maar we hebben geen hulp nodig. En zij willen die ook niet sturen. Niet nu, niet nu we hem hebben gevonden.'
Ze keek hem onzeker aan.
'Kom op, dat snap je toch,' zei hij. 'Daarom stuurden ze mìj.'
Hij liep het kantoor van het motel in en liet het aan Pegeen over

zijn opmerking te interpreteren. De enige uitleg waar ze op kon komen, deed haar huiveren.

Toen ze voor de spiegel stond was ze zich ervan bewust dat er iemand in het donker voor haar deur stond. Pegeen had zo gauw ze in het motel waren ingecheckt een douche genomen en geprobeerd met het hete water het bange voorgevoel dat aan haar kleefde af te spoelen. Het ging niet goed. De hele onverbiddelijke stroom van gebeurtenissen was van richting veranderd en koerste nu in een richting waarvan ze wist dat die verkeerd was, maar ze voelde zich niet bij machte die om te buigen. Becker was plotseling een heel ander mens en ze realiseerde zich dat hij die vloed leidde, dat hij schrijlings op de gebeurtenissen zat alsof hij een vloedgolf bereed en naar alles wat er gebeurde keek alsof hij het beheerste. Misschien was dat al die tijd al en had ze het zo druk gehad met naar hem te kijken dat ze niet gemerkt had dat de grond onder haar voeten wegzakte. Op een zeker moment had ze gedacht dat dit een onderzoek van het Bureau was, een speurtocht naar een criminele verdachte, met assistentie van Becker – een beetje excentriek dat is waar – maar ook van haar, plus de macht van de FBI, de snelheid van computers, de medewerking van talloze politieagenten. En zoals bij alle speurtochten, had ze gedacht dat dit zijn eigen verloop zou krijgen naar aanleiding van aanwijzingen, sporen en omstandigheden. Nu dacht ze dat het al die tijd al een eenmansactie was geweest, en geen speurtocht maar een besluiping. Ze had niet geassisteerd, ze was gemanipuleerd, net zoals het hele massieve netwerk van bureauprocedures was gebruikt om Becker te geven wat hij wilde. Had ze het over al het andere ook fout? Dat vroeg ze zich af. Die eigenschappen die haar zo hadden geboeid, zijn vreemde humeurigheid, het gevoel van grote kwetsbaarheid dat onder een façade van kracht verborgen lag als een jongetje in een wapenrusting, de lome, ingehouden seksualiteit die uit zijn ogen en van zijn handen leek te stromen. Had ze het mis over dat alles? Een van de dingen die haar erg had aangesproken, was de indruk dat alles aan Becker onder een vaste maar tijdelijke controle lag als een opgewonden veer die door een gevoelige trekker werd vastgehouden en die met explosieve kracht zou losschieten als ze maar het goede plekje wist aan te raken. Ze kon al die kracht en passie ontketenen, had ze gedacht. Stom. Stom. Nu was ze bang dat hij bijna in haar gezicht zou ontploffen.

Ze keek in de spiegel naar zichzelf, een handdoek om haar hoofd geslagen. Ze droeg de boxershort en het T-shirt waar ze gewoonlijk in sliep en spetters van de douche hadden donkere plekken op het T-shirt gemaakt. Haar huid leek vanwege de hitte van het water nog meer roze dan gewoonlijk en Pegeen prees zich gelukkig dat ze niets van de olijfkleur van de eerste Haddad had geërfd.

Ze keek opnieuw naar de deur, met een gevoel dat er buiten iets was. Ze was zich niet bewust dat ze iets had gehoord, maar er was toch een gevoel alsof er daar iets wachtte, iets groots en gevaarlijks. Het maakte haar eerst bang, maar toen maakte het haar kwaad. Barst, dacht ze. Ik ben een speciaal agent van de FBI. Ik word geacht niet bang te zijn voor onbekende schepsels in het donker. Ze trok haar pistool uit de holster op haar nachtkastje en deed de deur open.

Becker stond op een meter afstand op de betonnen galerij tegen een houten pilaar geleund, met zijn armen over zijn borst gekruist. Hij staarde naar haar deur en toen naar haar.

'Niet schieten,' zei hij laconiek, zonder zich te bewegen.

Pegeen hield het pistool achter haar rug. Ze voelde zich dwaas.

'Wat ben je aan het doen?' vroeg ze.

'Ik wacht.'

'Waarop?'

Becker zei niets, bewoog niet. Zelfs nu hij tegen die pilaar hing, zelfs in de lome houding van een cowboy in een winkel, leek hij een gespannen veer, klaar om af te gaan. Pegeen kon zijn trekken in het licht dat uit haar raam scheen maar vaag onderscheiden, maar ze dacht dat hij glimlachte. Het is griezelig, dacht ze. Wat is hij verdomme nu weer van plan? Waar is hij mee bezig, wat moet ik ervan denken?

'Hoelang sta je daar al?' vroeg ze.

Hij gaf nog steeds geen antwoord en ze kon voelen dat zijn ogen zich in haar boorden. Ze was zich plotseling bewust van wat ze aanhad, hoe haar stevige borsten donker zouden aftekenen in haar T-shirt, hoe haar benen eruitzagen, te roze en gespikkeld door de hitte. De kwaadheid van het moment ervoor kwam weer terug maar nu was het tegen hem gericht. Naar de hel met hoe ik eruitzie, dacht ze. Ik heb er genoeg van me daar zorgen over te maken. Ik heb er genoeg van te proberen te gissen wat hij denkt en hoe ik daarop moet reageren. Ik heb genoeg van dat hele verdomde spel, van dat uitgebreide flirten, want dat was het wat het was geweest, realiseerde ze zich nu. Zijn terughoudendheid, het nooit genoeg zeggen om duidelijk te zijn, maar net genoeg om haar te laten gissen of hopen. Het probleem was dat hoe zelfzuchtiger hij tegenover haar was, hoe meer hij voor haar achterhield, des te hopelozer ze achter hem aan liep. Klassiek, dacht ze. Klassiek, stom gedrag was het om iemand die zo ontoegankelijk was achterna te jagen. Meer was het niet, hoewel ze het met haar verbeelding had geprobeerd op te tuigen. Nou, barst, barst met je spelletje, barst maar.

'Wat?' zei hij.

'Wat wat?'

'Je zou je gezicht eens moeten zien. Je maakt je ergens geweldig druk om.'

Naar de hel met zijn ogen ook, dacht ze. Hem ontgaat ook nooit wat.

'Met mij is het goed,' zei ze.

'Kom je altijd naar de deur met een pistool in je hand?'

'Als ik dat leuk vind. Wil je iets van me? Of hang je gewoon voor de aardigheid voor mijn deur rond?'

Ze wist nu zeker dat hij glimlachte. Hij draaide zijn hoofd een beetje in de richting van de deur van de aangrenzende kamer.

'Ik dacht dat het voor mijn deur was.'

Weer fout, dacht Pegeen, maar nu was ze te kwaad om daar wat om te geven. Laat hem nog maar een overwinning, laat me me maar als een dwaas aanstellen, het maakte toch niets meer uit.

Pegeen deed de deur dicht en ramde het pistool in zijn holster terug. Ze wikkelde de handdoek van haar hoofd en keek naar haar spiegelbeeld. Natuurlijk, haar oren waren vuurrood. Nou, naar de hel ermee, dacht ze.

Ze sprong haar bed in en staarde naar het plafond. Ze probeerde uit alle macht aan iets anders te denken dan aan Becker. Hij was in ieder geval een klootzak en niet waard er tijd aan te besteden. Hij was waarschijnlijk een of andere psychopaat. Ze had meer aandacht moeten besteden aan de waarschuwingen die haar door de agenten van het bureau waren gegeven. Morgen moest ze met hem mee en God weet wat gaan doen, onder het mom van handhaving van de wet. Denk aan de vrouw, Aural McKesson, hield ze zich voor.

Pegeen keek op de klok van haar wekkerradio naast haar bed. Denk de komende vijf minuten aan de vrouw, eiste ze van zichzelf. Denk eraan hoe je haar kunt helpen. Daarvoor ben je hier. Daarvoor ben je bij het bureau gegaan. Als Becker gelijk heeft over de manier waarop alles in elkaar past, dan zul je morgen bij haar zijn. Als Becker gelijk heeft en hij lijkt er zo van overtuigd dat hij dat heeft... Verdomme, nu dacht ze weer aan Becker!

Ze keek weer op de klok, maar het drong niet tot haar door hoe laat het was. Ze liep naar de deur. Als hij daar nog steeds tegen die pilaar leunt, dan neuk ik hem, dacht ze. Maar als hij daar niet meer is, als hij zijn kamer is binnengegaan, ga ik naar bed en denk ik nooit meer aan hem.

Hij leunde niet tegen de pilaar, maar stond recht voor haar deur en keek alsof hij bereid was zo nodig zijn weg erdoorheen te eten.

Die ogen, Jezus, die ogen, dacht ze. Ze keken haar vurig aan, drongen in haar door, brandden door haar heen.

Ze legde haar hand op zijn gezicht en hij trok zich zachtjes terug, alsof hij door dat contact werd verrast. Toen ze met haar vingers van zijn wang naar de zijkant van zijn hoofd ging, huiverde hij als een dier, maar maakte geen toenaderingsbeweging. Het was als het strelen van de flank van een tijger of een wolf, iets wilds en gevaarlijks en niet gewend aan menselijke aanraking. Iets dat haar verdroeg, niet zeker of het moest vluchten, bijten, of zich aan het genot overgeven.

Ze hield haar blik op haar hand gericht en keek naar haar vingers terwijl die over zijn gezicht bewogen, bang om hem rechtstreeks aan te kijken. Bang om weer in die ogen te kijken uit angst dat ze haar zouden verslinden.

Toen ze de rand van zijn oor aanraakte trok hij zich weer terug en hapte naar adem. Hij sidderde helemaal, zijn hele lichaam beefde van inspanning om zich stil te houden.

'Shhh,' zei ze, zich niet realiserend wat ze zei. Het was het geluid dat ze zou hebben gemaakt om een dier te kalmeren.

Ze ging met haar hand langs zijn schouder en voelde zijn spieren onder haar aanraking spannen. Toen ging ze langzaam met haar vingers langs zijn arm naar beneden. Ze keek wat haar vingers deden en zag zijn onbedekte huid spannen en kippevel krijgen. Toen ze bij zijn hand gekomen was, streelde ze eerst de bovenkant van zijn vingers en zag hem opnieuw huiveren. Toen vouwde ze haar vingers zachtjes met de zijne samen. Pas toen, met hun handen tot een vuist samengebald, keek ze weer naar zijn gezicht.

God, de intensiteit van zijn ogen! Zo diep en donker. Een roerige, bruine zee van emotie met zijn hele ziel erin, bedelend, smekend, maar niet in staat om te spreken of gehoord te worden boven het tumult van zijn hartstochtelijke gevoelens uit.

Als hij haar nu niet aanraakte, als hij nu niet reageerde, zou hij zeker barsten, dacht ze. En zij ook. Ze ging op haar tenen staan en reikte met haar mond naar de zijne. Ze hield haar oogleden gesloten en zocht hem blindelings. Zijn lippen streken langs de hare en ze hoorde hem een geluid maken, een zacht gejank. Toen trok hij zijn hoofd terug.

Ze keek hem weer aan en zag iets veranderen, zo zeker alsof er achter zijn ogen iets op zijn plaats was gevallen. Waar hij tot nu toe alleen maar hunkerend, bang en kwetsbaar verlangen was geweest, was hij nu kracht. Hij had weer controle over zichzelf gekregen. Een klein, veelbetekenend glimlachje, bijna spottend, trok over zijn gezicht.

Hij raakte haar nek het eerst aan en ze kon dat gevoel door haar hele lichaam voelen, voelde hoe dat aan haar lenden trok. Ik ben verloren, ik ben geheel verloren, dacht ze.

Becker lichtte haar op en droeg haar de kamer in en drukte haar tegen de deur. Ze voelde zijn hele lichaam trillen toen hij haar kuste.

Het was allemaal zo uitzinnig, zo caleidoscopisch van afwisseling dat Pegeen op bepaalde momenten niet meer wist waar ze was toen ze op weg van de deur naar het bed waren met de toevallige logica van een flipperbal die uit de flipperkast dreigt te springen. Het ene moment zette hij haar op het nachtkastje met haar benen om hem heen geklemd en het andere moment was hij achter haar en raakte haar met zijn handen van vuur overal aan. Hij draaide haar, zwierde haar rond, lichtte haar op, hield haar tegen de muur en ondertussen zocht hij haar mond. Zijn handen leken over haar heen te vliegen en kwelden haar met aanrakingen die nooit lang genoeg duurden. Ze struikelde een keer toen ze hem uitkleedde en Becker tuimelde op de grond en sleepte haar met zich mee. Pegeen begon in haar wanhopige behoefte te lachen, maar toen zat hij bovenop haar en drukte haar eerst naar beneden en rolde toen zo dat zij boven op hem zat en rolde dan weer om.

Hij leek buiten zichzelf, zo ongecontroleerd, dat hij zelfs niet wist wat hij van haar wilde behalve eindeloos contact. Alsof hij er niet genoeg van kon krijgen haar aan te raken, haar te kussen, haar vast te houden. Maar toch ook alsof iedere aanraking en iedere houding hem van een andere beroofde. En zo ging hij verder en verder, haar vastgrijpend en draaiend met eindeloze ongedwongenheid. En alles wat hij deed voelde voor Pegeen goed en wonderlijk, zo goed en opwindend dat ze er na aan toe was zich samen met hem te verliezen.

Ze hijgde en kreunde en merkte dat ze haar hoofd heen en weer schudde alsof ze werd gemarteld. Maar dit was een marteling die ze verwelkomde en waar ze om vroeg. Ze schreeuwde het uit, zonder te weten wat ze zei, en hij antwoordde en gromde iets achter in zijn keel als zijn mond op haar gezicht, haar lippen, haar nek, haar borsten aanviel.

Ten slotte lagen ze naakt op bed. Haar gezicht was nat van zijn kussen en haar eigen speeksel. Haar borsten zuchtten onder het genot van zijn mond en handen en tong. Alles wat hij deed en elke beweging die hij maakte leek in haar lenden bijeen te komen en aan haar te trekken alsof al de zenuwen van haar lichaam daar waren samengekomen en schreeuwden en schreeuwden om meer, om bevrijding.

Toch drong hij nog niet bij haar binnen, maar viel met razende handen en mond op haar aan, alsof hij haar wilde verslinden voor hij haar nam. Zijn passie was als een razernij en Pegeen was er even bang voor als dat ze er opgewonden van raakte. Ze wist niet wat hij wilde, wat ze hem kon geven en toen ze met haar mond en haar handen probeerde hem bevrijding te geven, kon hij zich van haar afwenden, een andere houding aannemen en met genoegen weer op haar afvliegen, te afgeleid, te uitzinnig om bevrijding te zoeken.

In het begin was Pegeen te zeer overweldigd om zich volledig te laten gaan. Ze hield haar diepste binnenste voor zichzelf. Ze deelde met haar zintuigen in zijn opwinding en onderging al het genot dat hij haar kon geven, terwijl ze haar gevoelens afschermde. Ze was er niet zeker van of dat allemaal wel voor háár was, dat ze tot zoveel gloed en seksuele opwinding geïnspireerd kon hebben. Ze was er niet zeker van of hij zelfs wel wist wie hij in zijn armen had en wie hij kuste. Het leek op een of andere manier verder te gaan dan seks, alsof Becker door een duivel werd gekweld, die zich in seks kon uitdrukken maar daar nooit volledig in gevonden kon worden. Ze wilde zich niet volledig overgeven aan een man die misschien zelfs niet wist met wie hij was en ze hield zich in zo lang als ze kon, maar uiteindelijk was het allemaal te veel voor haar, veel, veel te veel en ze gaf zich over aan zijn handen en ze gaf zich over aan zijn mond en het leek of ze zich enkel aan zijn ademhaling overgaf, schreeuwend en zijn naam roepend. En ze vloekte en sloeg wild in het rond alsof haar zenuwen en haar zintuigen de volledige controle over haar hadden overgenomen en nooit meer zouden ophouden en haar nooit meer zouden laten gaan. En zelfs op het hoogtepunt van haar genot was ze bang, omdat ze zich had laten gaan en zich volledig aan hem had overgegeven en omdat ze wist dat ze verloren was, verloren, en in zijn greep en onder zijn macht hopeloos ver van veilig.

Ten slotte bestond er niets anders meer voor haar dan hem te willen hebben en ze eiste het. Eerst fluisterde ze dat ze hem wilde, dan schreeuwde ze het uit en trok hem naar zich toe en in zich en sloeg haar benen om hem heen om hem vast te houden. Iedere stoot liet het haar uitschreeuwen en leek van haar lendenen naar haar hart te echoën. Ze hoorde zich naar hem roepen om door te gaan, om meer en meer en meer, en ze zei dat hij haar gek maakte en ze vloekte op hem en schold hem uit in de taal van de goot, waar ze zelf verbaasd over was toen ze het hoorde, maar het was of er iemand anders schreeuwde, iemand anders op het bed kronkelde en aan zijn achterste trok, iemand die volledig buiten zichzelf was.

Hij leek nooit op te houden, nooit moe te worden, en Pegeen dacht dat haar lichaam door die gewaarwording in brand stond. Golf na sidderende golf trof haar en lichtte haar op en jakkerde haar af en ze dacht vast dat ze dood zou gaan en ze gaf er niet om. Met een grauw die diep in zijn keel opkwam en uiteindelijk aangroeide tot een uitbarsting die een snik was alsof zijn hart brak, kwam hij tot zijn hoogtepunt en op dat moment was Pegeen er zeker van dat ze alles voelde wat hij voelde, dat haar eigen ongelofelijke gewaarwording werd verdubbeld totdat het gewoon te veel voor haar was en ze stierf.

Pegeen kwam bij, verbaasd over zichzelf maar ver, ver voorbij het punt dat ze zich gegeneerd voelde. Ze was nog nooit in haar leven flauwgevallen, maar ze had ook nog nooit in haar leven zoiets meegemaakt. Ze wist niet hoelang ze buiten bewustzijn was geweest, ook niet of hij het gemerkt had. In feite was ze er nog steeds niet van overtuigd dat hij wist wie ze was. Zijn behoefte had zo groot geleken dat het eerder een natuurkracht dan iets persoonlijks was, maar ze wist nu wie hij was en op het moment dat ze daar lag, hoopte ze dat hij niets zou zeggen uit angst dat hij de verkeerde dingen zou zeggen. Ze wist dat ze verliefd op hem was.

Zijn lichaam lag zwaar bovenop haar, zijn hoofd nog met zijn gezicht naar beneden naast haar nek, waar hij in elkaar was gezakt. Pegeen lag heel stil en probeerde zijn hartslag van de hare te onderscheiden en zijn ademhaling van de hare. Het drong tot haar door dat alle lampen in de kamer aan waren, en dat verraste haar omdat het had geleken dat hun vrijen in het donker had plaatsgevonden, geheel en al gevoel en helemaal niets visueels.

Wat gebeurt er nu, vroeg ze zich af, maar voordat ze verder kon denken dwong ze zich daarmee op te houden. Wat er ook zou gebeuren, het zou niets goeds zijn. Dat wist ze heel goed zonder het probleem verder te onderzoeken en het had geen zin zich er nu mee te kwellen. Er zou nog veel, heel veel tijd zijn voor beschuldigingen over en weer en voor verdriet.

Toen ze hem aanraakte bewoog hij zich, geschrokken alsof ze hem wakker had gemaakt, hoewel ze door zijn ademhaling wist dat hij niet sliep. Als hij aangeraakt werd, sprong hij zonder waarschuwing op, had ze gemerkt, zelfs in de meest terloopse omstandigheden. Het leek een vreemde trek voor een man die zich zo van zijn omgeving en omstandigheden bewust was. Kon een aanraking van iemand zo verrassend zijn voor een man die door niets verrast leek te worden?

Toen ze met de palm van haar hand langs zijn rug ging, voelde ze de geweldige striemen die ze daar met haar nagels had gemaakt. Dat had ze nooit eerder gedaan. Ze was ook nog nooit zo onvoorzichtig met haar partner omgesprongen dat ze hem pijn had gedaan of had beschadigd. Al haar eerdere seksuele contacten waren beleefd geweest, realiseerde ze zich. Dat was een van de redenen dat ze niet voldeden. Een van de vele. Na drie jaar met haar laatste vriend was het zo beleefd geworden dat het zonder meer een formaliteit was geworden.

Becker begreep haar aanraking als een teken en trok zich terug. Pegeen realiseerde zich met verbazing dat hij nog steeds hard was.

'Hoe is het?' vroeg ze. Ze vond het onmogelijk te denken dat hij niet voldaan was.

Becker vond het grappig. 'Soms blijft hij zo staan,' zei hij, terwijl hij op handen en knieën over haar heen gebogen bleef zitten.

'Hoelang?'

Hij lachte. 'Dat heb ik nooit geklokt.'

Hij viel op zijn rug op het bed, vlak bij Pegeen, maar hij raakte haar niet langer aan. Om contact te houden legde ze haar arm om hem heen en haar wang op zijn borst.

Ze lagen daar in stilte terwijl alles wat Pegeen zou kunnen zeggen door haar hoofd maalde. Ze herformuleerde de ene na de andere gedachte en verwierp ze weer. Wat ze wilde zeggen was eenvoudig genoeg, ze wilde hem zeggen dat zij van hem hield. Ze wist dat hij niet van haar hield maar dat gaf niet, tenminste nu niet, omdat ze overweldigd werd door wat ze voelde en niet hoefde te weten wat hij voor haar voelde, nog niet op dit moment. Misschien hoefde het ook langere tijd niet, misschien uren, misschien een dag. Ze twijfelde eraan of het een dag kon zijn. Maar op dit moment hield ze volledig van hem en dat was meer dan genoeg. Ze hunkerde ernaar hem dat te vertellen, alleen dat maar, ze barstte van verlangen het te zeggen. Ik wil je niet aan het schrikken maken, repeteerde ze in stilte en jij hoeft niet te antwoorden, maar ik wil je alleen maar zeggen dat ik van je houd. Je hoeft geen antwoord te geven, weet het alleen en accepteer het. Het is een geschenk dat ik je wil geven zonder verplichtingen. En dat was ook niet helemaal waar, realiseerde ze zich en dus verwierp ze die versie omdat er wel degelijk banden waren, er waren wel honderden banden. Bovendien realiseerde ze zich al wel dat als hij niet ook zei dat hij van haar hield, dat haar hart zou breken. Daar stond ze dan met haar onzelfzuchtigheid, dacht ze. Het had niet lang stand gehouden. Ze veranderde wat ze wilde zeggen in: Ik houd van je en ik wil wanhopig graag dat jij ook van mij houdt, maar als je dat niet doet, houd ik in ieder geval nog van jou. Maar dat klonk hopeloos sullig, alsof ze er gewoon om vroeg dat ze misbruikt werd en dus verwierp ze dat ook. Zeg gewoon ik houd van je, dacht ze, en naar de hel met al die kwalificaties en laat hem antwoorden zoals hij wil. Maar ze wilde niet dat ze de greep op zijn antwoord helemaal kwijtraakte, dus zei ze helemaal niets hoewel het op haar tong brandde het te zeggen.

Becker verbrak uiteindelijk de stilte.

'Wist je dat chimpansees vlees eten?' zei Becker.

Pegeen wist niet wat ze hoorde.

'Als ze de kans krijgen, grijpen in het wild levende chimpansees apen, verscheuren ze en eten ze op,' zei hij. 'We denken dat het vredelievende vegetariërs zijn die van fruit leven, maar het zijn vleeseters als ze de kans krijgen.'

'Waarom vertel je me dat?'

'Ik dacht er net aan,' zei hij.

'Oh.'

Bijt op je tong, zei ze tegen zichzelf. Bijt hem af en slik hem in, voor je iets stoms zegt. Ze verstijfde en rolde van hem weg, maar tot haar verrassing rolde hij met haar mee zodat hij weer bovenop haar lag.

Ze wilde hem van zich afduwen, maar hij hield haar armen met zijn hele gewicht tegen het bed gedrukt.

'Ik móest ophouden aan je te denken,' zei hij. 'Het maakte me gek.'

Hij kuste haar en in tegenstelling tot de vorige keer toen hij ruw en uitzinnig deed, was hij deze keer zacht en teder. Zijn lippen leken tegen de hare te smelten en dan zachtjes met de hare te versmelten. Toen zijn vingers haar lichaam aanraakten, waren ze zo zacht als zijn lippen. Ze waren niet langer ruw onderzoekend, maar bewogen zich nu met ervaren zorg en brachten haar deze keer met oneindig geduld nader tot hem.

Pegeen was verbaasd dat ze er weer zo volledig op kon reageren. Ze had gedacht dat ze alles wat ze had te geven al eerder had gegeven. Maar hij vond nieuwe reserves in haar en nieuwe verborgen plekjes, waarvan ze niet had geweten dat er nog zoveel in haar leefden. Ze merkte aan de tederheid van zijn aanraking, aan zijn toegenegen geduld waarmee hij met haar vrijde, dat hij ook van haar hield. Wanneer hij wilde dan explodeerde ze en dan weer en weer, totdat ze hem liet stoppen omdat het te intens werd om het nog langer te kunnen verdragen.

Toen ze wat had gerust, bracht hij haar opnieuw tot een hoogtepunt. Hij hoeft maar aan me te dènken, zei ze tegen zichzelf. Hij hoeft me niet eens meer aan te raken, alleen maar te wìllen en ik ben hulpeloos.

Hij hield haar de hele nacht vast. Hij liet haar geen ogenblik meer uit zijn armen – niet dat ze ook maar een ogenblik van hem los wilde – en klemde zich aan haar vast, zelfs als ze er niet aan dacht en zich onbewust bewoog. In het midden van de nacht drong het tot haar door dat hij niet verzadigd kon zijn. Dat lag niet aan haar omdat zij hem net zo hevig had uitgeput als hij haar. Hij kon niet door seks verzadigd worden, omdat het niet seks was waarnaar hij hunkerde. Hij had honger naar iets anders, en seks was gewoon een beschikbaar alternatief.

Een uur voor de zon opkwam liet hij haar tenslotte los. Ze stonden op, kleedden zich aan en liepen in het schemerige licht net voor de dageraad aanbrak naar de auto. Pegeen voelde zich zo zwak en moe dat ze verbaasd was dat ze nog kon lopen, maar Becker was zo gespannen als hij de avond tevoren was. Iedere spier leek te trillen in afwachting van wat er gebeuren ging. Toen ze de plek op de kaart hadden bereikt, sprong hij letterlijk uit de auto en begon door het terrein te lopen. Pegeen wist eindelijk waar hij echt honger naar had.

37

Aural begon te geloven dat ze dood zou gaan. Ze had sinds haar ontvoering ieder moment tegen hem gevochten, hem bestreden met haar wil, geweigerd aan haar angst toe te geven, of om zich aan zijn macht te onderwerpen. Maar ze had nu twee dagen niet geslapen, ze had constant pijn en erger dan de pijn was nog haar verlies aan geestkracht. Het was nog niet volledig, het kwam in vlagen van wanhoop, die haar uitgewrongen en zonder hoop achterlieten en het steeds moeilijker maakten zich aan te sporen de volgende beproeving van Swann te weerstaan. Ze kon nog steeds in opstand komen en hem met haar scherpzinnigheid en moed trotseren, maar de episoden van vertwijfeling kwamen steeds vaker en duurden langer en als ze zich eraan ontworstelde, kwam ze er niet meer zo hoog bovenuit.

Ze was bezig de slag te verliezen. Het was geen troost voor haar dat Swann de zijne ook leek te verliezen. Hij ging zelden langer dan een uur of twee door voor hij aan de pijn in zijn hoofd en zijn ogen bezweek. Hij sloeg dan zijn handen voor zijn gezicht en jammerde. Aural vond het ironisch dat de schade die haar kwelgeest had opgelopen, was toegebracht, door iemand waar ze niet om treurde, Harold Kershaw, maar ze was het punt voorbij dat ze steun vond in ironie. Ze hoopte dat Swann dood neer zou vallen, dat zijn hoofd zou barsten en zijn hersenen zich op de vloer van de grot zouden uitspreiden, maar zolang dat niet gebeurde, boden zijn pijnaanvallen haar niets anders dan een korte onderbreking van zijn martelingen. De rustperioden waren nooit lang genoeg voor haar om te herstellen en na iedere sessie was een groter gedeelte van haar benen met brandwonden overdekt. Hij zou spoedig met haar romp beginnen en Aural zag niet hoe ze het kon overleven als hij bij haar borsten kwam.

Ze lag nu wakker. Ze kon geen houding vinden die haar enige verlichting van de pijn bood. De bravoure die haar had aangezet hem uit zijn slaap te wekken en hem weer aan het martelen te laten slaan was nu geweken. Als hij nu in zijn slaap kreunde wenste ze hem nachtmerries die hem evenveel zouden martelen als hij haar deed, maar ze liet hem slapen.

Haar weerstand was het sterkst, als hij wakker werd. Ze kon hem nog steeds tijdens het ontbijt tergen en trotseren, hem nog steeds laten geloven dat hij haar niet had gebroken, maar dat masker zou nu afvallen als de dagelijkse activiteiten begonnen. Nog maar zelden kon ze zich tot verzet opwerken als hij nu met haar bezig was. Ze had gewoon al haar concentratie nodig om hem niet te smeken op te houden. Ze voelde dat dit haar einde zou zijn. Als haar geestkracht zo volledig was gebroken dat ze hem bedelde op te houden, zou dat het ogenblik zijn waarop hij triomfeerde. Ze was nog steeds sterk genoeg om hem dat te onthouden, maar ze wist niet voor hoelang nog. En zou het op het eind nog wat uitmaken of ze hem vervloekte of hem zou danken zoals hij had voorspeld? Nu maakte het voor haar nog verschil uit, maar zou het op het eind nog zo zijn? Ze begon eraan te twijfelen.

Ze voelde zijn ogen op zich gericht nog voor hij zich bewoog en de kaars aanstak. Hij zou dat doen en een poosje daar liggen en naar haar ademhaling luisteren en proberen iets aan haar te peilen, al wist ze niet wat. Of misschien was hij alleen maar bezig zichzelf op te peppen en voor hij begon van de vreugden van de dag te genieten.

Vanmorgen was hij opgewekt en vrolijk. Het was de vijfde dag. De olie voor de lamp was op, ze brandden nu alleen nog kaarsen.

'Ik heb aardig goed geslapen,' zei hij. Hij maakte een blik bonen open.

'Ik ook,' zei Aural. 'Ik heb geslapen als een blok.'

'Echt waar? Meestal hebben ze moeite met slapen.'

Het bracht haar altijd in verwarring als hij over de anderen sprak. Het gaf geen troost te bedenken dat ze een van de velen was. Hij had haar verteld dat ze het meestal zes of zeven dagen uithielden. Dit was haar vijfde. Te oordelen naar zijn voorraad sigaretten, die Aural goed bijhield, verwachtte hij niet veel langer hier beneden te blijven. Op de een of andere manier zal het niet lang meer duren voor hij hier weg is, dacht ze. Hij rantsoeneerde zeker niet het eten of het water. Hij was van plan weg te gaan.

Swann had er zin in om te praten. 'Ik ben blij dat je goed uitgerust bent,' zei hij. 'Vandaag is meestal een moeilijke dag. Gewoonlijk beginnen ze hun krachten nu te verliezen, maar als jij je goed voelt is dat schitterend nieuws. Op die manier kunnen we zelfs harder werken.'

'Weet je wat het nog leuker zou maken?' vroeg Aural. Hij maakte haar handboeien los en deed haar handen weer voor haar vast zodat ze kon eten. 'Wat denk je ervan als we een poosje van plaats zouden wisselen? Op deze manier wordt het een beetje saai. Ik denk dat ik jou vandaag in brand steek, en als het dan jouw beurt weer is, zul je er nog beter in zijn, omdat je er dan meer van af weet.'

Hij keek haar een ogenblik aan alsof hij haar voorstel overwoog.
'Je bent niet zo mooi meer als je was,' zei hij ten slotte.
'Hoe onaardig.' Een paar bonen gleden langs haar kin. Ze had geen eetlust. Het eten smaakte haar niet, maar ze dwong zich te eten. Het zou haar krachten op peil houden en ze wist dat het hem plezier zou doen als ze het opgaf. 'Dit is niet mijn beste belichting. Jij wordt daarentegen met de dag knapper.'
'Dank je. Mijn oog heeft me vannacht helemaal geen last bezorgd.'
'Dat is goed nieuws.'
'Ik denk dat het genezen is. Geprezen zij Jezus.'
'Jezus houdt van een zondaar,' zei ze.
'Amen.'
Nog meer bonen gleden van haar kin en vielen op haar benen, wat haar ineen deed krimpen van pijn. Ze leek niet in staat te zijn de plastic vork het hele eind van haar bord tot haar mond voldoende onder controle te houden.
'Dàt wil ik niet zien,' zei hij geërgerd. 'Waarom denk je dat ik je gezicht voor het laatst bewaar? Ik wil dat je er góed uitziet.'
Hij leunde naar voren om haar kin af te vegen, en Aural stak met haar vork naar hem in de richting van zijn oog. De vork miste en stak hem onschuldig in zijn wang, maar het ijzer van haar handboeien trof doel. Het was een volledig onvoorbereide reflexbeweging en ze was niet in staat dat voordeel uit te buiten omdat ze even geschokt was als hij. Swann deinsde terug, greep naar zijn oog en hield zijn andere hand omhoog om verdere slagen af te wenden. Tegen de tijd dat Aural weer dacht te slaan, was hij al buiten haar bereik gekropen en opgestaan.
'Jij smerige heks,' kreunde hij.
Aural keek naar de overblijfselen van de plastic vork, die in haar hand was gebroken. Een dun straaltje bloed liep langs zijn kin naar beneden van de plek waar de vork zijn huid had doorboord en Aural dacht dat het die wond was die hem pijn deed. Ze dacht eraan hem opnieuw te raken zolang hij nog gedesoriënteerd was, maar ze realiseerde zich dat ze geen kans had zolang hij stond en zij geboeid was. Ze zou achter hem aan moeten springen. Met het kleinste duwtje kon hij haar omvergooien.
'Jij klootzak, jij vuile smeerlap,' zei Swann. 'Je hebt me pijn gedaan.'
'Oh, dat hoop ik.'
'Je hebt me ècht pijn gedaan,' zei hij. Hij bleef bij haar uit de buurt alsof hij verwachtte dat ze op zou springen en opnieuw zou aanvallen.
'Het was maar een vork,' zei ze. 'Zanik niet zo.'
'Oh, Jezus,' zei hij, en hij schokte naar voren en naar achteren,

terwijl hij zijn hoofd vasthield. 'JEZUS.' Hij schreeuwde van de pijn en schudde zijn hoofd heen en weer. Toen zakte hij plotseling op de vloer van de grot in elkaar.

Aural begon zich naar hem toe te slepen door zich achteruit te bewegen met haar gewicht op haar hielen en haar handen, om zo haar benen vol blaren van de grond te houden. Als ze nu maar bij hem kon komen terwijl hij buiten westen was. Als ze de sleutel van haar boeien maar te pakken kon krijgen. Ze had niet veel voorsprong nodig. Een minuutje maar, en hij zou haar nooit te pakken krijgen...

Swann gromde en ging op zijn knieën zitten. Aural zat plotseling stokstijf in de hoop dat hij te veel door de pijn werd afgeleid om te merken hoe dichtbij ze was, maar hij keek haar aan en snauwde.

'Blijf uit de buurt. Blijf uit de buurt.'

Hij strompelde slingerend overeind en ging weer verder van haar vandaan. Tot haar verbazing hield hij een lang keukenmes in zijn hand. Hij moet dat al die tijd op zijn lichaam verborgen hebben gehouden, dacht ze, of anders was het in de golfzak weggestopt en had ze het niet gezien. Waar het ook vandaan kwam, hij had het nu. Het lange lemmet glinsterde helder in het licht.

Langzaam ging Aural op de manier waarop ze gekomen was terug in de richting van haar laarzen.

Swann zocht een plek met zijn rug tegen de brede, schuine onderkant van een stalagmiet en ging op een afstand van twintig meter tegenover Aural zitten. Hij had zijn blik al van haar afgewend en dacht nu alleen nog maar aan zijn eigen pijn.

'Help me, Jezus,' zei hij terwijl hij met beide handen naar zijn hoofd greep en het zachtjes heen en weer schudde. 'Help me, lieve Jezus.' Het mes lag in zijn schoot.

Aural kwam bij haar laarzen en ging zo zitten dat haar voeten ze net raakten. Ze wist dat haar mes nog steeds in de spleet zat, maar ze moest weerstand bieden aan de drang het aan te raken om zich daarvan te overtuigen. Het was van wezenlijk belang niet iets te snel te doen. Ze moest het deze keer beslist goed doen, hield ze zich voor. Ze zou geen andere kans krijgen. Het bestaan van zijn wapen veranderde alles.

Terwijl Swann kreunde en het uitschreeuwde van de pijn, leunde Aural met haar rug tegen de rots en rustte uit. En dacht na.

38

Het was nog een paar minuten voor zonsopgang toen Becker hen bij het licht van zijn zaklantaarn naar een bergkam leidde, die zich omvouwde en een plooi in het landschap vormde. Ze waren op een steile helling tussen de uitlopers van het Cumberlandgebergte, minder dan dertig kilometer van de plaats waar de Cumberlandkloof het Appalachia masief binnendrong, weggestopt in de hoek waar Kentucky, Virginia en Tennessee bij elkaar komen. Driehonderdvijfenzeventig kilometer naar het oosten kwam het ondergrondse net van holen, spelonken en tunnels, dat zich onder de bergen had gevormd, naar boven in een van de meer spectaculaire openingen, de Great Mammoth-grot. Minder dan vijftig meter van waar ze stonden was een andere opening naar de onderaardse honingraatstructuur, maar Becker wist dat hij er niet op kon rekenen dat hij die in het donker kon vinden. Hij was er zo dichtbij als met de kaart van Browne mogelijk was.

Het landschap om hen heen was een armoedig bos, dat daar weer opnieuw gegroeid was en zich zonder veel enthousiasme tussen de rotsen had weten te handhaven, nadat de oorspronkelijke bomen omgehakt, afgevoerd en naar beneden de berg was afgesleept voor het bouwen van de pioniersnederzettingen uit de negentiende eeuw in het dal beneden. De helling was te steil en te vol stenen om op te boeren en het gebied nog niet voldoende opgewaardeerd om als bouwlocatie voor te dure chalets te dienen. Het was een soort woestenij, die toebehoorde aan een eigenaar die er niet woonde, en die af en toe door jongens werd gebruikt om op eekhoorntjes te jagen. Als de ingang van de grot ooit gemarkeerd was geweest, was het bord te onduidelijk om in het donker te vinden. Het duurde echter nog maar een paar minuten voor het licht werd, en Becker was er klaar voor.

Pegeen keek naar hem toen hij net onder de plooi in de helling op zijn hurken ging zitten, te opgewonden om gewoon te gaan zitten. Hij deed haar denken aan een kat die bij een muizehol zat te wachten, klaar om toe te springen.

'Wat nu?' vroeg ze.

'We wachten tot we genoeg kunnen zien om de ingang te vinden, tenzij we de luchtstroom eerder horen.'

'Ik kan nog via de portofoon om assistentie vragen,' zei ze. Ze wist dat hij dat niet goed zou vinden, maar als het verkeerd afliep, wilde Pegeen in de gelegenheid zijn te zeggen dat ze geprobeerd had de juiste beslissing te nemen.

'We zullen om assistentie vragen als we die nodig hebben,' zei hij. 'Nu hebben we die niet nodig.'

Ze keek hem een ogenblik aan, ging toen op de grond zitten en vouwde haar benen onder zich. Haar lichaam deed enigszins zeer. Ze kon hem nog steeds ruiken, proeven, bijna zijn handen voelen. Ze wist dat het niet erg slim was om nu iets te zeggen, maar ze deed het toch.

'Zullen we het over vannacht hebben?'

Ze dacht dat ze hem erop betrapte dat hij een zucht probeerde te onderdrukken.

'Later,' zei hij.

'Ik wil alleen maar één ding ophelderen,' zei ze. En toen hij geen antwoord gaf, ging ze verder: 'Was de afgelopen nacht de reden dat je me bij deze zaak wilde hebben?'

Becker draaide zich naar haar toe. Hij fronste vragend zijn wenkbrauwen.

'Je zei dat je om een bepaalde reden om mij hebt gevraagd om met je samen te werken,' zei ze. 'Was dat de afgelopen nacht? Was de afgelopen nacht die speciale reden?'

'Nee,' zei Becker verrast. 'Ik verwachtte afgelopen nacht helemaal niets, totdat het gebeurde... Ik houd van Karen, dat weet je. Ik had overigens niet de bedoeling je te misleiden.'

Pegeen hapte inwendig naar adem. Haar te *misleiden?*

Ze merkten het eerst als een verandering van luchtdruk, alsof de schokgolf van een grote catastrofe over hen heen kwam. Daarna hoorden ze bijna gelijktijdig het geluid van iets enorms, dat recht op hen af kwam en met geruis van vleugels naar hen omlaagdook. Ze zagen een grote, zwarte, bewegende kolom boven zich die zich heel snel voortbewoog en dan wervelend achter hen de grond instroomde met een geluid dat Pegeen nog nooit had gehoord. De kolom nam de vorm van een trechter aan toen hij in de grond zonk. Het ging vergezeld van een kakofonie van klapperende vleugels, geschreeuw en windgeraas.

'Vleermuizen,' zei Becker, maar dat hoefde Pegeen niet verteld te worden. De omlaagduikende, zwervende vlucht van de achterblijvers op de bergkammen maakte haar duidelijk wat het waren: vleermuizen, miljoenen vleermuizen, die met de paniek van vampiers vlogen om voor de zon opkwam in hun rustplaats te zijn. Toen ze zich op de helling stortten en als bij toverslag in de massieve bergkam verdwenen, leek het op de dreigende wervelwind van een tornado, die maar een paar meter bij hen vandaan de grond raakte. Het kreupelhout golfde en schudde door de luchtverplaatsing en de bomen die dichterbij stonden bogen onder de luchtdruk van miljoenen leerachtige vleugels.

Voor Pegeen leek het uren te duren, maar in werkelijkheid was het in een paar minuten voorbij. De bewegende wolk dunde uit tot een sliertig spoor van zwarte rookflarden en daarna tot een paar laatkomers, die ieder voor zich onbeschut en kwetsbaar ver weg van de zwerm waren. Alsof er een teken gegeven werd, schoten de zonnestralen de lucht in toen de laatste van de vleermuizen in de aarde verdween.

'Ik denk dat we ons luchtgat hebben gevonden,' zei Becker en ging op weg naar de plek waar de vleermuizen waren verdwenen.

Het drong tot Pegeen door dat ze, om zich te beschermen tot een bal in elkaar gedoken was, met haar handen over haar hoofd om haar haar te beschermen. Ze was dankbaar dat Becker op dat moment meer aandacht had gehad voor het gat dan voor haar. Ze voegde zich nu bij hem en droeg de twee rugzakken die ze uit de auto hadden meegenomen.

'Je bent toch niet van plan om er nu ín te gaan, hè?' vroeg ze.

'Het zijn insecteneters,' zei Becker terwijl hij een van de rugzakken openmaakte. 'Ze zullen ons niet hinderen.'

'Ze hinderen me nu al,' zei Pegeen, maar Becker luisterde niet.

'Hij is hier,' zei Becker. Zij stem was zacht en gespannen alsof hij met ingehouden opwinding sprak. Pegeen dacht dat het bijna eerbiedig klonk.

Een touw verdween in het gat. Het was aan de rand van de opening nauwelijks zichtbaar, maar het kwam een beetje boven de grond waar het bij de boom kwam waar het aan vast was gemaakt. Becker gleed strelend met zijn hand heen en weer over het touw. 'Nieuw touw,' zei hij.

In het opkomende licht zag Pegeen een pad naar het gat, waar iets groots en zwaars over het onkruid en kreupelhout was gesleept. Het pad liep de helling af.

'En hij is niet alleen,' zei ze.

'Niet meer,' zei Becker grinnikend.

Hij maakte een rol synthetisch klimtouw los dat achter op zijn rugzak zat opgerold en maakte dat snel en vakkundig vast aan een boomstam. Hij deed de rugzak om en wond het touw om zijn lichaam en onder zijn been. Met zijn linkerhand aan het vastgemaakte deel van het touw en met de rest van het touw in zijn rechterhand ging hij bij het gat staan. De opening was niet meer dan ruim een meter breed en zat aan de zijkant van de bergkam, zodat er een bijna verticaal vlak was voor het recht naar beneden ging.

Pegeen onderzocht de afgrond met haar zaklantaarn maar ze zag geen bodem.

'De kaart van Browne zegt dat het tieneneenhalve meter is tot de bodem, zei Becker. 'Ze hebben je in het trainingskamp toch geleerd om langs een touw af te dalen?'

'Natuurlijk.'

'Dit is een beetje anders. De kaart laat zien dat de opening naar beneden toe wijder wordt. Na een meter ongeveer raken je voeten niets meer. Het is dus meer een vrije val, maar als je het kalm aandoet, gaat het goed.'

'Dat weet ik,' zei ze geprikkeld. 'Ik kan dat wel.'

'Als ik daaraan had getwijfeld, zou je niet hier zijn,' zei hij. 'Als we beneden zijn, houd je dan stil. Geluid draagt heel ver.'

'Ik was niet van plan te gaan zingen of dansen,' zei ze.

Hij keek haar een ogenblik aan. Het werd lichter. Pegeen kon nu zien dat hij wallen onder zijn ogen had door slaapgebrek. Ze dacht dat ze er zelf even slecht, of nog erger, uitzag. Maar in tegenstelling tot Becker, was ze bang dat ze er ook ongerust uitzag. Ze voelde zich zeker zo. Becker zag er gelukkig uit. Zijn ogen straalden te veel.

'Als we bij hem komen, bescherm jij het meisje,' zei Becker. 'Ik zal wel voor hem zorgen.'

Ze knikte. Ze twijfelde er niet aan dat hij wel voor Swann zou zorgen.

'Oh, en, eh – Pegeen,' vervolgde hij. Hij had er moeite mee haar bij haar voornaam te noemen. 'Bedankt voor vannacht. Jij houdt me gezond van geest.'

Hij grinnikte weer, en Pegeen was er niet zeker van of het om haar was of vooruitlopend op Swann. Toen verdween hij in het gat. Met een klein sprongetje wipte hij van de oppervlakte weg en verdween zijn hoofd uit het zicht.

Bedankt voor vannacht? *Bedankt?*

Ze scheen met haar lantaarn in het gat en zag de bovenkant van Beckers hoofd verdwijnen. Hij draaide langzaam terwijl hij zakte. Er was een kleine kale plek boven op zijn hoofd, die ze nog niet eerder had opgemerkt. Nou, waarom zou ik ook, dacht ze bitter. Ik ben totaal blind geweest. Bedankt voor een nacht die haar geschokt en vertwijfeld had achtergelaten, vol hoop en vrees en emoties die zo rauw en primair en mysterieus voor haar waren, dat ze die zelfs geen naam kon geven. Ik neukte hem notabene om zijn geestelijke gezondheid te redden. Het doet er niet toe wat voor uitwerking het op de mijne had. Ik was blij het offer te kunnen brengen voor het welzijn van het bureau.

Toen hij de bodem van de schacht had bereikt, wikkelde Pegeen het touw om zich heen en zocht langzaam haar weg naar de vergetelheid. Ze volgde de lichtstraal die hij op haar gericht hield. Ze was niet bang, hield ze zichzelf voor. Ze was te verdomd kwaad op die ongevoelige klootzak om nog ergens bang voor te zijn, maar ze hield haar ogen gericht op het verdwijnende plekje zonlicht boven haar. Toen haar voeten eindelijk vaste bodem raakten, was het licht gereduceerd tot zo'n klein plekje dat ze het met haar duim kon bedekken. Dus ben ik misschien toch wel een beetje bang, gaf ze toe.

Becker wachtte ongeduldig op haar en zo gauw ze het touw had losgelaten, liet hij zijn zaklantaarn van het touw op de kaart in zijn hand schijnen. Zonder een woord te zeggen, wenkte hij met de lichtbundel en ging op pad.

Ze volgden de slingerende loop van een oude rivierbedding. De meeste tijd liepen ze rechtop maar stopten af en toe als het dak naar beneden afliep. Pegeen kon niet geloven dat het zo donker was. De steen leek het licht eerder te absorberen dan te weerkaatsen en ze kon alleen zien waar haar zaklantaarn op gericht was en verder niets. Ze was ook niet voorbereid op de kou. Het voelde aan alsof ze een koelcel waren binnengegaan, hoewel het geluid van water dat ergens stroomde haar zei dat de temperatuur niet onder nul kon zijn.

Becker gleed plotseling uit. Zijn voet schoot onder hem vandaan en hij viel met een zompend geluid op de stenen. Ze knielde naast hem en zag waarom hij was gevallen. Voor hen lag, zo ver als de zaklantaarn kon schijnen, een uitgebreide mat vleermuizestront. Ze liet het licht op de wanden schijnen en op het plafond, en daar hing een kronkelende massa dieren, die nog bezig waren een plaatsje te zoeken voor hun rust overdag. Ze hingen overal waar ze maar kon kijken, als een miljoen gevleugelde muizen op hun kop. Als ze kwetterden en naar elkaar beten leken hun tanden in het licht angstaanjagend wit en had ze het gevoel dat ze door een gek werd begluurd. De hele massa bewoog en rukte en wriemelde als een groot gekweld lichaam, alsof de grot zelf tot een pijnlijk, kronkelend leven was gekomen. De vleermuizen zaten zo dicht op elkaar dat Pegeen de een niet van de ander kon onderscheiden. Ze kon dat pas als er eentje losgestoten werd en met een grillig patroon in karakteristieke duikvlucht rondvloog, totdat hij naar het grote geheel terugkeerde, zich daar tussen wrong en in de massa opging.

'Grote goedheid,' zuchtte ze.

'Het is vleermuizemest,' zei Becker, terwijl hij opstond.

'Het is vleermuizestrónt,' zei ze, terwijl ze haar licht van de ontstellende massa vleermuizen verplaatste naar de even ontstellende massa voor hen. De keuteltjes waren grijs, hadden de vorm van rijstkorrels en ze zagen er droog en stevig uit, maar Beckers uitglijden had laten zien dat dit niet zo was.

Ze liet het licht zorgvuldig langs de rand van die mat glijden om te proberen de dikte te schatten. 'Het moet bijna een meter dik zijn,' zei ze.

'Meer dan een meter komt er dichter bij,' zei Becker. Het leek hem opmerkelijk weinig te kunnen schelen.

'Hoe komen we daar omheen?' vroeg Pegeen.

'Dat doen we niet. We gaan er doorheen.' Beckers zaklantaarn had een halve meter breed spoor opgepikt waar kortgeleden iets over het oppervlak van die mat was gesleept. 'Híj deed het. Wíj kunnen het dus ook.'

'Wist jij dat dit hier was?' vroeg ze.

'De grot staat op de kaart, maar Browne heeft niet de moeite genomen aan te geven wat erin zat. Ik veronderstel dat dit soort dingen hem niet storen.'

'Mooi, laat hem hier dan maar eens naar beneden komen.'

'Het is maar mest,' zei Becker.

'Het is strònt,' hield Pegeen vol.

'Alleen in jouw hoofd.' Becker stapte er gelijk in en volgde het pad waar Swann de volgeladen golfzak had gesleept.

'Ik kan het niet geloven,' zei Pegeen en ze zette haar voet uiterst voorzichtig in het spoor dat Becker had gemaakt. 'Ik loop tot aan mijn dijen door de stront.'

'Dat klinkt als een goede beschrijving van het leven,' zei Becker.

'Oh, Jezus. Oh, Jezus.'

'Hé, de FBI is niet alleen papierwerk en onderzoek, weet je,' zei Becker vrolijk. 'We moeten ook af en toe eens lol hebben.'

Pegeen zou hem met plezier met zijn gezicht in die drab hebben gedrukt. Laat me toch niet uitglijden, bad ze in stilte.

De troep kwam tot boven haar middel, maar de ondergrond voor haar voeten leek droog en stevig. Ze kon zich niet voorstellen hoe oud die berg was, maar wist dat er in eeuwen gerekend moest worden.

'Oh, Jezus. Oh, Jezus,' mompelde ze bij iedere stap, zich er niet van bewust dat die gewijde formule haar ontsnapte. Voor haar uit leek Becker vreselijk geamuseerd en ze dacht dat ze hem een of twee keer hoorde gniffelen.

'Denk er maar aan hoe vreselijk graag Swann hier wilde komen,' zei Becker fluisterend.

En hoe vreselijk graag jij achter hem aan wilt, maakte Pegeen de gedachte af. Toch was ze dankbaar dat hij vooropging en grote slepende stappen nam, waarmee hij als de boeg van een schip veel van de mest voor haar wegveegde. De rommel bleek niet zo te kleven als ze had gevreesd, alleen de oppervlakte was vochtig, de rest was zo droog als in de zon gebakken keuteltjes.

Toen zijn zaklantaarn de contouren van een muur voor hen liet zien, stopte Becker en draaide zich naar Pegeen om.

'Volgens de kaart is er voor ons uit een tunnel,' zei hij zachtjes. 'Het ziet er nauw uit, misschien moeten we kruipen. We doen het zonder licht. We willen niet dat het doorschijnt in de hoofdgrot.'

'Zonder licht?'

'Je bent toch niet bang in het donker?'

'Niet meer dan de meeste verstandige mensen. Hoe weten we waar we heen gaan?'

'De kaart laat zien dat hij in een tamelijk rechte lijn ligt. Blijf gewoon recht vooruit gaan.'

'Als die kaart nu eens verkeerd is?' siste Pegeen. 'Als er nu eens een scherpe daling of zoiets is die Browne niet de moeite vond om op de kaart aan te tekenen?'

'Als ik uit zicht raak, dan weet je dat je moet stoppen.'

'Je bent niet in zicht. We gebruiken geen licht.'

'Gebruik je voorstellingsvermogen, Haddad. Dan komt het goed.'

'Noem je me nu weer Haddad? Zijn we weer terug bij af? Als dat zo is, zou je het dan erg vinden een beetje verderop te gaan voor we deze discussie voortzetten?'

'Waarom?'

'Omdat ik tot mijn navel in de vleermuizestront sta en ik niet tegelijk beledigd wil worden.'

Becker scheen met zijn zaklantaarn recht in haar gezicht tot ze de zaklantaarn wegduwde.

'Je bedoelt afgelopen nacht?' vroeg hij.

'Huh.'

'Afgelopen nacht was onbeschrijfelijk. Je redde mijn gezondheid. Ik denk niet dat ik het tot de ochtend had uitgehouden.'

'Kunnen we dat niet beter ergens anders bespreken? Kunnen we misschien niet beter eerst een aardige afvoerbuis opzoeken om in te gaan zitten?'

Becker keek omlaag naar de mest die tot aan zijn riem zat, alsof hij het totaal was vergeten.

'Het is droog,' zei hij alsof hij haar tegenwerpingen niet begreep.

Pegeen zuchtte. 'Breng me gewoon naar de tunnel. Alsjeblieft.'

'Als we bij die ruimte komen en hij ons hoort, zal hij waarschijnlijk zijn eigen licht doven. Maak geen gebruik van je wapen, omdat je dan alleen maar precies aangeeft waar je bent en hij misschien gewapend is.'

'Ik zal niet kunnen zien en ik zal niet kunnen schieten. Wat denk je dan dat ik moet doen?'

'Wat ik je zeg.'

'Hoe vinden we die klootzak in het donker?'

'Ik vind hem,' zei Becker.

'Mooi. Hoe?'

Becker zweeg. Toen hij weer sprak, hoorde ze een genegenheid in zijn stem. Het was geen vriendelijke genegenheid.

'Ik vind hem door zijn angst,' zei Becker.

39

Swann kreunde nu in een gelijkmatig ritme. Met iedere ademhaling hoorde je kleine kreetjes. Zoals een kind jammert. Het geluid was monotoon en klonk als een metronoom en Aural vroeg zich af of het ergens anders vandaan kwam dan van de pijn. Het was bijna een zacht gesnurk, en in het zwakke licht van de kaars dat hem van een afstand verlichtte, kon ze niet duidelijk zien of hij wakker was of sliep. Hij had zich al een paar minuten niet meer bewogen en hij had zijn beide handen nog steeds voor zijn gezicht. De kaars was sinds hij zich van haar had verwijderd al enkele centimeters opgebrand en Aural schatte dat er minstens al een uur verstreken moest zijn. Eerst had ze geprobeerd door het tikken van haar waterklok de tijd bij te houden, maar in het begin was zijn gekreun te hard om het getik te horen en daarna leek het het toch niet meer van belang. Tijd had allang elke betekenis verloren. Er was geen mogelijkheid de lengte van een martelscène te meten. Iedere sessie leek oneindig te duren en minuten, seconden en uren betekenden helemaal niets. Voortgang werd gemarkeerd door centimeters als hij langzaam, sigaret na sigaret, zijn weg brandde over haar vlees. En door de kaarsen, die gloeiden, smolten, slonken en dropen in het donker, alleen maar om de een na de ander vervangen te worden. En door de pijn, eindeloze pijn. Er was geen manier om het aantal van haar folteringen te meten, maar ze verschilden nog door een verrassende verscheidenheid. Sommige folteringen deden meer pijn dan andere. Sommige pijnen duurden zo lang dat ze ze bijna kon negeren en als achtergrond kon beschouwen, sommige waren zo intens dat ze zich er alleen maar doorheen kon schreeuwen.

Aural rilde en sloeg haar armen voor haar borst. Het was voor de eerste keer sinds dagen dat ze voldoende tijd had om te merken dat het koud was. Haar benen leken in brand te staan, maar de rest van haar lichaam had het koud. Ze had al enkele minuten zitten bibberen van de kou en had het nog niet gemerkt. Nog een manier om dood te gaan, dacht ze. Ik kan doodvriezen voor hij me afmaakt.

Het ritme van zijn ademhaling veranderde en het drong tot haar door dat hij echt in slaap was gevallen. Op het moment dat ze er zeker van was dat hij in een diepe slaap was, zou ze haar kans wagen. Als ze zich achteruit op haar handen en hielen voortbewoog, zou ze ten minste een paar minuten nodig hebben om bij de tunnel te komen. Ze had er geen idee van hoever of hoe snel ze kon gaan als ze eenmaal in de tunnel was, maar ze zou het in ieder geval kunnen proberen. Het zou iets zijn wat ze voor zichzelf kon doen.

Een hand viel van zijn gezicht in zijn schoot en enkele ogenblikken later zakte ook de andere hand. Zijn hoofd viel een beetje achterover toen het niet meer werd ondersteund, en bleef in die houding. Weer een paar ogenblikken later zakte het hoofd omlaag, schoot weer omhoog, viel nog verder omlaag en schoot weer omhoog, terwijl hij steeds verder in slaap zakte. Aural wachtte tot zijn hoofd op zijn borst tot rust was gekomen. Nog een knik, misschien twee.

Swanns hoofd zakte helemaal op zijn borst, maar sprong toen weer heftig omhoog en hij schoot schreeuwend van de pijn wakker alsof de laatste knik zijn blessure weer had verergerd.

'Mijn oog!' schreeuwde hij, alsof hij verwachtte dat iemand antwoord zou geven, alsof hij verwachtte dat zíj hem zou helpen. 'Alsjeblieft. Jezus, alsjeblíeft!'

En toen realiseerde Aural zich dat ze kòn helpen en ze glimlachte omdat ze voor de eerste keer voelde dat ze een echt wapen in handen had. Ondanks haar pijn en haar conditie en haar boeien, drong het tot haar door dat hij haar macht had gegeven.

Ze wachtte tot hij een ogenblik stil was en toen sprak ze hem aan, met een zachte maar indringende stem.

'Ik kan je helpen,' zei ze.

Hij werd er stil van. Hij luisterde een ogenblik alsof hij verwachtte dat ze het nog eens zou zeggen.

'Wat zei je?'

'Ik kan je helpen,' herhaalde Aural.

Ze kon zien dat hij door de kieren tussen zijn vingers naar haar keek.

'Hoe?' vroeg hij op zijn hoede.

'Je weet hoe.'

Hij bracht zijn handen naar zijn schoot en greep zijn mes, denkend dat het een truc was.

'Hoe?' herhaalde hij.

'Ik kan je genezen,' zei Aural. Ze hoopte dat haar stem klonk zoals op het podium, maar in haar oren klonk hij gebarsten en gewond.

Hij was weer stil en keek haar aandachtig aan of ze geen kunstje uithaalde. Toen schoot er een siddering van pijn door hem heen. Hij hief zijn hoofd op en kreunde als een hinnikend paard.

Toen de pijnaanval voorbij was, zei Aural: 'Je weet dat ik het kan. Je hebt me zien genezen. Je hebt de goddelijke kracht van Jezus Christus door mij zien werken. Ik heb de macht.'

'Ja,' zei hij. 'Ik heb het je zien doen.'
'God zij geloofd,' zei ze en probeerde een kracht over te brengen die ze niet voelde.
'Amen.'
'Hij werkt door mij.' Ze hief haar handen op, die al door haar boeien in een gebedshouding waren gedwongen, en hield ze met haar vingertoppen tegen elkaar omhoog. 'Hij heeft mij de handen gegeven om Zijn werk te doen.'
'Ik heb zoveel pijn,' zei hij.
'Jezus geeft ons nooit meer dan wij kunnen dragen,' zei ze.
Ze glimlachte naar hem met die glimlach van gelukzaligheid, die glimlach die harten beroerde en gewetens ontlastte en maakte dat wonderen niet alleen mogelijk, maar heel gewoon leken. Ze glimlachte naar Swann haar eigen zoete belofte van liefde en vergeving, van verlossing en bevrijding. Dat was de reden waarom hij haar in eerste instantie had gekozen. Het symbool van ongerepte goddelijkheid, waar hij altijd naar op zoek was en dat hij op een of andere manier in de laagheid van zijn daden weer vergat, als het beest dat in zijn binnenste ronddoolde zich roerde en hem in zijn tentakels kreeg. Maar dat was niet de echte Swann, dat was het beest. De echte Swann hield van God en zijn heilige Zoon en hunkerde naar goedheid en hunkerde nu het meest van alles naar de verlossing van zijn pijn.
'Zou je dat voor mij willen doen?' vroeg hij.
'Alleen ik kan het voor je doen. Jezus heeft jouw gebeden niet verhoord, maar Hij zal de mijne verhoren, voor jou.'
'Maar ik ben – slecht – voor je geweest,' zei hij.
'Het is niet aan de mensen om te oordelen,' zei Aural. Ze strekte haar handen met de palmen omhoog naar hem uit. 'Jezus vergaf zijn kwelgeesten, wij moeten hetzelfde doen.'
Ze had hem, dacht ze. Hij geloofde haar, hij wilde haar wanhopig geloven, en dat was altijd een noodzakelijke voorwaarde. Hun pijn, hun ziekte, hun ongeluk moest hen naar je toe drijven. Dan moest je hun het gevoel geven dat ze welkom waren en ze dan verder leiden. Ze glimlachte opnieuw die stralende glimlach en deed haar best de grot te verlichten met haar eigen uitstraling. Die poging vergde veel van haar, ze wist niet hoelang ze het nog kon volhouden. Ze wilde niets liever dan liggen en rusten. Ze had zo hard rust nodig. Als de pijn het tenminste zou toelaten.
Hij was langzaam op zijn knieën gaan zitten, maar hij aarzelde toch nog en dook ver weg in de schaduw.
Ik heb mensen bereikt die nog verder weg waren dan hij, hield Aural zich voor. Ik heb ze van achter uit de tent gehaald die niet wilden komen en die zelfs niet wisten dat ze me nodig hadden. Ik heb de liefde van God en het vertrouwen in mijn kracht tot genezen

opgeroepen in zielen die duister en dood en afgesloten waren, die waren gekomen uit verveling of om er de spot mee te drijven. Ik heb ze naar me toe getrokken en ik kan deze klootzak ook naar me toe trekken.

Ze begon te zingen. Haar stem klonk met lyrische zoetheid in de hypnotiserende melodie van 'Amazing Grace'. Ze zong het voor hem, direct tot zijn hart en legde in haar stem ieder beetje bedrog, leugenachtigheid en bestudeerde geslepenheid dat ze in zich had, en vormde het door haar vaardigheid om tot onweerstaanbaar muzikaal engelengezang.

Toen haar stem de grot vulde met de weerkaatsende klanken van de tijdloze hymne, leek het alsof er een hemels koor meezong. Met een hand voor zijn oog en met het mes stevig in zijn andere hand, ging Swann staan en kwam op haar uitgestrekte armen toelopen, terwijl zij met een sereen stralend gezicht en met uit intense liefde gesloten ogen voor hem zong.

Toen ze zijn wankele stappen op de stenen hoorde en de glinstering van het naderende mes door haar samengeknepen oogleden zag, dacht Aural: probeer deze eens, Tommy R. Walker. Je zou dit niet eens klaarspelen als je leven ervan afhangt. Ze herinnerde zich dat haar leven ervan af hing en ze zong nog innemender.

De ruimte voor de vleermuizen was zo gevormd dat de mest ophield voor ze bij de wand waren gekomen en het spoor dat Becker en Pegeen hadden gevolgd, verdween op het harde gesteente. Ze zochten enkele minuten naar de tunnel die op de kaart van Browne aangegeven stond door met hun zaklantaarns langs de grond te schijnen waar de vloer de verticale wand raakte. Toen ze hem gevonden had, was Pegeen er niet zeker van of het wel de goede was. Het gat leek te klein.

'Zou het dit kunnen zijn?' fluisterde ze. Ze knielde voor de opening, maar weerstond de neiging haar licht direct de tunnel in te laten schijnen. Ze zou er op haar knieën en ellebogen in moeten kruipen. Anders paste haar lichaam er niet door.

'Dat moet wel,' zei Becker op een toon waardoor ze hem scherp aankeek. Ze draaide haar licht zo dat het van de muur in zijn gezicht scheen. Beckers gezicht had een uitdrukking die ze nog nooit bij hem had gezien. Als ze niet beter wist, zou ze zeggen dat hij bang was.

'Het is zo smal,' zei ze. Hij knikte met een uitdrukking op zijn gezicht die aangaf dat hij niet durfde praten. Pegeen zag druppeltjes vocht op zijn voorhoofd. Zweten in de kilheid van de grot leek zo onwaarschijnlijk dat ze dacht dat hij ziek was.

Ze vroeg hem of hij ziek was. Becker schudde zijn hoofd en forceerde een heel weinig overtuigende grijns.

'Wat is er dan?' hield ze aan en strekte haar hand uit om zijn voorhoofd aan te raken. Hij trok zich geprikkeld terug.

'Je blijft vragen waarom ik jou bij deze zaak wilde,' zei Becker.

Ze wist onmiddellijk dat ze het niet leuk zou vinden wat hij nu zou gaan zeggen. Ze wist dat hij haar wilde kwetsen, omdat ze iets had gezien dat hij haar niet wilde laten zien.

'Ja?'

Becker wees naar het gat van de ingang van de tunnel.

'Hierom,' zei hij. 'Jij bent smal genoeg om erdoor te kunnen.'

Pegeen sloeg onmiddellijk terug. 'Jij bent er bang voor, hè?'

Becker vermeed haar aan te kijken.

'Heb je last van claustrofobie?'

'Met mij is het goed,' zei hij. Zijn hele gezicht glom nu van het zweet.

'Ik zie hoe goed het met je is.'

'Ik red het wel,' zei hij.

'Je wist allang dat dit hier was,' zei ze. 'Je hebt sinds gisteravond de kaart van deze grot bestudeerd. Waarom deed je niets? Waarom heb je niet iemand te hulp geroepen? Wil je het zo wanhopig graag zelf opknappen?'

'Ik red het wel.'

'Waarom heb je het tenminste niet aan míj verteld?'

'Waar zou dat goed voor zijn geweest?'

'Misschien had ik je kunnen helpen,' zei ze.

'Ik kan alleen mijzelf helpen,' zei Becker, maar op dat moment leek het Pegeen dat hij nog geen begin kon maken met zichzelf te helpen. Zijn hele lichamelijke voorkomen leek veranderd te zijn, zachter geworden en verweekt alsof de angst zijn botten had verzwakt.

'Je hoeft niet altijd dapper te zijn,' zei Pegeen zacht. 'Niet tegenover mij.' Ze probeerde met haar vingertoppen de bovenkant van zijn hand aan te raken en hij trok zich terug, zoals hij altijd leek te doen als hij onverwacht werd aangeraakt, maar toen hij zich ontspande trok hij zich niet meer terug en Pegeen gleed zacht met haar hand over de zijne.

Na een ogenblik draaide hij zijn hand om zodat nu hun palmen tegen elkaar lagen en zijn vingers zich langzaam om de hare sloten. Pegeen herinnerde zich dat ze zijn hand had vastgehouden in de auto voor hij de gevangenis binnenging om Swann te bezoeken. Toen was het voor haar allemaal begonnen, die bezetenheid van die krachtige, gevaarlijke, gecompliceerde man, die lamgelegd kon worden door zijn eigen geheime angsten, die zo'n hartstocht in haar en in zichzelf kon opwekken en het dan weer zo kon verbergen of het nooit was gebeurd, die zo kwetsbaar kon zijn, maar dan zo'n kracht kon ontlenen aan de aanraking van haar hand. Hij had haar op de eerste dag macht over hem gegeven, realiseerde ze zich, en of hij dat nu wist of niet, of dat hij een even grote macht over haar had of niet, sinds die tijd had hij haar nodig.

'Het is goed,' zei ze uiteindelijk. 'Ik zal gaan, jij kunt hier wachten.'

Hij schudde langzaam en gelaten zijn hoofd zonder haar aan te kijken. Hij wist wat er moest gebeuren.

Er zou geen gemakkelijke manier voor Becker zijn om eraan te ontsnappen, realiseerde Pegeen zich. Hij zou dat nooit toestaan.

'Zal ik dan eerst gaan?' vroeg ze.

Becker huiverde hevig, alsof hij plotseling door een koude windvlaag werd getroffen, maar hij knikte weer en deed zijn rugzak af.

'Ik zal in contact met je voet blijven,' zei hij. 'Maar als ik het niet meer doe...'

'Dat zul je wel. Ik weet dat je het zult doen.'

Hij zat nu op zijn handen en knieën voor het gat, zijn hoofd hing omlaag als van een geslagen hond. 'Als ik stop, blijf dan doorgaan.'

'Je redt het wel,' zei ze.

'Goed.'

Pegeen deed haar rugzak af en strekte zich plat uit voor de opening van de tunnel. Ze schoof haar pistool zo dat het midden op haar rug goed in haar riem zat, bereikbaar maar niet in de weg.

'Geen licht, niet schieten,' zei Becker. Ze kon zijn stem horen beven. Pegeen wilde hem omhelzen, maar ze wist dat hij het liefste wilde dat ze weg was zodat ze hem niet meer in de greep van zijn angst kon zien. Pegeen stak de zaklantaarn naast haar pistool op haar rug in haar riem. Ze kon ze misschien geen van beide gebruiken, maar ze wist absoluut zeker dat ze ze mee zou nemen.

Ze haalde diep adem alsof ze onder water ging en schoof toen met haar hoofd vooruit de tunnel in. Achter haar deed Becker zijn licht uit en de wereld werd pikzwart. Ze kwam langzaam vooruit, voelde eerst met haar handen over het oppervlak van de steen, die zo glad was als gepolijst marmer, voor ze zich vooruittrok. Soms was er aan beide kanten ruimte genoeg om haar knie op te trekken, soms was het zo nauw dat ze zich alleen vooruit kon krijgen door met haar armen en ellebogen te trekken en met de toppen van haar tenen te duwen. Er waren ook plotselinge verlagingen van een centimeter of tien, soms van dertig centimeter of meer, zo steil als een miniatuur-waterval, maar overal waar ze taste had het oppervlak het gepolijste gevoel van ijs. Het was alsof ze door een reusachtig darmkanaal kroop, dacht ze. Precies de aars van de duivel.

Becker kroop achter haar aan. Hij hield met zijn hand haar enkel vast, of de zool van haar laars, als ze zich schrap zette, liet haar los als ze zich vooruittrok en maakte weer contact als hij haar bewegingen volgde. Pegeen putte troost uit de gedachte dat hij daar was en vroeg zich af wat deze onderneming hem kostte. Het was voor haar al erg genoeg – het was soms om te gillen nu die tunnel zich eindeloos leek uit te strekken – wat moest hij dan wel niet te verduren hebben? Ze dacht ook aan Swann, die dezelfde weg had afgelegd en het meisje achter zich aan had gesleept. Hij moest haar wel slepen, er was geen andere manier. Hoe sterk moest de drang zijn voor een man om zoiets te doen? Becker wist dat. Becker begreep dat op een of andere manier. Pegeen begreep dat niet. En ze wilde het niet ook.

Swann was toch wel in het voordeel, realiseerde ze zich. Hij was er eerder geweest. Hij wist dat er een eind aan de tunnel kwam en een soort beloning, hoe ziek en verwrongen ook, als hij er eenmaal was. En hij had licht. Pegeen zou alles gegeven hebben voor een beetje licht al was het zo zwak als een vonkje. Kruipen zoals dit was als leven zonder hoop.

Haar vingers voelden een schuine rand en onderzochten die aan alle kanten. De tunnel had daar een vernauwing alsof er plotseling een riem strakgetrokken was. Haar handen voelden dat aan de andere kant de wanden weer uiteenweken, maar op dit punt werd de stenen doorgang nog nauwer dan tevoren. Haar hoofd ging er gemakkelijk door, maar het gat was te nauw om haar schouders er recht door te laten. Ze draaide haar lichaam op een kant en kneep haar schouders bij elkaar, maar toen raakte ze met haar heupen vast en bleef ze hulpeloos hangen. Door de zwaartekracht hing haar hoofd lager dan haar middel en haar vingers graaiden naar een aangrijpingspunt op de ivoorgladde rots.

Oh Jezus, oh verdomme, oh Jezus, oh verdomme, dacht ze, terwijl ze de dwaze formule al wriemelend en kronkelend herhaalde. Ze werd tegengehouden door de zaklantaarn en het pistool in haar riem en die zaten aan de andere kant van de opening. Ze kon niet achter zich reiken om ze los te maken. Ze had niet genoeg grip met haar handen op de steen om zich op te drukken zodat ze zich achteruit kon terugduwen. Ze bungelde kronkelend half erin, half eruit, terwijl haar vingers naar een houvast graaiden.

Terwijl ze vocht tegen een opkomend gevoel van paniek, kwam het in haar op dat dit misschien wel de verkeerde tunnel was, dat het misschien een doodlopend stuk was dat nauwer werd en kleiner en nergens naartoe leidde en dat ze erin opgesloten zat. Ze hadden vol vertrouwen aangenomen dat dit de tunnel was waar Swann doorheen was gegaan, waar hij doorheen móest zijn gegaan. En ze hadden op de kaart van Browne vertrouwd, maar wie wist hoe degelijk Browne's onderzoek was geweest? Misschien had hij een andere tunnel gevonden en had niet de moeite genomen deze doodlopende gang op de kaart aan te tekenen.

Ze voelde Beckers handen en ze wist dat zijn vingers de toestand van haar lichaam tussen de rots onderzochten. Hij trok haar bij haar heupen terug en Pegeen ging weer omhoog, haar handen raakten nu niets meer. Toen ze met haar armen zwaaide om contact te krijgen met de wanden, voelde ze dat Becker de zaklantaarn en het pistool uit haar riem trok. Hij legde zijn hand op haar achterwerk en duwde. Ze wilde hem zeggen op te houden en haar helemaal terug te trekken en zeggen dat ze nergens uitkwamen, maar plotseling schoot ze vrij en had ze vluchtig het idee of ze de baarmoeder uitschoot.

Haar voeten gleden een meter naar beneden en haar knieën ploften op de stenen. Het duurde een ogenblik voor ze zich realiseerde dat ze vrij was en ze de moed kon verzamelen verder te gaan. Wat er ook nog voor haar lag, het kon niet erger zijn dan waar ze net was, dacht ze.

De tunnel begon wijder te worden en ze kon haar knieën onder zich optrekken. Ze ging ijverig verder, erg opgelucht dat ze tenslotte weer vooruit kon, totdat het tot haar doordrong dat Becker niet meer bij haar was.

40

Swann stond tegenover haar en priemde naar haar met het mes, niet dreigend, maar alleen om haar eraan te herinneren dat hij het had. Hij hield het daar voor als ze naar hem keek. Aural maakte de hymne af en hield haar ogen gesloten tot de laatste zoete noot wegstierf en het stil werd. Ze kon door haar wimpers heen zijn voeten en zijn benen tot aan zijn knieën zien, maar ze zorgde ervoor dat ze hem niet rechtstreeks aankeek. Ze wilde niet gedwongen worden hem aan te kijken, ze wilde niets met hem te maken hebben voordat het moest. Eerst moest ze zich op zichzelf concentreren, haar aandacht erop richten van zichzelf een heilige en genezer te maken.

Ze liet de stilte een paar seconden op hem inwerken om het tot hem door te laten dringen wat voor wonder zich aan hem voltrok. Ze opende langzaam haar ogen alsof ze uit een trance ontwaakte, alsof ze zich van hem, zoals hij daar stond met het mes in zijn hand, helemaal niet bewust was geweest. Ze haalde diep adem en liet haar adem met een hoorbare zucht ontsnappen en toen richtte ze langzaam met een blik van milde verbazing haar hoofd op, alsof ze zich niet kon voorstellen hoe ze op zo'n plaats in zo'n gezelschap terecht was gekomen. Sommigen van haar fans hadden haar verteld dat, als ze een gezang had beëindigd, ze er dan als herboren uitzag. Ze dachten dat als ze zong ze echt met de engelen samen was, dat die hun stemmen door haar lieten klinken en dat ze daarom als ze klaar was altijd ietwat gedesoriënteerd leek. Ze waren haar dankbaar dat ze weer naar hèn was teruggekomen. Het liet zien hoeveel ze om hen gaf. Rae zei dat wanneer ze een hymne had gezongen, het leek of ze was schoongewassen met het water van de Jordaan, gereinigd en een beetje geschokt door die ervaring. De eerwaarde Tommy R. Walker bekende dat het ongeveer de gaafste truck was die hij ooit had gezien.

Aural keek op, richtte haar blik op Swann en realiseerde zich dat hij ook om de tuin was geleid. Hij gaapte haar aan, niet helemaal zeker wie of wat hij zag.

'Ik weet waarom je het deed,' zei hij. Zijn stem was veranderd, jonger geworden. Aural herkende er de kinderlijke nukkigheid in, maar er was ook nog iets anders, iets wat ze niet thuis kon brengen.

Ze wist niet wat hij bedoelde. 'Echt waar?' vroeg ze.

'Je deed me pijn omdat...' Plotseling snifte hij en veegde zijn neus af met de achterkant van de hand waar hij het mes in hield. Het drong tot Aural door dat hij had gehuild. 'Omdat je van me houdt,' maakte hij zijn zin af.

Aural herkende nu dat andere in zijn stem. Het was vergeving. Hij vergaf haar het steken met de vork.

Ze knikte langzaam, niet zeker of ze wel de goede dingen zou zeggen, maar ze realiseerde zich dat ze helemaal niets hoefde te zeggen, dat hij iets had te zeggen.

'Je doet het alleen omdat je van me houdt, dat weet ik,' vervolgde hij.

Aural knikte nog eens en fronste licht haar wenkbrauwen. Ze probeerde liefhebbend maar streng te kijken.

'Voor je eigen bestwil,' zei ze, door een plotselinge ingeving.

Swanns gezicht plooide zich, en hij maakte een dreinend geluid achter in zijn keel. Op dat moment leek hij ongeveer vijf jaar oud.

'Ik weet het,' zei hij, nu openlijk huilend. 'Ik weet dat ik slecht ben.'

'Soms ben je slecht,' zei Aural voorzichtig. Ze was nog steeds niet helemaal zeker van haar rol. Was ze nu zijn moeder? Of was ze nog steeds de vrouw die hij van plan was dood te martelen? Hij had nog niet het mes neergelegd en er ook niet mee gezwaaid. Het bleef op haar gericht alsof het een pistool was.

'Maar ik houd van Jezus, echt waar,' zei hij.

'Is dat ècht zo?'

'Ja, mam.'

'Maar je bent tòch slecht.' Ze dacht dat ze nu te ver gegaan was. Swann verstijfde en zijn lip trilde van opstandigheid.

'Soms,' zei hij. Hij gaf het toe, maar hij gaf zich nog niet gewonnen.

Aural bleef hem aankijken. Ze gaf het nog niet op, maar wist ook niet wat ze verder moest doen. Hij had zich zo snel teruggetrokken dat ze wist dat er aan haar iets moest zijn dat hem aan zijn moeder deed denken, iets van haar, iets van pijn. Een ogenblik leek het mes te beven en ze vroeg zich af of hij haar neer zou steken. Ze vroeg zich af of hij zijn moeder had neergestoken.

Hij stond daar een ogenblik. Hij torende boven haar uit terwijl zij op de grond zat, en zwaaide met het mes voor haar gezicht, dichter en dichter bij en hij leek sprekend op een kind dat voor het eerst macht proefde. Aural wist niet wat ze moest doen, maar ze wist dat ze hem niet kon laten winnen. Als ze hem moest verslaan, dan moest ze het nu doen, nu hij nog vijf jaar was en geen volwassene, nu hij er nog niet zeker van was of hij de situatie beheerste en nog niet in de gelukkige overtuiging dat hij slecht was.

'Jezus houdt in ieder geval van je,' zei ze uiteindelijk.

Hij had gewild dat ze hem zou smeken, dat ze zou reageren op zijn dreiging. Hij had niet verwacht dat ze kalm bleef. Een ogenblik was hij geschokt, alsof ze in plaats van opzij te stappen van angst hem een klap in zijn gezicht had gegeven.

'Zal ik je iets laten zien?' zei hij en Aural realiseerde zich dat er weer wat was veranderd. Hij was nog niet volledig volwassen, maar hij richtte zich ook niet meer tegen zijn moeder. Hij klonk als een tiener die op het punt stond iets heel belangrijks aan een pas verworven vriend te openbaren.

Aural knikte instemmend, maar hij wachtte haar goedkeuring niet af. Hij was al op de grond gaan zitten en trok gretig zijn schoenen en zijn sokken uit en trok toen zijn broek uit.

Je gaat me toch niet laten zien wat ik al te vaak eerder heb gezien, dacht ze, maar tot haar verrassing maakte hij geen aanstalten zijn ondergoed uit te trekken. Hij stak trots een bloot been naar haar toe.

'Wat?' vroeg Aural.

'Kijk.' Hij gebaarde naar zijn been, en gebruikte daarbij het mes om het aan te wijzen.

Het kostte Aural een ogenblik voor het tot haar doordrong wat ze zag. Swann zag eruit of hij de huid van een dunnere man droeg. Zijn hele been, van zijn voet tot aan zijn dij, was gekrompen en samengetrokken, en het vlees was verschrompeld en gerimpeld. Aural wist dat het het verzameld littekenweefsel was van honderden brandwonden zo groot als een dubbeltje. Zijn benen glommen in het kaarslicht met die bijzondere glans van samengetrokken vlees.

Hij wachtte gretig op haar reactie, en toen ze voor het eerst met een glimp van sympathie weer naar hem opkeek, lichtte hij zijn voet op en wiebelde hem voor haar heen en weer om hem haar te laten zien.

'Kijk, kijk,' zei hij, opgewonden door wat hij haar had te laten zien. Hij stak de punt van het mes tussen zijn tenen, waar in de buitengewoon gevoelige ruimte tussen de tenen nog meer littekens waren ter grootte van de top van haar pink. Het vlees trok zich daar nog steeds terug als in voortdurende afschuw van de beschadiging door de gloeiende kolen die daar jaren geleden tussen waren geplaatst. Zijn tenen trokken zo samen dat hij ze nauwelijks uit zichzelf van elkaar los kon maken.

Aural staarde naar het onvergeeflijke kenmerk van de geteisterde huid. Ik zal er ook zo uitzien, realiseerde ze zich en tranen van verdriet welden op in haar ogen. Maar er was geen zelfmedelijden op Swanns gezicht toen hij zijn andere voet vooruitstak om onderzocht en bewonderd te worden. Hij zag er trots, bijna zelfvoldaan uit.

'Je moeder?' vroeg Aural.

'Mijn moeder was een christen,' zei Swann instemmend. Alsof ze haar zoon haar eigen versie van de stigmata had gegeven om dat te bewijzen.

'Ik kan het beter maken,' zei ze.

'Kun jij dat?'

'Ik kan het allemaal beter maken,' zei ze. Ze strekte haar vingers uit naar zijn benen en daarna omhoog naar zijn hoofd, om zijn hart, zijn geest, zijn verleden, zijn herinneringen aan te geven. 'Ik kan je hele ziel genezen.'

'God zij geloofd,' zei hij.

'Help me overeind,' zei ze. Hij keek haar dom aan. 'Help me opstaan,' zei ze. 'Ik kan het niet zittend doen.'

Swann strekte zijn hand uit en hielp haar overeind. Daarna ging hij met zijn vinger langs haar borst naar beneden, naar een punt net onder het borstbeen, en zocht voorzichtig naar de plek waar het bot overging in het zachte weefsel en de spieren van de buik. Hij zette de punt van het mes precies op die plek.

'Je zou me niet nog eens pijn doen, hè?' vroeg hij.

'Ik ga je genezen,' zei Aural. 'Ik ben een genezer, maar je moet me vertrouwen.'

'Ik vertrouw je,' zei hij, maar hij nam het mes niet weg.

'Je moet geloof hebben,' zei ze.

'Dat heb ik.'

'Geloof in mij, niet alleen in Jezus, maar geloof in mij.'

'Dat doe ik,' zei Swann oprecht. 'Dat doe ik zeker.' Toen plooide zijn gezicht langzaam tot een grijns. 'Maar ik ben ook niet stom.'

Aural hief haar geboeide handen op. 'Laat ons bidden,' zei ze en haar stem kreeg de eerbiedwaardige, opwekkende klank zoals in de gebedstent. 'Lieve Jezus, mijn dierbare, lieve, lieve Jezus, deze man is een vreselijke zondaar, deze man heeft het bloed van zijn medemensen aan zijn handen, deze man heeft weerloze mensen gemarteld en gedood en hij zal het weer doen, Lieveheer. Hij zal het weer doen, en nog eens omdat er geen echt berouw in zijn ziel is. Zijn ziel is zo zwart als dit hol onder de grond. Zijn ziel is misvormd en verwrongen en verdorven, Heer. Hij is de ergste van Uw kinderen. Hij is de meest verloren en in de steek gelaten, meest verachtte van al Uw kinderen hier op aarde. De mensen hebben hun hoop in hem verloren, de mensen haten en beschimpen hem... maar U hebt hem lief, Heer.'

'Halleluja,' zei Swann.

'U hebt al Uw kinderen lief, zelfs de ergsten, zelfs degene die kruipen en glibberen als reptielen, zijn in Uw ogen geliefd Heer, en dat is een wonder op zich. Dat is een zegen die alle begrip te boven gaat. Maar U weet wat we vergeten hebben, lieve Jezus. U weet dat zelfs de walgelijkste van Uw kinderen een onsterfelijke ziel heeft en dat die ziel schoongewassen kan worden. Dat die ziel zo schoongewassen kan worden alsof hij nooit met het bloed, de angst en de doodsstrijd van het pijnlijke sterven van andere menselijke wezens was doordrenkt. U kunt die ziel schoon wassen, Heer, wassen in het bloed van het Lam tot hij er zo wit als sneeuw uitkomt. Lof zij U!'

'Prijs de Heer!'

'Als U deze ziel schoon kunt wassen, lieve, barmhartige Jezus, dan kunt U alles. En we weten dat U dat kunt, we weten dat U dat kunt. Neem zijn pijn van hem weg, Heer, neem de pijn van zijn oog weg en de blaren van zijn benen en was de vuiligheid uit zijn geest en maak hem als een pasgeboren baby. Hij houdt van U, Jezus, hij gelooft in U, en dat is alles wat voor U telt. Hij gelooft dat U de Zoon van God bent en dat ieder die in U gelooft, in zuiverheid en eeuwige vreugde herboren zal worden.'

Aural pauzeerde een ogenblik om diep adem te halen en zich voor te bereiden op het moment waarvoor dit alles maar een voorspel was. Ze kon geloof voorwenden en vurigheid simuleren, maar haar moed moest echt zijn.

Ze kwam dichter bij hem, hief haar handen op om ze op zijn hoofd te leggen. Hij kromp onder dat gebaar in elkaar, ging toen zitten en liet haar doen wat hij haar eerder had zien doen bij de healingbijeenkomst. Ze legde haar handen hoog op zijn voorhoofd, maar vermeed het gekwetste oog. Ze wilde niet dat hij onverwachte bewegingen maakte en haar in een reflex neer zou steken. Het mes kroop dichter tegen haar buik toen ze dichterbijkwam.

'Neem de pijn weg,' zei ze. Haar stem werd intenser en groeide naar een magisch hoogtepunt. Zijn adem rook naar verbrand rubber.

'Neem het weg, lieve Jezus en GENEES!' Ze drukte hard tegen zijn voorhoofd en gleed tegelijkertijd met haar voet achter zijn hiel. Swann kantelde achterover, probeerde zijn voeten te verplaatsen, maar werd tegengehouden door Aurals voet en instinctief met zijn armen zwaaiend om in balans te blijven, viel hij om. De punt van het mes gleed langs Aurals maag en prikte net in haar huid toen het wegviel en op de stenen kletterde. In drie hinkende stappen was Aural bij de kaars. Ze smeet hem de grot in. Het licht ging uit, en hulde hen in duisternis.

Ze had gehoord dat zijn hoofd op de stenen sloeg maar ze wist dat ze er niet op kon rekenen dat hij ernstig gewond was. Ze was afhankelijk van de verwarring en de duisternis. Ze hinkte en hupte naar de kant van de grot waar de verticale golfformaties haar een schuilplaats boden. Er was geen tijd voor iets anders, geen kans om bij de tunnel te komen. Als hij bij zijn val was verwond, was dat een extraatje, maar alles waar ze echt op hoopte was een kans om zich te verbergen voor hij erachter was wat hij moest doen. Ze stumperde zo snel als ze kon vooruit met haar handen voor haar uit, popelend om de wand te bereiken. Ze wist de weg, ze had het keer op keer in haar hoofd gerepeteerd toen ze nog kon zien en ze wist hoelang ze erover zou doen. Als ze maar genoeg tijd had. Ze móest genoeg tijd hebben. Plotseling viel ze en kwakte ze voorover toen ze met haar voet tegen een uitstulping stootte. De brandplekken op haar benen deden razend zeer toen ze met de steen in aanraking kwamen, maar ze krabbelde weer op, hupte en hinkte verder en bleef blind voor haar uit voelen naar haar redding.

Ze hoorde hem kreunen, hoorde hem rondscharrelen op de stenen en zijn tijd verknoeien met eerst naar het mes te zoeken. Ze hoorde het metaal tegen de rots schrapen, toen haar eigen vingers de rand van de golfvorm vonden. Ze voelde met haar hand eromheen en greep in de lucht. Er wàs een ruimte achter. Aural gleed achter de beschuttende rots en probeerde haar ademhaling weer tot rust te laten komen. Ze wist dat ze niet veel tijd meer zou hebben voor Swann de toestand weer onder controle had.

'Klotewijf,' schreeuwde Swann. 'Kutwijf.'

Hij trok de aansteker uit zijn zak, knipte hem aan en hield hem omhoog, het mes voor hem uit, half verwachtend dat het gekke wijf zich op hem zou storten.

Ze was weg.

'Kut,' raasde hij. 'Smerig kutwijf.' Toen realiseerde hij zich dat zijn eigen geluiden hem hadden misleid. Als hij stil was geweest had hij misschien gehoord waar ze naartoe was gegaan, maar hij had te veel lawaai gemaakt met zijn gekreun en gevloek. Hij had eerst de aansteker moeten pakken maar hij was bang geweest dat ze het mes te pakken zou krijgen en hem in het donker aan zou vallen.

Swann draaide langzaam in een cirkel rond terwijl hij de aansteker als een baken voor zich uit hield, maar het was een nutteloze exercitie. Er waren te veel schaduwen, te veel ruimte buiten het bereik van het licht. Hij zou haar decimeter voor decimeter moeten zoeken. En als hij haar vond – àls hij haar vond. Zijn verbeelding ging niet verder dan dat punt. Dat zou van haar afhangen. Als ze weerstand bood, dan was hij waarschijnlijk genoodzaakt haar meteen te doden... maar hij wilde er geen eind aan maken, oh, hij snakte ernaar haar op de juiste manier aan haar eind te laten komen, de langzame manier, de enige manier die zijn demon tevreden kon stellen.

Gek genoeg deed zijn oog geen pijn meer. Misschien had ze hem toch genezen, dacht hij, hoe bedrieglijk haar bedoeling ook was. Hij nam twee kaarsen uit de golfzak en stak ze allebei aan. Met hun vlammen brandde hij een gat in twee lege dozen van de sloffen sigaretten. Hij stak de onderkant van de kaarsen in de gaten zodat de was niet op zijn handen zou druipen en begon zijn zoektocht.

Aural kon het licht zien flikkeren en in allerlei bewegingen op de muren zien dansen, maar toen ze naar zichzelf keek, waren haar benen en haar handen nog steeds in het donker. Haar schuilhoek achter de steen was diep en veilig voor alles behalve direct licht. Hij zou achter de muur van de nis moeten staan voor hij haar kon zien. En uiteindelijk zou hij dat doen ook, dat wist ze, maar ze zou hem horen komen, ze zou hem zien komen door de nadering van de kaars en ze zou er klaar voor zijn. Zij zou hem overrompelen en ze zou... Ze realiseerde zich tot haar ontzetting dat ze haar eigen mes was vergeten. Het zat nog steeds weggestopt in de nis bij haar laarzen, waardeloos, voor haar verloren. Een golf van wanhoop overspoelde haar en dat was het enige dat haar ervan weerhield het uit te schreeuwen van angst.

41

Becker werd bevangen door claustrofobie en hij beefde ervan. Onbeheerste rillingen trokken door zijn lichaam en hij huiverde alsof hij doodvroor. Zijn huid was koud en klam, maar het zweet gutste overal uit en een panisch gegrom borrelde uit zijn keel, ondanks zijn inspanningen zich stil te houden. Hij kon zich niet meer bewegen. Hij kon zijn lichaam niet meer vooruit noch achteruit dwingen. Hij kneep zijn ogen stijf dicht en probeerde te ontsnappen aan de omringende duisternis van de tunnel om zijn geest te beschermen. Maar zijn geest was geen veilige haven. Hij voelde de muren van de duisternis zich steeds strakker om zich heen sluiten. De stenen leken naar elkaar toe te groeien, over hem heen te sluiten als een klip en hem voor altijd in eeuwige duisternis op te sluiten. In een graf gestopt en levend begraven. Maar niet alleen, want de zwartheid van zijn crypte werd bewoond door de monsters uit zijn jeugd. De grot deed hem denken aan de donkere kelder waar hij als jongen in elkaar dook, opgesloten voor overtredingen die meer ingebeeld waren dan echt. Vol angst de hele eindeloze nacht en dag wachtend op de zware dronken tred op de trap, die het begin aangaf van zijn lange, lange bestraffing, die alleen ophield als zijn vader uitgeput en niet meer in staat was hem nog langer te kastijden. In Beckers oren klonken weer zijn eigen gehuil uit zijn jeugd en zijn vruchteloze gesmeek, zijn vaders gemompelde vloeken, zijn verwensingen naar de verdoemenis, zijn gegrom van inspanning, die iedere slag van zijn vuist, van zijn riem, of van zijn schoen vergezelde. En de stem van zijn moeder die hem verzekerde dat het voor zijn eigen bestwil was. Die toezicht hield op de strengheid van haar man, nooit om die te verminderen, maar alleen om de grenzen van wat zijn lichaam kon verdragen te beoordelen en vast te stellen. En al die tijd sprak ze over Beckers berouw en zelfverbetering, alsof een jongen van vijf en zes en zeven alleen maar opstandigheid en opzettelijke ongehoorzaamheid was.

Als het afgelopen was zorgde het geluid van zijn eigen snikken ervoor dat je het kraken van de keldertrap nauwelijks kon horen als zijn ouders hem weer alleen in het donker achterlieten. Om beter over zijn gedrag te kunnen nadenken. Zijn panische angst om weer in het donker alleen gelaten te worden was zelfs nog erger dan de pijn van zijn gemartelde lichaam. In de steek gelaten in dat donkere hol, terwijl degenen waar hij van hield en die beweerden dat ze ook van hem hielden, boven hem liepen en zich niet om zijn lot bekommerden, die, erger nog, de veroorzakers van zijn noodlot, de architecten van zijn ellende waren. Becker kon weer het geluid van hun voetstappen boven zijn hoofd horen, hun stemmen als ze met elkaar spraken, gedempt door de vloer en het tapijt, en soms ook hun gelach, het wreedste geluid van allemaal. Zij waren boven gelukkig terwijl hij beneden van angst ineenkromp, eindeloos wachtend op de lichtbundel boven aan de trap, die zijn bevrijding zou aankondigen, het licht dat nooit leek te komen. Het licht dat hem onthouden zou worden totdat hij in de angst van zijn verlatenheid schreeuwde en schreeuwde, wat als effect had dat hij voor zo'n onbeschaamdheid opnieuw gekastijd en gestraft werd. Uiteindelijk leerde hij zijn marteling in stilte te verdragen, luisterend naar de zwakten van anderen.

Hij hoorde de stem uit de radio, gefilterd en vervormd door de afstand, toen zijn moeder in de keuken rondscharrelde en de muziek aanzette, misschien om het geluid van zijn gejammer te overstemmen. Hoewel de stem, doordat hij door de muren en de vloer heenkwam onduidelijk was, was hij toch lieflijk en zuiver, een stem vol liefde en religieuze waardigheid... Becker kwam weer tot zichzelf en het drong tot hem door dat hij niet in de kelder van zijn gekwelde jeugd was en dat de zangstem niet uit de radio kwam. Een levend wezen, ver weg, maar in leven, zong de oude hymne en dat geluid wenkte hem als het gezang van de sirene.

Pegeen zag het licht. Eerst durfde ze haar ogen niet te geloven. De tunnelgang had zo lang geleken dat ze bijna de hoop had opgegeven er ooit nog uit te komen. Becker was in het zwarte gat achter haar verdwenen. Af en toe had ze geluiden van hem gehoord, gedempt gegrom, en ze had erover gedacht naar hem terug te gaan, maar ze wist dat het echte kritieke moment voor hen lag. Wat Beckers kwellingen ook waren, ze wist dat hij er niet dood van zou gaan. Dat kon ze niet zeggen van de vrouw die daar ergens voor haar was. Ze hoorde de zingende stem, ongelofelijk gezang in de duisternis van de grot en kort daarna zag Pegeen het licht, eerst nauwelijks meer dan een speldeprik, maar het werd groter toen ze zich er naar toe haastte.

Het gezang hield op en Pegeen hoorde geroezemoes van stemmen dat ook plotseling ophield en toen verdween ook het licht gelijk met het geluid. Pegeen drukte zich vooruit en hoorde een mannenstem opgewonden en kwaad naar iemand roepen. Toen kwam het licht weer, eerst het flikkerende licht van een vlammetje en daarna iets wat minder flikkerde. Ze kon zien dat ze aan het eind van de tunnel was gekomen, dat de wanden uiteenweken en ze haastte zich nog meer. Net toen ze het eind van de tunnel had bereikt, ging het licht weer uit en de man zei ook niets meer.

Aan het eind van de tunnel hield ze stil, ze wist niet wat er voor haar lag. Ze voelde alleen de stilte van een overvolle kamer die plotseling stil wordt als er een nieuwkomer binnenkomt en alle ogen op hem worden gericht.

Swann had zijn helm opgezet en schakelde de lamp aan. Hij zette de kaarsen een paar meter uit elkaar zodat ze zoveel mogelijk van de grot verlichtten en begon toen zijn zoektocht in dat gedeelte van de grot die als latrine dienst deed. Hij dacht dat Aural misschien die kant op was gegaan, omdat het de enige plaats was waar ze was geweest voor het licht uitging. Hij doorzocht dat stuk en keerde toen terug naar het gebied dat door de kaarsen werd verlicht en onderzocht de wanden. Hij zag een bijzonder patroon van rotsformaties in de vorm van een golf en begon daar naartoe te gaan toen hij iets hoorde en als verstijfd stilstond. Er was een geluid uit de tunnel gekomen en hij wist onmiddellijk dat het Aural niet was. Ongelofelijk, er was daar iemand. Iemand kwam de grot binnen.

Swann doofde zijn helmlamp en rende om de kaarsen uit te blazen. Toen hij plotseling stilstond na het uitblazen van de tweede kaars, trof de pijn in zijn oog hem zó hevig dat hij bijna van zijn stokje ging.

Aural hoorde dat Swanns adem stokte van de pijn. Hij was maar een meter van haar af, net aan de andere kant van de beschermende rotsformatie, die haar voor zijn blik afschermde. Ze zou direct zijn ogen aanvallen, hield ze zich voor. Als hij haar vond, zou ze met alle kracht die ze had op zijn gewonde oog slaan en eenvoudig zijn mes vergeten. Als ze erin liep, wat dan nog, ze zou in ieder geval doodgaan als ze er niet in slaagde bij hem weg te komen. Ze wilde naar hem uitvallen voor hij in de gaten had dat hij haar had gevonden. Als hij het mes voor zich uithield, dan zou ze zich vast daar aanrijgen, maar ze zou het tenminste proberen, ze zou haar best doen hem intussen ook ten onder te laten gaan.

Plotseling ging zijn licht uit, daarna gingen de kaarsen uit. Aural kon hem horen snuiven van pijn maar toen hoorde ze nog iets anders. Het klonk alsof... Ze wist dat het niet kon, dat het een wrede streek van haar verbeelding was, maar toch klonk het alsof iemand anders de grot binnenkwam... Maar waar was het licht? Er zou niemand komen zonder licht.

Godzijdank. Pegeen kon rechtop staan. Ze ging staan, strekte haar rug na de lange trip en probeerde wanhopig zich te oriënteren. Ze strekte haar armen naar beide kanten uit, maar voelde niets. Aan allebei de kanten niets, boven haar ook niets. De tunnel was verschrikkelijk geweest, maar ze had tenminste geweten waar ze was ten opzichte van haar omgeving. Nu voelde ze zich alsof ze in de leegheid van de ruimte was gestapt. Haar voeten maakten duidelijk wat onder was, maar dat was alles wat ze wist.

In stilte vervloekte ze Becker. Hij had haar in de steek gelaten, hield zich alleen met zichzelf bezig, en zij had geen licht en geen wapen. Swann wist waar zíj was. Hij had haar horen komen en had het licht uitgedaan. Hij had tijd zich voor te bereiden. Hij wist waar de tunnel was in vergelijking met de plek waar hij zichzelf bevond. Hij wist hoe groot de afstand was tussen hem en de tunnel. Pegeen wist niets. Ze had het idee dat hij vlak naast haar stond. Ze voelde dat haar huid bij die gedachte strak trok.

Pegeen boog door haar knieën en ging als een atleet op haar hurken zitten, met haar ellebogen uitgestoken en haar handen gereed. Verder wist ze niet wat ze moest doen, behalve wachten.

De stilte van de grot leek enorm nu ze iedere zenuw spande om een menselijk geluid op te vangen. Het duurde enkele minuten voor haar geest en haar hart rustig genoeg waren geworden om een ver straaltje stromend water te onderscheiden en ergens dichterbij af en toe een vallende druppel.

Uiteindelijk had ze geen keus. Ze moest wat doen. Daarom was ze hier.

'Agent van de FBI,' zei ze. Ze werd verrast door de kracht van de echo. 'Swann, je staat onder arrest.' Ze hoopte dat die dreiging voor Swann niet zo dwaas klonk als voor haar.

Ze hoorde een laag geluid, een gekreun, toen was het stil.

Pegeen bewoog zich op haar hurken in de richting van het geluid. Ze zette een voet stevig neer voor ze met haar andere voet aarzelend naar voren kroop. Haar laars gleed onder haar weg en ze viel. Ze ving zich op met haar handen. Hij kan me elk ogenblik te pakken krijgen dacht ze wanhopig, ieder moment. Ik zou hem zonder het te weten recht in zijn armen kunnen lopen. Toen ze weer tot bedaren was gekomen, ging ze weer verder, maar ze was er na de val niet meer zeker van of ze de goede richting uitging of niet. Maar het meisje leefde nog, dat wist ze. Ze had haar gekreun gehoord. Pegeen gebruikte het meisje om zich voort te slepen.

'Je hebt helemaal geen licht,' zei Swann vol ongeloof. Hij kon het niet geloven, maar toen hij de vrouw in het donker hoorde stommelen bleef hem geen andere conclusie. Ze hadden een vrouw gestuurd om hem te pakken en ze kwam nog zonder licht ook. Meer kon hij niet verlangen.

Hij hoorde dat ze stopte. Ze zal zich oriënteren, dacht hij. Ze zou niet weten hoe moeilijk het was de bron van een geluid te bepalen vanwege de echo. Ze zou hulp nodig hebben. Swann glimlachte. Hij zou haar helpen om recht op de punt van zijn mes af te komen. Hij kon haar horen komen. Zij zou nooit weten waar hij was totdat het te laat was.

'Ben je bang in het donker?' vroeg hij. Haar stappen begonnen weer, nu in de goede richting. Ze bewoog eerst snel, daarna langzamer, toen ze haar oriëntatiepunt kwijt was.

'De meeste mensen zijn bang voor wat ze in het donker vinden,' zei Swann. 'Ik niet... Ik ben het.' Hij giechelde nerveus en luisterde toen naar de voetstappen die weer haastig op hem af kwamen.

Aural kon Swann langzaam naar haar schuilplaats horen komen. Hij verplaatste zich als de vrouw zich verplaatste. Misschien wilde hij met zijn rug tegen een wand staan als de vrouw hem bereikte. Dat wist ze niet, het enige dat ze wist was dat hij dichterbij kwam. Hij was nu nog maar op een paar passen afstand. Als Aural zich nu maar geluidloos kon verplaatsen. Als niet de geringste beweging haar door het geluid van haar boeien zou verraden. Als ze op een of andere manier kon helpen... De vrouw liep haar dood tegemoet. Aural kon elke stap horen die ze dichterbij kwam.

Swann voelde met zijn hand de rotswand en ging er met zijn rug tegenaan staan. Hij was er nu klaar voor. De agent kwam dichterbij, spoedig zou ze binnen zijn bereik zijn. Hij hield zijn ademhaling in bedwang en hield die zo stil mogelijk. Ze zou hem niet horen totdat hij dat wilde en dan zou het te laat zijn.

Ze kwam dichterbij. Ze was nog maar een paar passen verwijderd, maar een beetje uit de koers. Dat gaf niets. Hij zou haar van opzij treffen in plaats van aan de voorkant, of wachten tot zij hem voorbij ging en haar dan van achteren raken. Het was niet nodig dat ze recht op hem af kwam, alleen dicht genoeg bij. Ze was er nu bijna... maar ze was stil blijven staan.

Pegeen stond stil. Haar zenuwen waren tot het uiterste gespannen. Hij moest nu dichtbij zijn. Ze was nu heel dicht bij hem in de buurt, dat moest wel, want hij gaf geen aanwijzingen meer. De enige menselijke geluiden waren die van haarzelf. Ze voelde zich alsof iedere stap een stap in een mijnenveld was, elk moment kon er iets ontploffen. Ze wilde wegrennen, rennen en rennen en zich ergens in het donker verbergen, in elkaar duiken, haar knieën tot haar borst optrekken en wachten totdat iemand anders iets deed, iemand anders het voor zijn rekening nam.

Ze hield haar adem in, ingespannen luisterend. Toen kwam de schreeuw.

'Hij heeft een mes!' riep Aural.

Swann draaide zich om, geschrokken van het geluid en verbaasd dat hij de hele tijd bijna boven op het meisje had gezeten. Hij haalde uit en raakte alleen steen, toen draaide hij zich om naar de agent die plotseling op hem af kwam. Swann sloeg, stootte ergens op en voelde dat het mes bot raakte. Iets zwiepte langs zijn gezicht en miste. Hij sloeg weer. De agent hapte naar adem en viel van hem weg en kwam hard op de rotsen neer. Swann hief het mes op om nog een keer te steken en hoorde het getinkel van de boeien net een fractie voor hij Aurals hand naar hem voelde grijpen. Ze kreeg hem te pakken en klauwde met haar hand naar zijn gezicht.

Hij draaide zijn hoofd, schoot met zijn elleboog op haar af en en schopte toen tegen haar benen. Ze schreeuwde het uit van pijn, maar bleef achter hem tot hij haar met zijn vuist sloeg. Hij sloeg haar een paar keer, toen stootte hij haar uit balans en ze viel. Swann keerde zich weer naar de agent en voelde met zijn voet op de rotsige grond naar haar. Ze probeerde van hem weg te kruipen, maar hij had haar nu te pakken. Hij knielde en hief het mes omhoog.

Er was een geluid, meer een gevoel dat er iets heel snel op hem af kwam, en Swann draaide zich om en haalde met zijn mes wild uit in een poging het af te weren. Het mes trof vlees, scheurde iets open en hij hoorde een gegrom toen de snelheid van het razende ding dat hem voorbijschoot het mes uit zijn handen sloeg.

Swann knipte zijn helmlamp aan en zag Becker, die hem enkele meters voorbijgeschoten was, zich omdraaien en in het licht kijken. Bloed stroomde uit een gapende wond op zijn voorhoofd. Op hetzelfde ogenblik zag Swann ook de vrouwelijke agent, die aan zijn voeten lag, met haar armen gekruist om een volgende slag af te weren en Aural, ook op de grond, een meter opzij. Een seconde leek alles als bevroren, toen kwam Becker grommend op handen en voeten op hem af. Swann gaf een schreeuw en rende naar de tunnel.

Bij het zich verwijderende licht van Swanns helmlamp, knielde Becker naast Pegeen en onderzocht haar wonden met zijn handen.

'Hoe is het met je?'

'Grijp hem,' zei Pegeen.

Becker drukte een zaklantaarn in haar hand. Swann had de tunnel bereikt. Het licht verdween bijna helemaal toen hij in het lange gat dook.

'Je zult hem nodig hebben,' zei Pegeen en drukte de zaklantaarn terug in zijn hand.

'Nee, ik heb hem niet nodig,' zei Becker. Hij stond op en rende naar het lichtpuntje dat nog uit de tunnel kwam. Pegeen volgde hem met de straal van haar zaklantaarn en zag hem in de duisternis van de rots duiken voor ze het licht weer op zichzelf en de jonge vrouw naast haar richtte.

Aural was gaan zitten en staarde haar vol verbazing aan.

'Verdomme,' zei ze.

'Hoe is het met je?' vroeg Pegeen en ze vroeg zich tegelijk af hoe het met haarzelf was. Ze was in haar heup en in haar oksel gestoken, drong het tot haar door, maar ze zou van geen van beide wonden doodgaan.

'Lieverd,' zei Aural. 'Ik heb me in weken niet zo goed gevoeld. Wie was dat?'

'Een agent van de FBI.'

'Gaat hij hem grijpen?'

'Oh, ja,' zei Pegeen. 'Hij zal hem zeker grijpen.'

'Zal hij hem afmaken?'

Pegeen liet die vraag hangen, hoewel ze dacht dat het antwoord ja was.

'Het zag er beslist uit of hij hem af zou gaan maken,' vervolgde Aural. 'Het was het fijnste wat ik ooit zag.'

Pegeen kroop over de grond naar Aural en onderzocht hoe erg ze gewond was.

'Het is in orde. Je bent nu veilig,' zei Pegeen.

Pegeen liet het licht omlaag schijnen naar haar benen en haar adem stokte. Aural begon te lachen en bleef er maar mee doorgaan. Ze kon niet meer ophouden, en bevrijdende, hysterische lachsalvo's echoden door de grot.

Swann wist dat Becker achter hem aanzat, maar hij kon niets doen. De tunnel was te nauw om zich om te draaien. Er was geen mogelijkheid het mes te gebruiken. Af en toe greep Becker naar Swanns voet en Swann hijgde dan en kroop met hernieuwde paniek verder. Becker lachte.

'Kijk niet achterom,' hoonde Becker. 'Er zit iets achter je.'

Swann schoot met nog meer kracht vooruit en toen hij van uitputting weer langzamer ging, fluisterde Beckers stem weer als een ouder die een kind plaagt. 'Ik ga je... pàkken,' zei hij, en greep Swann bij zijn voet.

Toen Swann zich wanhopig losrukte, vulde Beckers lach de tunnel en dat klonk zo hard dat Swann het op zich voelde drukken.

Toen ze eindelijk in de vleermuizenruimte kwamen, strompelde Swann naar de mat van mest, draaide zich om en haalde uit met het mes, maar Becker stond ver genoeg weg, buiten het bereik van het wapen en dreef met een wrede grijns de spot met Swanns futiele pogingen.

'Ga weg!' schreeuwde Swann, zijn stem gebroken door tranen. 'Ga weg!'

Becker grinnikte afwachtend.

Swann hakte weer in de lucht en viel naar hem uit, maar Becker gleed soepel als een turner weg. Hij genoot van die beweging.

'Ik maak je af,' zei Swann.
'Denk je dat?' Beckers stem klonk kalm, vol belangstelling. 'Of zal ik jou afmaken?'
Het bloed uit Beckers wond stroomde langs een kant van zijn gezicht, en dat gaf zijn trekken in het gele licht van de lamp een demonisch aanzien.
Swann begreep niet waarom Becker niet aanviel. Hij kon hem het mes in een oogwenk afnemen. Dat wisten ze beiden.
'Wat wil je?' vroeg hij.
'We hebben geen haast,' zei Becker. 'Het wordt je mettertijd wel duidelijk.'
Het drong tot Swann door dat Becker hem zou doden, hem ook wilde doden en genoot van het vooruitzicht.
'Ik geef me over,' zei Swann.
Becker grinnikte alleen maar en schudde zijn hoofd.
'Ik geef het op,' drong Swann aan. Hij dreef het mes in de laag mest.
'Dat is geen oplossing,' zei Becker.
'Jij bent een FBI-agent. Ik geef me aan je over. Je moet me arresteren.'
Beckers ogen glommen van plezier. Swann begon te jammeren.
'Wat wìl je?' jammerde hij.
'Wat wilde jíj, Swann? Waarvoor kwam je hier naar beneden?'
'Alsjeblieft,' smeekte Swann. 'Alsjeblieft.'
'Je zei dat ik een reputatie had, herinner je je dat? Dat is de reden dat je met mij in contact kwam, dat is de reden waarom jij mij er in eerste instantie bij betrokken hebt. Wáár had ik een reputatie voor, Swann?'
'Ze zeiden dat je...'
'Wat? Wat zeiden ze? Zeg niet dat ik "fair" was. Niemand zei jou dat ik fair was. Wat zeiden ze ècht over mij, Swann?'
'Ze zeiden dat je... erger was.'
'Erger?'
'Erger dan zij waren.'
'Erger dan zij waren? Erger dan die psychopaten zoals jij? Nou, als ik dat zou zijn, dan zouden ze niet in staat zijn om je dat te vertellen, toch? Ze zouden dood zijn. Maar ze waren niet allemaal dood, toch?'
Swann schoof achteruit naar het pad door de mest.
'Waren ze dat?' schreeuwde Becker. De vleermuizen werden door dat geluid opgejaagd en begonnen zelf ook te krijsen. Verschillende kluiten en trossen raakten los van hun slaapplaatsen en doken in paniekvlucht de ruimte door voor ze zich weer tussen de andere nestelden.
Swann dook en kromp voor de vleermuizen in elkaar.

'Nee, ze waren niet allemaal dood,' jammerde hij en hij probeerde Becker met zijn stem gunstig te stemmen.

'Nee,' zei Becker. 'Ik heb ze niet allemaal gedood. Maar een paar... Sommigen dood, sommigen niet dood... Waar hoor jij bij, Swann?'

'Niet dood. Niet dood.'

'Ik heb je gewaarschuwd, Swann. Ik heb je gezegd dat ik nooit meer iets over je wilde horen... maar hier zit je nu.'

Becker grinnikte als een wolf. Hij sprak met een honende klank in zijn stem. 'Hier zitten we nu. Eindelijk alleen.'

Becker hief langzaam zijn handen omhoog en kromde zijn vingers. 'Ben je niet blij dat je mij uit mijn ziekteverlof hebt gehaald?'

'Lieve Jezus,' bad Swann. 'Laat medelijden in zijn hart neerdalen.'

Becker stapte op Swann toe. 'Ben je er klaar voor?' zei hij fluisterend.

Swann draaide zich om en rende naar het pad in de mest. Hij had nog maar een paar meter afgelegd voor Becker hem te pakken kreeg. Door de kracht van zijn aanval lichtte hij hem op en smakte hem met zijn gezicht in de stront. Swann worstelde maar Becker duwde hem steeds verder naar beneden. Met zijn hele gewicht op Swanns rug duwde hij met zijn handen zijn gezicht steeds verder in de glibberige troep.

Swann worstelde omdat zijn lichaam daarom vroeg, maar zijn geest wist dat hij al dood was. Op het eind dacht hij dat hij met Cooper in zijn cel terug was en dat diens reusachtige lichaam zich boven op hem drukte.

Pegeen vond Becker zittend op de vloer van de vleermuisruimte met het lichaam van Swann aan zijn voeten. Pegeen had haar kat eens zo zien zitten met een dood vogeltje tussen haar poten en trots op zichzelf naar haar opkijkend om haar goedkeuring te krijgen.

Toen Aural uit de golfzak kroop waarin Pegeen haar door de tunnel had gesleept, bewoog het dode vogeltje. Swann kreunde en verschoof zijn been.

'Ik dacht dat hij dood was,' zei Pegeen.

'Dat dacht hij ook,' zei Becker.

Aural strompelde overeind en keek neer op Swanns uitgestrekte gestalte. 'Ik dacht vast dat je hem had afgemaakt,' zei ze teleurgesteld tegen Becker.

Becker haalde zijn schouders op. 'Dat dacht ik ook. Als hij een beetje gemakkelijker doodging, zou ik het ook hebben gedaan, denk ik.'

'Hoe is het met je?' vroeg Pegeen.

Becker grinnikte, en in het licht van de zaklantaarn kon Pegeen zien dat zijn levenslust was teruggekomen en zijn stemming compleet was veranderd. Terwijl hij de laatste paar dagen een man was geweest die verzonken was in de duisternis van zijn ziel, was hij nu jongensachtig, charmant, een man in harmonie met zichzelf. Voor hoelang, vroeg ze zich af. Wanneer zal hij weer in een weerwolf veranderen? Waardoor wordt dat veroorzaakt? Zal er een waarschuwing zijn? Godzijdank, dacht ze, en ze voelde tot haar verbazing plotseling begrip en opluchting, godzijdank zal ik er niet bij zijn om erachter te komen. Hij zegt dat hij houdt van adjunct-directeur Crist? Laat haar maar met hem optrekken. Ik leef met haar mee.

Toen Pegeen en Becker overlegden hoe ze Aural en Swann het beste boven de grond konden krijgen, hoorden ze plotseling een vreemd geluid achter zich. Een helder licht flikkerde op in de grot. Ze draaiden zich om en zagen Swann in brand staan. Aural stond over hem heen gebogen, in haar ene hand een fles aanstekerbenzine en in haar andere hand een sigarettenaansteker.

Pegeen kwam op hen af om de vlammen te doven, maar Becker greep haar en hield haar tegen.

'Je zult alleen jezelf maar branden,' zei hij, in haar oor fluisterend.

Pegeen stribbelde tegen tot ze de blik op Aurals gezicht zag. De gemartelde vrouw keek naar het vuur aan haar voeten met de gelukzalige glimlach van een heilige. Aurals lippen bewogen en het duurde even voor het tot Pegeen doordrong dat ze zong met een stem die boven het geraas van de vlammen en het gekrijs van de vleermuizen nauwelijks hoorbaar was.

42

Karen keek naar de persconferentie op de TV. Hatcher en congreslid Beggs waren beiden in topvorm. Ieder liet de ander in zijn waarde en ze deelden grootmoedig de eer met de toegewijde mannen en vrouwen van het handhaven van de wet in het algemeen en het Bureau in het bijzonder, maar slaagden er toch in om zichzelf als de echte held van de dag naar voren te schuiven. Het was een meesterlijke opvoering van de hypocrisie van Washington, tegelijk bescheiden en het eigen belang dienend. Karen had maar oppervlakkige belangstelling voor Beggs, maar ze hield zorgvuldig het optreden van Hatcher in de gaten. Hij had voor haar dezelfde walgelijke bekoring als een slang die langs een ingevette vlaggemast omhoog glibberde. Het vermogen van de man om, wat voor obstakel hij ook tegenkwam, omhoog te klimmen was buitengewoon. Ze begreep met beheersd afgrijzen dat ze naar de volgende algemeen adjunct-directeur van de FBI keek, de man die net onder de door de politiek benoemde chef kwam, de man die de zaak leidde.

De twee mannen gaven een samengevatte en geschoonde versie van de zaak. Karen had ook de eerste rapporten over de zaak gelezen. Ze waren de avond ervoor naar haar gefaxt. Ze wist alles wat er over de zaak te weten was, behalve de waarheid, en die kon ze alleen van Becker krijgen.

Becker kwam in Clamden terug na een sessie van een hele dag met dr. Gold. Die had uiteindelijk zijn handen in de lucht gestoken, uit wanhoop dat hij geen enkele echte vooruitgang boekte. 'Ik kan niets meer voor je doen, John. Je moet meewerken. Je moet zelf willen om tot de wortels door te dringen.'

Becker had gegrinnikt op een manier waarbij Gold zich niet op zijn gemak voelde. 'Ik wil het niet uitroeien,' zei hij. 'Ik heb besloten het te houden.'

'Ondanks al de pijn die het je bezorgt?'

'De pijn komt van het proberen het te onderdrukken.'

'Dat is niet waar, John. Je weet dat het niet waar is.'

Becker was tegen hem blijven grinniken. 'Nou, jij weet het het beste, doc. Dat staat zo op je diploma.'

Gold zuchtte. Becker was altijd moeilijk geweest, te slim voor vakjargon, te scherpzinnig voor gemeenplaatsen en met een compleet gemis aan eerbiedig ontzag dat zo noodzakelijk is in een dokter-patiënt relatie. Ze waren na jaren van strijd vrienden tegen wil en dank geworden, toegenegen tegenstanders. Gold had hem niet genezen en wist dat hij dat niet kon en, wat erger was, hij realiseerde zich dat Becker dat ook wist. Sommige toestanden konden niet genezen worden, alleen in bedwang gehouden en dan alleen nog tegen een zeer hoge prijs. Gold was bang dat Becker er moe van was die prijs te betalen.

'Wat doen we dan nu?' vroeg Gold. 'Wil je nog terugkomen voor verdere sessies?'

'Denk je dat het enig nut heeft?' vroeg Becker.

Gold aarzelde. Het had geen zin te liegen, niet tegen Becker. Hij had niet de hoop dat hij hem om de tuin kon leiden.

'Ik hoop dat je wilt blijven komen,' zei hij.

'We zullen zien,' zei Becker, terwijl hij opstond. 'Kijk niet zo sip, doc. Er is ook een goede kant aan.'

'Wat dan?'

'Het zal Hatcher genoegen doen.'

Becker en Karen vrijden met elkaar voor ze ergens over praatten. Ieder probeerde weer in de ander de hartstocht te ontdekken, die magische aantrekkingskracht, die hen in eerste instantie bij elkaar had gebracht. Dat was natuurlijk nooit alleen lichamelijk geweest, maar daar was het wel waar ze het nu zochten.

'Hoe was het?' vroeg Karen toen ze een paar minuten rustig in het donker hadden gelegen, elk verloren in zijn of haar eigen gedachten.

'Je hebt de rapporten gelezen,' zei Becker.

'Maar hoe was het, John? Hoe gaat het met je?'

'Goed,' zei hij. 'Niets aan de hand.'

'Hoe heb je... was het zo erg als je had gedacht?'

Becker zweeg.

'Ik ben weg bij Seriemoorden,' zei Karen. 'Hatcher heeft me vanmorgen teruggeplaatst naar Kidnapping.'

Becker draaide zich om en keek haar aan.

'Ben je het daarmee eens?' vroeg hij.

Ze raakte zijn wang aan. 'Bedankt,' zei ze.

'Waarvoor?'

Karen glimlachte. 'Denk je ècht dat ik niet weet wat je van plan bent of waarom je de dingen doet waar je mee bezig bent?'

'Doe je dat echt?'

'Ik weet alles van je,' zei Karen glimlachend.

Becker grinnikte. 'Jij denkt dat je àlles van me weet?'

'Ik weet wat ik over je wil weten,' zei Karen. 'En als ik iets niet wil weten, vraag ik er ook niet naar.'

Hoe verstandig, dacht Becker. Hoe gelukkig ben ik.

Hij nam haar weer in zijn armen en hield haar zonder iets te zeggen vast. Zijn omarming vroeg om vergiffenis en drukte tegelijk zijn dankbaarheid uit.

'Ik ga weer aan het werk,' zei hij.

'Je hoeft niet,' zei ze.

'Jawel. Ik moet. Ik kan het niet blijven bevechten, ik ben te moe.' Maar Becker voelde zich niet vermoeid. Doordat hij de weerstand tegen de drang van zijn passies opgaf, had hij een enorme energie in zich vrijgemaakt. Hij voelde zich bevrijd en vol nieuwe kracht. Door zich over te geven aan zijn eigen natuur had hij zich bevrijd, dacht hij. Een wolf is een wolf, en die kan niet gelukkig zijn als een huishond.

'Zal dat wel goed gaan?'

Becker nam haar nog steviger in zijn armen en vocht tegen de drang om te huilen. 'Ik denk dat ik het aankan,' zei hij.